Die kleine Schottlandfibel

oder eine passionierte Schilderung
schottischer Geschichte, Kultur und Natur

Hans-Walter Arends

Luath Press Limited
Edinburgh
www.luath.co.uk

Für Sandra

Erste Ausgabe 2001, Nachdruck 2005
Erweiterte Ausgabe 2006
Gedruckt auf säurefreiem, chlorarmem und wiederver-
wendbarem Papier, hergestellt aus Wirtschaftsholz aus
wiederangepflanztem Wald. Das Papier kann wiederauf-
bereitet werden.

Druck und Einband
Nørhaven Paperback A/S, Dänemark

Karten
Jim Lewis

Illustrationen
Anthony Fury

Umschlagfotos und Fotos im Innenteil
© Hans-Walter Arends

Satz in 10 punkt Sabon und 8.5 punkt Verdana

Inhaltsverzeichnis

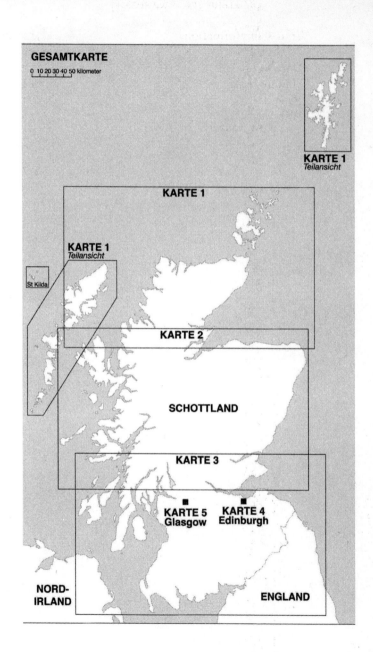

GESAMTKARTE

0 10 20 30 40 50 kilometer

KARTE 1
Teilansicht

KARTE 1

KARTE 1
Teilansicht

St Kilda

KARTE 2

SCHOTTLAND

KARTE 3

■
KARTE 5
Glasgow

■
KARTE 4
Edinburgh

NORD-IRLAND

ENGLAND

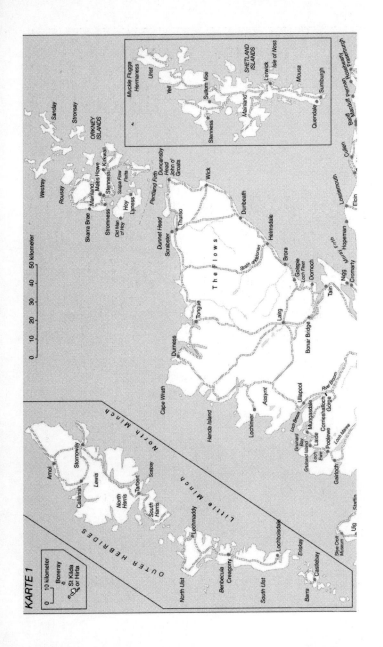

KARTE 1

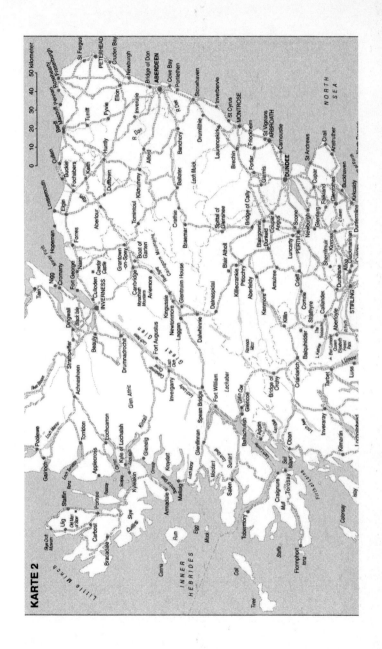

KARTE 2

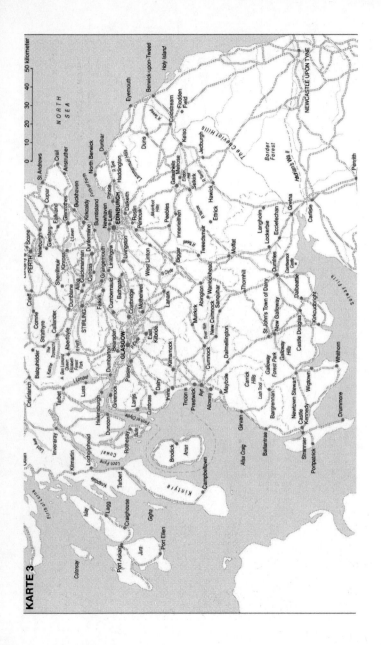

KARTE 3

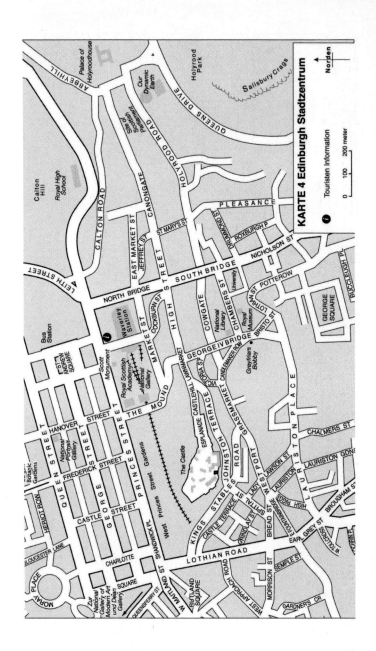

KARTE 4 Edinburgh Stadtzentrum

i Touristen Information

0   100   200 meter

Norden

Salisbury Crags

Holyrood Park

QUEENS DRIVE

Palace of Holyroodhouse

ABBEYHILL

Our Dynamic Earth

Site of Scottish Parliament

HOLYROOD ROAD

CANONGATE

Calton Hill

Royal High School

CALTON ROAD

PLEASANCE

LEITH STREET

EAST MARKET ST

ST MARY'S ST

JEFFREY ST

DRUMMOND ST

ROXBURGH P

NICHOLSON ST

NORTH BRIDGE

SOUTH BRIDGE

CHAMBERS ST

POTEROW

HIGH STREET

COCKBURN ST

MARKET ST

COWGATE

Waverley Station

Bus Station

i

Scott Monument

Royal Scottish Academy

National Gallery

ST ANDREW SQUARE

National Library

Royal Museum

University

LOTHIAN ST

BUCCLEUGH PL

GEORGE SQUARE

Greyfriars Bobby

BRISTO ST

GEORGE IV BRIDGE

VICTORIA ST

LAWNMARKET

CANDLEMAKER ROW

THE MOUND

HANOVER STREET

QUEEN STREET

FREDERICK STREET

PRINCES STREET

GEORGE STREET

HERIOT ROW

National Portrait Gallery

Botanic Gardens

Princes Street Gardens

West Princes Street Gardens

The Castle

ESPLANADE

CASTLEHILL

JOHNSTON TERRACE

KING'S STABLES ROAD

GRASSMARKET

LAURISTON PLACE

CHALMERS ST

LAURISTON GDNS

LAURISTON ST

GEORGE STREET

CASTLE STREET

CHARLOTTE SQUARE

SHANDWICK PL

WEST MAITLAND ST

RUTLAND SQUARE

LOTHIAN ROAD

QUEENSFERRY ST

Zur National Gallery of Modern Art und Dean Gallery

MORAY PLACE

GLOUCESTER LANE

CASTLE TERRACE

SPITTAL ST

GRINDLAY ST

LADY LAWSON ST

WEST PORT

BREAD ST

HIGH RIGGS

LADY LAWSON ST

LAURISTON ST

BROUGHAM ST

MORRISON ST

SEMPLE ST

GARDNER'S CR

WEST APPROACH ROAD

EARL GREY ST

ROBIN P

XIII

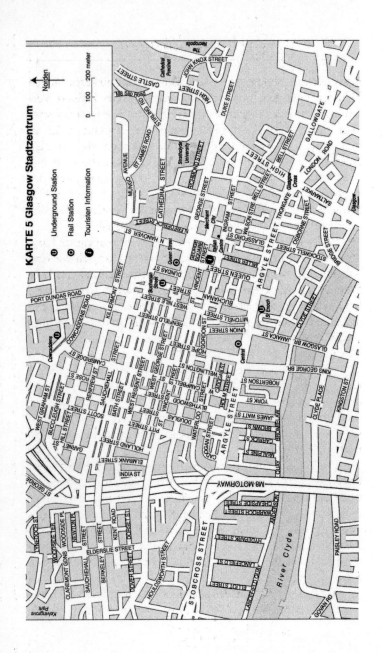

KARTE 5 Glasgow Stadtzentrum

Vorbemerkungen

BEKANNTLICH VERURSACHT jede Umdrehung unseres blauen Planeten irgendwie und irgendwo größere oder kleinere Veränderungen hervor oder bringt Gewesenes wieder ans Licht. Hier in Schottland ist es nicht anders. Seit Erscheinen der ersten kleinen Schottlandfibel, die offensichtlich und erfreulicherweise eine Marktlücke füllt, sind in Schottland einige tiefgreifende Änderungen erfolgt. Diese wurden zwar der Welt in Teilen bekannt gemacht, oft sind sie aber in der Schnellebigkeit unserer Zeit schon wieder vergessen worden oder sind gar nicht richtig einzuordnen gewesen.

In der gar nicht so fernen Vergangenheit war dieses Land am Rand Europas für viele Besucher fast so exotisch wie eine beliebige der sehr viel weiter entfernt liegenden Ecken dieser Welt. Zum Glück hat sich das etwas geändert. Über Schottland wurde in den letzten Jahren sehr viel geschrieben und das Land ist in einer ganzen Reihe von Dokumentar- und Unterhaltungsprogrammen im Fernsehen und in anderen Medien vorgestellt worden.

Mit diesen Veröffentlichungen ist das Interesse an allem, was schottisch ist, auch international stark gewachsen. Nicht umsonst nimmt der Tourismus trotz der Umsatzeinbußen durch das angestiegene Preisniveau und durch die tragischen Ereignisse weltweit immer noch die vierte Stelle in der schottischen Wirtschaft ein.

Ein Großteil der deutschen Touristen wird vielleicht den ersten persönlichen Kontakt mit Schottland im Rahmen einer Gruppenreise gesucht haben. Überraschend viele Besucher kommen wieder und erkunden das Gesehene und das noch Unbekannte dann mehr im Detail. Andere wiederum werden durch die enthusiastischen Berichte der Zurückkehrenden zu einem Besuch dieses Landes im Nordwesten Europas inspiriert.

Trotzdem sind mit dem Begriff Schottland leider immer noch eine ganze Reihe von Klischees verbunden und die allgemeinen Kenntnisse des Landes sind auch immer noch nicht sehr verbreitet. Viele Fragen werden gestellt und die Antworten möglicherweise bis zum nächsten Mal vergessen – das vorliegende Buch versucht, einige dieser Antworten aufzuzeichnen oder wieder in Erinnerung zu rufen. Es ist aber vor allem für diejenigen gedacht, die zum ersten Mal schottischen Boden betreten.

Die aufgeführten Fakten sind aus vielen Quellen zusammengetragen und soweit wie möglich recherchiert worden. Sie erheben jedoch keinen Anspruch auf Vollständigkeit. Historische Quellen sind manchmal recht widersprüchlich und aus den meines Erachtens wichtigsten Ereignissen musste eine Auswahl getroffen werden, da sonst die schiere Faktenfülle den Rahmen des Buchs gesprengt hätte. Für hinter Personennamen angeführte Daten gilt durchweg: bei Königen handelt es sich grundsätzlich um Herrscherjahre, bei allen übrigen Personen bezeichnen diese das Geburts- und Todesjahr. Was den Namen der Stewart-Dynastie angeht, habe ich mich für die ursprüngliche, ältere Schreibweise entschieden, obwohl die französische Form (Stuart) für die Zeit nach Mary Queen of Scots ebenso gebräuchlich ist.

Für den einen oder anderen Leser sind einzelne Themen sicherlich nicht ausführlich genug behandelt. Es seien daher die Literaturhinweise am Ende des Buchs erwähnt.

Mein besonderer Dank gilt an dieser Stelle wiederum Nele Andersch und Elke Müller für ihre intensive und großartige Mitarbeit sowie ihre wohlmeinende und sehr konstruktive Kritik. Wie schon vorher hat mein Verleger Gavin MacDougall auch diesmal wieder mit seinen professionellen Ratschlägen einen wesentlichen Teil zur Gestaltung im Sinne des absolut buchstäblichen Wortes beigetragen. Er hat, um es noch einmal zu betonen, mit seinem unternehmerischen Mut, die erste und jetzt sogar die zweite Ausgabe dieses Buchs in Schottland in deutscher Sprache herauszugeben, eine von Erfolg gekrönte Pioniertat vollbracht.

Schottland – dieses herrliche Muss –
verborgen liegt es in den Tiefen
wohl vieler Herzen.
Bleibt die Frage, wann Du es Dir erfüllst.
(unbekannt)

Fàilte! Willkommen!
Hans Walter Arends
Edinburgh, im Februar 2006

Schottland –
Land unter dem Regenbogen

IM NORDWESTZIPFEL EUROPAS GELEGEN, ist Schottland für viele Reisende ein einzigartiges Ziel. Der Einzelne ist trotz der vielen Bilder und Beschreibungen, die wahrscheinlich seinem ersten Besuch vorausgingen, immer wieder überrascht und von der Schönheit des Landes beeindruckt.

Der Variantenreichtum der Landschaften Schottlands auf dem vergleichsweise kleinen Raum sucht weltweit seinesgleichen. Die Skala reicht denn auch von sanft bis urwüchsig und ähnlich sind auch das Klima und das Wetter: Selten ist es rauh, meistens ist es mild und oft, man glaubt es nicht, sogar sehr schön. Bekanntlich gibt es gerade darüber und zu Unrecht im deutschsprachigen Raum immer noch Voreingenommenheit. Fakt ist, dass die fast permanenten Wetterwechsel eine buchstäblich heilsame Atmosphäre und dazu in jeder Jahreszeit die breiteste Palette klarer, harmonierender Farben schaffen. Das kommt besonders am von Sternen übersäten Nachthimmel ausserhalb der Städte zum Ausdruck. Es ist diese Verbindung von offenem Raum, der Natur in den verschiedenen Jahreszeiten, reiner Luft und der Wolken, die dem Betrachter nicht selten dieses traumhafte Gefühl vermittelt, alles schon einmal gesehen und eine Ewigkeit vermisst zu haben.

Schottland ist wirklich nicht groß. Es ist aber in seiner Geografie recht eindeutig gegliedert, so dass jeder Besucher von Großstadt bis Einsamkeit leicht das findet, was er sucht. Viele möchten das alte Schottland mit den zahllosen Burgen, Klöstern, Kirchen und den anderen historischen Gebäuden sehen, die an die ereignisreiche Vergangenheit des Landes erinnern. Doch Schottland ist sehr vielseitig und damit ein Land für fast jeden Geschmack. Zu der sehr speziellen Geologie und hochinteressanten Geografie gesellen sich die turbulente und nicht selten gewalttätige Geschichte seines Volkes, dessen Kultur und eine eng damit verbundene Entwicklung von Wirtschaft, Wissenschaft und Technik. Schottlands Wirtschaft hat in den letzten zwei Jahrzehnten eine drastische Veränderung erlebt. Das steht einmal in direkter Beziehung zu den Ölfunden, hängt andererseits aber mit der verbesserten allgemeinen wirtschaftlichen Situation in Großbritannien zusammen. Hinzu kommt noch der Strukturwandel von der Schwer- zur Elektronikindustrie und diversen anderen Erwerbszweigen. Auch die weitreichende Unterstützung der EU, die Schottland sehr geholfen hat, spielt eine Rolle.

In der politischen Geschichte dieses Landes hat erst vor wenigen Jahren ein neues Kapitel begonnen. Schottland, das noch immer ein Teil des Vereinigten Königreichs ist, hat nach fast dreihundert Jahren – genauer seit dem 1. Juli 1999 – wieder ein eigenes Parlament.

TEIL I

Mythen, Klischees und die harte Welt der Fakten

VON DEN MYTHEN UND KLISCHEES halten sich nach wie vor die altbekannten und stereotypen Vorstellungen: Männer in Röcken, Whisky, dazu der eigenartige Klang des Dudelsacks, und das ebenso geheimnisvolle wie liebenswerte Monster Nessie. Das aber wohl bekannteste und doch höchst unzutreffendste Klischee ist leider der Geiz, der den Schotten nachgesagt wird. Dann gibt es noch die Frage, was der Schotte wohl unter dem Kilt (Schottenrock) trägt und den Witz, dass viele beim Weltuntergang am liebsten in Schottland sein wollen - weil dort alles erst einhundert Jahre später passiert.

Männer in Kilts gehören tatsächlich zum schottischen Alltagsbild. Die Frage, was der Schotte wohl unter dem Rock trägt, wird allerdings so gut wie nie verbal beantwortet, allenfalls demonstriert – in Ausnahmefällen. Auch die Frage nach dem besten Whisky wird sich nicht endgültig klären lassen. Und Nessie? Wer wagt es denn, ihre Existenz zu bestreiten? Kaum jemand! Die Beweise liefern viele Besucher selbst. Während einer Fahrt entlang Loch Ness halten sie mit ihren Blicken auf den See die Existenz des Monsters für nicht ganz abwegig.

Tatsächlich sind die Menschen in Schottland – wie überall – durch Umwelt und geografische Gegebenheiten, soziale, geschichtliche und religiöse Hintergründe geprägt. Längst kommt heute aber der alte schottische Gegensatz zwischen der zurückschauenden und in einer Traumwelt lebenden, gälischen Hochlandbevölkerung und den sich der harten Realität stellenden und mehr pragmatischen Menschen der Lowlands nicht mehr so zum Ausdruck wie in der Vergangenheit. Wo immer die Schotten auch leben, wie aufgeschlossen oder wortkarg sie auch sein mögen, eines ist ihnen allen gemein: Besuchern begegnen sie mit Warmherzigkeit und Gastfreundschaft. Besonders im Hochland haben die Menschen zu lange unter kargen Verhältnissen leben müssen. Schon allein deswegen zeugt der Gebrauch des Klischees der geizigen und zurückgebliebenen Schotten nicht unbedingt von der Kenntnis dieses Landes und seiner Bewohner. Vielmehr ist zu bedenken, dass die schottische Wirtschaft in Europa nicht ohne Grund einen verhältnismässig hohen Rang einnimmt. Trotz des Rückgangs der Schwerindustrie ist Schottland noch eines der industrialisiertesten Länder und ist in den letzten Jahren u.a. ein Zentrum der Elektronikindustrie geworden. Die Pioniertaten und Entdeckungen durch schottische Wissenschaftler, Mediziner und Ingenieure, waren nicht nur Merkmale des 18., 19. und 20. Jahrhunderts. Auch im Schottland unserer Zeit werden sie – und nicht selten – vollbracht, selbst wenn die Ergebnisse nicht immer so spektakulär sind wie das geklonte Schaf Dolly.

Der aufmerksame Besucher möge bedenken, dass das Nationalgefühl der Schotten tief in ihrer Geschichte verwurzelt ist: Sie sind – egal ob in den Highlands oder den Lowlands – Schotten, gegebenenfalls noch Briten, aber nie Engländer.

Geografie

Während seiner geologischen Geschichte von rund 3,5 Milliarden Jahren war Schottland bis vor ca. 380 Millionen Jahren noch Teil des heutigen Nordamerika. Schon davor begann die Landmasse, als Teil eines Riesenkontinents, zu wandern. Der Weg führte über rund 80 Breitengrade mit den entsprechenden Klimazonen: vom 30. Breitengrad südlich des Äquators, ungefähr des jetzigen Breitengrades von Argentinien, bis in die heutige Position ca. 55° – 61° nördlicher Breite. Im Laufe seiner langen Entstehungsgeschichte hat das Land dadurch eine der komplexesten geologischen Formationen in Europa erhalten.

Sehr vereinfacht ausgedrückt, wurde die tektonische Platte, auf der Schottlands sich einst befand, durch den ständigen Ausbruch am atlantischen Rücken durchtrennt. Der gewaltige und andauernde Druck presste das heutige Schottland mit Nordirland auf andere Teile Europas. Die metamorphen und die magmatischen Gesteine im Norden Schottlands gehören der sogenannten kaledonischen Faltungsära des Erdaltertums an. In dieser Zeit wurden die auch heute noch sehr markante Gebirgszüge geformt. Die Berge bilden eine Fortsetzung des sich diagonal von Nordosten nach Südwesten durch ganz Schottland ziehenden skandinavischen Gebirgssystems. Im Südwesten setzt sich das sogar noch als die Berg- und Hügelregionen Nordirlands fort. Darüber hinaus besteht auch zwischen den Bergen in Cumbria im englischen Lake District und Nordwales und dieser Bildungsphase ein Zusammenhang.

Die einst zahlreichen aktiven Vulkane in Schottland sind vor ca. 80 bis 300 Millionen Jahren erloschen und natürlich gibt es hier und jetzt keine Eiszeiten und keine Gletscher mehr.

Vom rund 2.5 Milliarden Jahre alten *Lewisian Gneiss* (Gneis) bis hin zum ‚nur' 80 Millionen Jahre alten Vulkangestein ist in den drei Hauptgebieten des Landes ein beeindruckendes Spektrum an Gestein zu finden. Viele Geologen der Welt kommen allein deshalb zu Studienzwecken nach Schottland.

An drei Seiten ist das Land von Meer umgeben: im Osten von der Nordsee, im Westen und Norden vom Atlantischen Ozean. Im Südwesten wird es durch den Nordkanal von Nordirland getrennt. Somit ist kaum ein Punkt im Land weiter als 65 km vom Meer entfernt, das sehr klar in drei Hauptgebiete unterteiltwerden kann:

- das **südliche Hochland** (**Southern Uplands**) mit den beiden Regionen **Borders** und **Dumfries und Galloway**
- den **Central Belt** oder zentralen Gürtel Mittelschottlands, in dem die beiden großen Städte Edinburgh und Glasgow liegen und
- das **Hochland** (**Highlands**) und den **Inseln** im Norden und Westen.

Dieser Hochland- und Inselbereich umfasst alles, was nördlich der sogenannten Hochlandbruchlinie liegt. Sie ist eine markante Berg- und Hügelkette, die sich von Helensburgh im Südwesten bis Stonehaven im Nordosten diagonal durch ganz Schottland zieht. Politisch, geschichtlich und wirtschaftlich ist entlang dieser *Highland Boundary Fault* schon seit dem frühen Mittelalter eine soziale, kulturelle und später auch wirtschaftliche Trennlinie zwischen Hoch- und Tiefland gezogen worden. *Lowlands* heißt jedoch nicht unbedingt, dass diese Region ein geologisches Flachland ist; manche Gegenden sind ebenso hügelig und unwegsam wie der Norden des Hochlandes. Das Tiefland ist aber wesentlich fruchtbarer und reicher an Bodenschätzen. Geschichtlich war es daher auch schon immer wirtschaftlich bedeutsamer und in vielem deutlich einflussreicher als das Hochland.

Klima

An der Westküste und auf den Inseln macht sich der warme **Golfstrom** bemerkbar, der sogar das Wachstum von Palmen und anderen subtropischen und gar tropischen Pflanzen ermöglicht.

Reisezeit

Die besten Reisemonate sind Mai und Juni, allein schon wegen der Farbenpracht des Rhododendrons und des Ginsters und der oft bereits sehr angenehmen Temperaturen. Doch Schottland ist zu jeder Jahreszeit mit brillanten Farben gesegnet. Das gilt besonders im Sommer, wenn die blühende Heide die unzähligen Hügel und die weiten Landschaften mit einem violetten Teppich überzieht. Der Herbst bringt in der klaren Luft die Farben der Wälder vor der Kulisse der schneegepuderten Bergspitzen und des blauen Meeres zum Leuchten.

Von Frühsommer bis Herbst wehen aus westlicher Richtung jedoch kühle und meistens feuchte Winde, die für häufig starken Regen in den Bergen sorgen. Im Spätherbst und im Winter dagegen sind es eher trockene Nordwinde, die das Thermometer aber selten unter -7°C fallen lassen. Traumhafte Sandstrände laden verlockend oft zum Baden ein, was jedoch ausschließlich und das ganze Jahr hindurch nur abgehärteten Zeitgenossen zu empfehlen ist. Die durchschnittlichen Wassertemperaturen liegen im Sommer um

13°C! Bei Lufttemperaturen um 20°C können daher die meisten Sommerurlauber höchstens ein ausgiebiges Sonnenbad genießen. Wie sich das Klima Schottlands durch den weltweiten Treibhauseffekt verändern wird, bleibt noch abzuwarten. Wahrscheinlich werden die Sommer länger und wärmer – aber auch nasser.

Fauna und Flora

Schafe in ihrer großen Zahl fallen als erstes ins Auge – so ist es verständlich, dass die ersten Fragen das Land betreffend sich fast immer um diese genügsamen Tiere drehen. Ideal geschaffen für das karge Land leben sie das ganze Jahr über auf den Weideflächen der kahlen Höhen. Felsen und Büsche oder die wenigen vereinzelten Bäume geben dort nur einen geringen Wind- und Regenschutz. In einen Stall kommen sie nur bei extremen Wetterverhältnissen und wenn sie lammen. Die verbreitetsten Rassen sind die Blackface-Schafe mit der charakteristischen schwarzweißen Färbung am Kopf und das robuste weiße Cheviot Schaf mit der markanten römischen Nase.

Vorsicht – Schafe

Schafe haben ausser Fressen scheinbar nicht viel im Sinn. Häufig stehen sie gedankenverloren mitten auf der Straße oder überqueren diese unerwartet. Vorsicht ist daher bei der Autofahrt durch Schottland ständig geboten – ganz besonders gilt das im Frühjahr und Frühsommer, wenn die Muttertiere mit ihren Lämmern unterwegs sind!

Gemütlich und knuddelig sieht es aus, das rötlich-braune bis schwarze **Hochlandrind** oder *Highland Cattle*. Im allgemeinen sind diese Tiere mit dem charakteristischen zotteligen

Langhaarfell friedlich. Die Kühe mit ihren Kälbern werden allerdings sehr unruhig, wenn sie sich gestört fühlen. Äusserste Vorsicht ist dann geboten, denn sie können blitzschnell sein und die geschwungenen Hörner sind unangenehm spitz!

Zu den klimatisch besonders angepassten Rinderrassen zählen auch die schwarz-weiß gestreiften *Belties* und die ursprünglich aus dem Süden Schottlands stammenden *Galloways*. Deren Haut ist so dick und wirkt so isolierend, dass, so wird gesagt, noch drei Tage nach dem letzten Schneefall, Schnee auf ihren Rücken zu finden ist.

In der Frühgeschichte Schottlands gab es **Rentiere, Luchse, Biber, Wölfe, Wildschweine** und **Bären**. Zwar sind alle diese Tierarten, bis auf die wiedereingebürgerten Rentiere, mittlerweile verschwunden, doch die immer noch relativ artenreiche schottische Tierwelt schließt **Rotwild, Füchse, Dachse, Kaninchen, Marder und Wildkatzen** ein. Besonders im Winter, wenn der Schnee die Tiere von den Höhen in die Flussniederungen treibt, ist Rotwild gut von der Straße aus zu sehen. Zur Erhaltung der Artenvielfalt und zur Förderung der natürlichen Auslese aber auch zur Landschaftserhaltung will die Organisation Scottish Natural Heritage Biber, Luchse und vielleicht auch Wölfe wieder einführen. Dagegen gibt es allerdings von verschiedenen Interessengruppen vehemente Proteste. Selbst in den abgelegensten Regionen wird gejagt, deshalb ist bei Wanderungen durch unmarkierte Gebiete während der Jagdsaison auch Vorsicht geboten! Dachse und Füchse sind im ganzen Land zu finden. Die Tollwut ist durch die einst strikten Quarantänebestimmungen von der Insel ferngehalten worden, somit ist die Verbreitung des Fuchses auch in Stadtgebieten keine Seltenheit und eine Begegnung mit ihm stellt normalerweise keine Gefahr dar.

Die Heidegebiete sind der bevorzugte Lebensraum der einzigen Giftschlange in Großbritannien der **Kreuz**. Diese verschwindet meistens, wenn Menschen in die Nähe kommen, doch Unfälle sind in der Einsamkeit der kahlen Hügel schon vorgekommen und nicht ungefährlich.

Zerfranste und von zahllosen Löchern durchsiebte Grashügel weisen auf Kaninchen hin. Zu Hunderten sind sie oft besonders in den frühen Morgen- und Abendstunden zu sehen. Sie sind zur Plage für viele Bauern und auch Archäologen geworden, denn Kaninchen unterhöhlen viele historische Stätten, so dass diese letztlich zerstört werden können. Aber diese Kaninchenpopulationen sichern auch den Fortbestand vieler Raubvögel und so sind heute u.a. in Schottland wieder **Steinadler** (*Golden Eagle*), **See-** und **Fischadler, Bussarde, Turm-** und **Wanderfalken, Milane und Kolkraben** zu sehen. Zum Glück sind alle diese Raubvögel heute geschützt, aber es gibt leider immer noch Frevler, die ihre Gelege plündern oder versuchen sie durch Giftköder auszurotten. Neben Raub- und Greifvögeln sind in den verschiedenen Regionen Schottlands **Singvögel, Rauhfusshühner** und besonders eine Fülle von **Seevögeln** an den Küsten zu finden. Das **Birk-** und **Schneehuhn,** sowie das **Moorhuhn** (*Grouse*) oder zählen zu den Hühnervögeln. Diese werden von den Landbesitzern ebenso eifrig gejagt wie das Rotwild. Der riesige, spektakuläre und wiedereingebürgerte **Auerhahn** oder *Capercaillie* (gälisch für Waldpferd) ist zum Glück ebenfalls vor Jägern geschützt. Damit ist hoffentlich sichergestellt, dass das eigentümliche Klick-Klock seines Rufes auch in Zukunft zu hören sein wird. Zwei der interessantesten Jahreszeiten sind der farbenprächtige Herbst und das frühe Frühjahr, wenn riesige Schwärme von **Zugvögeln** überall in Schottland auf abgeernteten Feldern, Wiesen und an den Seen Zwischenstation machen, bevor sie weiterfliegen. Inzwischen werden die betroffenen Bauern mit bis zu zehn Pfund pro Gans subventioniert, damit sie für die Tiere genügend Restgetreide auf den Feldern lassen, die von ihnen als Rastplätze ausersehen werden. Manche Bauern sollen sich inzwischen tatsächlich überlegen, ob sie Schafe halten oder sich nicht lieber auf diese Zugvögel konzentrieren sollten. Von Island und aus den nordischen Regionen kommen zahlreiche Seevögel teils zum Überwintern, teils zur Brutzeit in die Küstengebiete und auf die vorgelagerten Inseln im Westen. Für Besucher mit einem Faible für diese Tiere bieten sie ein immer wieder eindrucksvolles Schauspiel. So findet der interessierte Vogelbeobachter von den 28 verschiedenen Arten der an Großbritanniens Küsten brütenden Zug- und einheimischen Vögel allein an den schottischen Küsten **Silber-, Dreizehen-** und **Raubmöwen, Brand-, Fluss-** und **Küstenschwalben, Pfeif-, Spiess-** und **Krickenten,** verschiedene **Wildgänse, Sturmtaucher, Trottellummen, Bass-**

tölpel, Tordalke, Kormorane, Eissturmvögel und **Strandläufer** und die immer beliebten **Papageientaucher** u.v.m. Großbritanniens Küsten sind die Winterheimat von über 1.5 Millionen Watvögeln. Viele Inseln und Orte der Hebriden, auf Orkney und Shetland sowie an verschiedenen Küsten des Festlandes wurden zu Vogelschutzgebieten erklärt. Besonders erwähnenswert sind an dieser Stelle St. Kilda, die Fair Isles, St. Abb's Head, Canna und Unst, die sich alle im Besitz des National Trust for Scotland befinden. Auf diesen Inseln und an zahlreichen Küstenplätzen allein leben schätzungsweise 915000 Vögel in oft riesigen Kolonien an meist steil aus dem Meer aufragenden Felsen.

Vogelkolonien

Die sehr schwer zugängliche Gruppe der felsigen St.-Kilda-Inseln, die rund 70 km westlich von North Uist (Äussere Hebriden) im Atlantik gelegen ist, bildet mit ca. 617000 Seevögeln verschiedener Arten die größte Kolonie. Unter ihnen sind auch die flinken und putzigen Papageientaucher (Puffins) zu finden. Diese sehr exotisch aussehenden, farbenprächtigen Seevögel nisten allerdings schon im Mai/Juni mit ihrem einzigen Jungen in Erdhöhlen und ziehen nach vollendetem Brutgeschäft hinaus aufs Meer. Nachdem er in den 1950er Jahren verschwunden war, zählt auch der Fischadler (Osprey), von dem es jetzt wieder 50 Paare in Schottland gibt, zu den geschützten Vögeln. Bei Boat of Garten und Dunkeld (Loch of Lowes Naturreservat) hat die Royal Society for the Protection of Birds (RSPB) Unterstände eingerichtet, von wo diese seltenen Vögel mit Feldstechern und per Video am Brutplatz beobachtet werden können.

In abgelegenen und kaum besuchten Buchten halten **Seehunde** *(North Atlantic Grey Seal* und *Common Seal)* ihr faules Mittagsschläfchen. Von diesen Tieren gibt es an den Küsten Schottlands z. Zt. rund 105 000.

Vor den Küsten tummeln sich **Delfine** und **Wale**. Sie ziehen zur Geburt und Aufzucht ihrer Jungen die Westküste entlang und entweder hinunter in den Atlantik oder in die andere Richtung nach Norden zu ihren Futtergebieten. **Buckel-** und sogar **Pottwale** sind auch im Firth of Forth vor Edinburgh gesichtet worden. Mit etwas Glück lässt sich an der

Westküste einer der größten Fische der Welt sehen, der bis zu 13m lange, friedliche, planktonfressende **Riesenhai** (*Basking Shark*) zieht im Frühjahr auf seinem Weg hinüber nach Norwegen durch die Irische See und die Westküste hinauf. Mit noch mehr Glück trifft man vielleicht in einem der Meeresarme der Westküste einen **Otter** an. Erfreulicherweise steigt die Zahl dieser einst in Schottland vom Aussterben bedrohten Küstenbewohner und heute gibt es in Großbritannien schätzungsweise wieder 6500 Tiere. An der Südküste Skyes schloss der Autor Gavin Maxwell wunderbare Freundschaften mit einigen dieser Tiere. Sein Buch *Ring of Bright Water* wurde ein weltweiter Erfolg, verfilmt und mit einem Oskar ausgezeichnet.

Der Verdacht erhärtet sich immer mehr, dass es daneben auch andere Lebewesen in Schottland und in anderen Teilen Großbritanniens gibt, die nicht unbedingt zur ursprünglich einheimischen Tierwelt zählen. Diesmal ist aber nicht Nessie damit gemeint, sondern größere, katzenartige Tiere wahrscheinlich Pumas oder Panther. Sie sind in mehreren Gegenden Großbritanniens gesichtet worden und haben nach Aussagen von Bauern im schottischen Hochland schon Viehschaden angerichtet.

Angesichts der vielen kahlen Berge und Hügel ist es vielleicht unvorstellbar, dass Schottland einmal mit dichtem **Wald** bedeckt war. Der einstige Urwald, der nach der letzten Eiszeit fast ganz Schottland bedeckte, wurde in Teilen zunächst durch klimatische Veränderungen dezimiert. Die wachsende Bevölkerung trug ihren Teil dazu bei: Auf brauchbarem, gerodetem Terrain wurden schon im Mittelalter Felder angelegt. Aus den verschiedensten Gründen wurden aber vom 18. Jahrhundert an Schottlands Wälder immer weiter zurückgedrängt. Der Schiffbau hatte schon vorher große Mengen Holz verschlungen und hinzu kam, dass für kleinere und größere Eisenschmelzen im Hochland riesige Waldflächen zu Holzkohle verarbeitet wurden. Viel Wald musste dann noch der weiter wachsenden Bevölkerung Platz machen. Die neuen Landbesitzer änderten die Situation auch nicht, ganz im Gegenteil, sie machten ihren Wald zu Kapital.

Auf dem harten Granit und Schist entstanden kahle Moorflächen. Glücklicherweise dachten aber nicht alle Landbesitzer
so: Schon im späten 18. Jahrhundert erkannte z. B. der Herzog von Atholl den Wert der Wälder. In seinen Besitztümern
und anderswo wurden viele Millionen Bäume gepflanzt.
Doch vom einstmals berühmten **Kaledonischen Wald** – der
einzige einheimische Nadelbaum ist die **Schottische Kiefer**
(*Scots Pine*) – ist heute nur noch ein winziger Bruchteil erhalten. Der Bestand kann sich aber leider nicht von selbst erholen. Schafe und Rotwild fressen die Schösslinge immer wieder ab. Jetzt muss das Wild durch Zäune von den Bäumen
ferngehalten werden.Vom alten Kiefernwald und dem gesamten historischen Mischwaldgebiet sind in Schottland gerade einmal noch 90 000 ha. (900 km²) vorhanden.

In Großbritannien hat inzwischen ein Umdenken stattgefunden. Die **Forstkommission** (Forestry Commission) entwickelt seit den 1920er Jahren Programme zur Aufforstung
des Waldbestandes. Diese Initiativen sind später auch von
privaten Grundeigentümern und Investoren aufgegriffen
worden. Im Vordergrund stand dabei in erster Linie die
Schaffung von Wirtschaftsholz durch schnell wachsende Mo-
nokulturen von Nadelbäumen. Dazu kam aber bald andere
Aspekte wie der Schutz des Bodens vor Erosion und die
Schaffung von Arbeitsplätzen in der Wald- und Holzwirt-
schaft. So ist auf diese Weise in Schottland und dem übrigen
Großbritannien der größte von Menschenhand gepflanzte
Wald der Welt entstanden. Heute sind mit etwas über einer
Million Hektar knapp 15% der Landfläche Schottlands be-
waldet. Davon wird wiederum etwas mehr als die Hälfte
durch die Forestry Commission bewirtschaftet. Diese Forstverwaltung beschäftigt in ganz Großbritannien rund 15 000
Mitarbeiter und produziert rund 3,5 Millionen Kubikmeter
Holz pro Jahr. Neben **Sitkafichten** und **Norwegischen Fich-
ten** werden **Lärchen, Blau-** und andere **Tannen** sowie **Kiefern**
gepflanzt, leider aber oft nur unter dem wirtschaftlichen
Aspekt der Holzgewinnung. Das wird heute aus ökologischen Gründen zunehmend kritischer gesehen. Monokultu-
ren dieser Art sind meistens nicht besonders schön anzuse-

hen, weil viele Täler und Höhen des Hochlands durch diese Anpflanzungen ihren besonderen Charakter verlieren. Sie sind darüber hinaus auch sehr anfällig gegen Schädlinge. Die Forstverwaltung ist inzwischen klüger geworden und hat aufgrund ihrer neuen Erkenntnisse an den Rändern dieser Gebiete Laubbäume wie **Birken, Eichen, Erlen** und **Haselnusssträucher** gepflanzt und teilweise auch mit den Nadelbäumen gemischt. In der Regierung wird z.Zt. sogar ein Gesetz beraten, wonach neue Nadelholz-Monokulturen verboten werden sollen.

Große schottischen Waldgebiete sind u. a. der **Galloway Forest Park,** der **Border Forest** im Grenzgebiet zwischen Schottland und England in den Cheviot Hills und der **Queen Elizabeth Forest** in den Trossachs.

Die Baumgrenze der Aufforstungen liegt in Schottland im Durchschnitt zwischen 550 und 600 m über dem Meeresspiegel. Das ist unterschiedlich und richtet sich nach den Temperaturen, dem Boden und natürlich auch nach der Richtung und Stärke des Windes. Im offenen, windigen Norden und auf den windzugekehrten Seiten der Inseln haben es Bäume natürlich besonders schwer. Auf den windexponierten Flächen im Westen in Atlantiknähe sinkt die Grenze fast bis auf Meereshöhe ab.

Die Vegetation lässt sich am besten anhand der Höhenstufung darstellen. Vom Wetter und von den Einflüssen des Atlantiks abhängig variieren die Stufen erheblich, können aber leicht erkannt werden: **Eichenwald** (bis etwa 200-250 m über dem Meeresspiegel) findet man in den Lowlands und den Küstenebenen der Southern Uplands und den östlichen Highlands. In diesem Gebiet finden sich kleine Reste des einstigen Naturwaldes und großflächig Aufforstungen. In der östlichen Küstenebene wird das fruchtbare Land durch Akkerbau genutzt. Dazu kommt in diesen Regionen Grasland für Viehwirtschaft in den Uplands und den östlichen Grampian Mountains. Im nassen Westen dagegen gedeihen üppige **Rhododendronhecken** und **Ginsterbüsche.** Vielerorts wachsen sie im Überfluss und oft entlang der Straßenränder. Dieses Gebüsch hat sich inzwischen auf dem sauren Boden wild vermehrt und ist bei Naturschützern und Waldbesitzern gar nicht gern sehen, darum werden heute Teile der Wälder und Flächen wieder davon gerodet. Rhododendron wurde im vorletzten Jahrhundert eingeführt und in vielen Gärten und Parks in zahllosen Varianten kultiviert. So sind der Royal Botanical Garden und an der Westküste der Inverewe Garden nur zwei von zahlreichen Gärten, die für ihre riesigen, farbenprächtigen Rhododendronbestände bekannt sind.

Geschützte Pflanzen

Die Schönheit und Vielfältigkeit der Pflanzenwelt ist von hohem biologischen und wirtschaftlichen Wert und darüber hinaus im wahrsten Sinne des Wortes eine Augenweide. Der Reisende möge daher bitte bedenken, dass sich alle Menschen an der Vielzahl der Pflanzen erfreuen möchten, die meisten geschützt sind und das Ausreißen oder -graben von wildwachsenden Pflanzen jeder Art schlichtweg verboten ist.

Kiefern- und **Birkenwald** (zwischen 200-250 und 400-600 m über dem Meeresspiegel) wächst besonders in den mittleren Höhenlagen der Grampians. Hier findet man überwiegend Weideland für Schafe und Naturgrasland, sogenannte *rough pastures*. Der Wald ist bis auf geringe Reste verschwunden und auf dem kargen, sauren Boden hat sich Heide ausgebreitet. Im Grasland gedeiht meist **Borstengras**. Je nach Untergrund und Feuchtigkeit wachsen anderswo **Heidekraut, Ginster, Beeren** und **Farne**. Vor allem wuchert **Adler-** oder **Königsfarn** (*Bracken*) oft weitflächig, wo die Heide nicht bewirtschaftet werden kann. **Besen-** und **Stechginster** gedeihen auf einem Gestein, das in weiten Teilen Schottlands buchstäblich die Basis bildet, einen kargen Boden hervorbringt und das nach dieser genügsamen Pflanze mit dem einheimischen Namen – *Whinstone* (Basalt) benannt wurde. An den Ufern flacher Süßwasserseen (*Lochs*) wachsen **Thymian, gelbblühende Iris, Wicke** und **Glockenblume** und vereinzelt blühen auch **Seerosen. Lobelien** wachsen im Inland auf den oft morastigen Flächen und Hängen.

Strauchheiden und **Hochmoore** sind von 300 bis 650 m über Null im Westen zu finden. Früher gediehen in diesen

Landschaften Kiefern- und Birkenwälder, jetzt herrschen oft nasse Heideflächen (*wet heath*) und Hochmoore (*raised bogs*) vor. In diesen Regionen ist fast überall die in Deutschland ebenfalls bekannte **Erika** zu finden. Hochmoore überziehen ganze Landstriche an Hängen und auch als weitflächige Deckenmoore (*blanket bogs*). Typische in diesen Mooren vorkommende Pflanzen sind: **Sauer-** und **Binsengräser, Schilfrohr, Wollgras, Fingerkrautarten**, verschiedene Arten von **Torfmoosen, Sonnentau** und sogar einige **Orchideenarten**. Neben Berggebieten bedecken die Hochmoore teilweise auch einzelne Inseln der Hebriden. Im Gegensatz zu Flachmooren (*bogs*), die von hohen Grundwasserspiegeln gebildet werden, ragen die Hochmoore aus dem Grundwasser heraus und werden nur durch starke Niederschläge auf undurchdringlichem Untergrund (Fels) gebildet. Sie werden ausschließlich von weitgehend anspruchslosen Pflanzen besiedelt, die beim Absterben eine sauerstofflose Torfschicht entstehen lassen. So ist die typische Pflanze der Hochmoore das **Torfmoos**. Als einfacher Brennstoff ist Torf in den ländlichen Regionen des Landes auch heute noch gebräuchlich. Die Nutzung von Torf als Gartenmaterial hat allerdings auch in Schottland dazu beigetragen, dass Moore trockengelegt wurden, was zur Verödung einiger Landstriche führte. Neuerdings werden daher Teile der ehemaligen Moore wieder bewässert und kultiviert. Ein anderer Grund für die Rekultivierung ist die inzwischen gewonnene Erkenntnis über den ökologischen Wert der Moore: Die dort wachsenden Pflanzen binden große Mengen von Kohlenstoff und tragen damit ganz erheblich zur Reduktion Treibhauseffektes bei. Im Gegensatz zu den Mooren bergen die kargen Inseln der Äusseren Hebriden mit ihren **Machairs** einen einzigartigen Pflanzenschatz. Diese nur dort wachsenden Küstenwiesen sind reich an seltenen Blumen und kleinen Orchideen. Der saure Boden der Moore über dem harten Lewis-Gneis wird vom Flugsand des davorliegenden Strandes überweht. Das dadurch entstandene Bodengemisch ist die fruchtbare und ideale Basis für die *Machair*, ein Grasland voller Stand-Beifuss, rosablühendem Klee, kleiner Orchideen, Dotter- und anderer Blumen.

Die Berge der Grampians und das nordwestliche Hochland sind bis zur Höhe von etwa 900 m – auf den Hebriden bereits ab etwa 550 m über dem Meeresspiegel – meist von kargem **arktisch-alpinem Grasland** bedeckt. Selbst für die genügsamen Schafe lässt sich das nicht mehr nutzen. Auf den Plateaus und Gipfelregionen der Cairngorms wachsen vorwiegend **Moose** und **Flechten**.

Kultur

An dieser Stelle die gesamte kulturelle Vielfalt Schottlands zu schildern, würde den Rahmen des Buches sprengen. So bleibt eigentlich nur eine relativ kurze Aufzählung der wichtigsten Institutionen und Persönlichkeiten, sowie der Hinweis auf die entsprechende Fachliteratur, um dem Leser einen Überblick zu geben.

Der Name **William Bruce** (1630-1710) ist den meisten europäischen Besuchern sicher unbekannt. Dieser Architekt der frühen Neuzeit hinterließ dem Land jedoch mit dem Palast von Holyroodhouse, dem Hopetoun House, Prestonfield und seinem eigenen Wohnhaus Kinross House Paläste und Gebäude in einem oft einfach nur als großartig zu bezeichnenden Design. Er prägte mit nachfolgenden Architekten wie **William Adam** und dessen Söhnen **Robert** (1728-92) und **James** (1730-94) die schottische Architektur. Diese wiederum wurde im 19. und 20. Jh. durch Männer wie **David Bryce, F.T. Pilkington, Alexander 'Greek' Thomson** und **Charles Rennie Mackintosh** (1868-1928), **Robert Lorimer,** sowie **Sir Stirling Maxwell** beeinflusst, deren Bauten noch heute sichtbar und z.T. auch international bekannt sind. Der georgianischee Baustil der Adams-Familie in der Edinburgher New Town etwa wurde in ganz Großbritannien und auch auf dem Kontinent kopiert.

Zu den international bekanntesten Porätmalern gehören in jedem Fall **Allan Ramsay, der Jüngere** (1713-1784), **Sir Henry Raeburn** (1756-1823) und auch **Sir David Wilkie** (1785-1841), der mit seinen sozialkritischen Bildern einen schottisch-historischen Stil schuf. Die National Gallery ist stolz, einige der zahlreichen Porträtwerke dieser Künstler in ihrem Besitz zu haben. Einer der wichtigsten Zeitgenossen Ramsays war der in Rom lebende Doyen der dortigen Maler **Gavin Hamilton** (1727-1798). Er war auch ein persönlicher Freund des Malers **Alexander Runciman** (1736-1785), dessen Werke wiederum durch Macphersons *Ossian* beeinflusst worden sind. Die Landschaftsbilder von **Alexander Naysmyth** (1758-1840) haben für manchen Betrachter gewisse Ähnlichkeiten mit Kasper David Friedrichs Werken. Doch neben zahlreichen anderen schottischen Künstlern wurden vor allem auch die moderneren Maler wie die sogenannten, Glasgow Boys' **William McTaggart** (1835-1910), **James Guthrie** (1859-1930) und **E.A. Walton** (1860-1922) in Deutschland bekannt. Es waren aber die vier ‚Scottish Colourists' **S.J. Peploe** (1871-1935), **Leslie Hunter** (1871-1931), **F.C.B. Cadell** (1883-1937) und **J.D. Ferguson** (1874-1961), die schließlich mit ihren farbenreichen und kraftvollen Bildern den Beginn und den Ruf der modernen schottischen Malerei begründeten. Diese Art zu malen wird von **John Bellany** (1942-), einem der anerkannt großen Maler unserer Zeit, fortgesetzt. Zu den bekannten Künstlern der Gegenwart, gehört auch der in Edinburgh geborene Bildhauer **Sir Eduardo Paolozzi** (1924-2005). Er war lange Jahre auch in Hamburg, Berlin, München und Köln tätig. Für seine surrealen Grafiken und als einer der Wegbereiter der Pop Art- Bewegung ist er in der Kunstwelt bekannt geworden

Die Schriftsteller und Poeten **Robert Burns** (1759-96), **Sir Walter Scott** (1771-1832), **Robert Louis Stevenson** (1850-94) und **James Boswell** (1740-1795) haben in den letzten drei Jahrhunderten den Ruf der klassischen schottischen Literatur begründet. Daneben gibt es aber noch eine Reihe anderer, in Deutschland nicht sonderlich bekannter Autoren, die aber nicht unerwähnt bleiben dürfen. Dazu zählt sicherlich **James Macpherson** (1738-1796). Auch wenn ein Teil seiner Werke vom Ursprung her problematisch ist, hat er durch seine (angeblichen) Übersetzungen gälischer Heldenballaden des Ossian – evtl. vergleichbar mit der Nibelungensage – europaweiten Ruhm erlangt. In viktorianischer Zeit wurde **Hugh Miller** (1802-1856) vor allem durch seine Werke zur Geologie und seine religiös-wissenschaftlichen Abhandlungen bekannt. Letztere erschienen sogar drei Jahre vor Darwins umstrittenen Buch *Origin of the Species* (1859) und können sich mit diesem messen. Weltruhm erlangte des weiteren der gebürtige Edinburgher **Arthur Conan Doyle** (1859-1930) mit seiner Kriminalbuchreihe von *Sherlock Holmes.* Leider ist auch nur wenig bekannt, dass *Peter Pan*, der Junge, der nie erwachsen werden wollte, von dem Schotten **James Barrie** (1860-1937) erdacht wurde. Der 2004 mit großem Staraufgebot gedrehte Hollywoodfilm *Finding Neverland* erzählt seine Geschichte. Ein weiterer bekannter Kinderbuchautor, der oft irrtümlich für einen Engländer gehalten wird, ist **Kenneth Grahame** (1859-1932). In Deutschland wurde er durch seinen Roman *The Wind in the Willows (Der Wind in den Weiden,* 1908) bekannt. Besonders bedauerlich ist es, dass Autoren wie **Hugh MacDiarmid** (1892-1978), der Autor des schottischen Nationalepos *A Drunk Man Looks At The Thisle*, **Edwin Muir** (1887-1959), **Neil M. Gunn** (1891-1974), James Leslie Mitchell alias **Lewis Grassic Gibbon** (1901-1935) sowie die großen Orkadians **Eric Linklater** (1899-1974) und **George Mackay Brown** (1921-1995) im deutschsprachigen Raum nur sehr wenig gelesen werden. Schottische Frauen drängen seit der Nachkriegszeit mehr und mehr an die literarische Front. **Dame Muriel Spark** (1918) ist ausserhalb Schottlands vielleicht die bekannteste schottische Autorin. Sie wurde besonders bekannt durch ihren Roman *The Prime of Miss Jean Brodie (Die Blütezeit der Miss Jean Brodie,* 1961). Ein auch in Deutschland viel gelesener Autor war der Erzähler und Historiker **Nigel Tranter** (1909-2000). Gegenwärtig machen vor allem Autoren wie **Ian Banks** und schließlich **Ian Rankin** (1960) mit seiner Romanreihe des *Inspector Rebus,* **Alexander McCall-Smith** *(1948)* u.a. mit den Romanen der *No. 1 Ladies' Detective Agency* und **Irvine Welsh** (1957) mit *Trainspotting* vermehrt von sich reden. Ganz besonders trifft das aber auf **Joanne K. Rowling** (1966) zu. Sie ist zwar eine gebürtige Engländerin, doch sie lebt in Schottland und schrieb in Edinburgh unter schwierigen persönlichen Umständen die in den letzten Jahren wohl auch international bekannteste und begehrteste Buchreihe *Harry Potter*.

Musik wird in Schottland nicht nur auf den verschiedenen Arten des Dudelsacks, der großen *Highland Bagpipe* oder der kleineren *Border Bagpipe* gemacht. Die Familie *MacCrimmon* brachte über mehrere Generationen (17.-19. Jahrhundert) die herausragendsten Spieler dieses Instruments hervor. Die berühmtesten Musiker des 18. Jahrhunderts waren der Folk-Musiker **Neil Gow** (1727-1807) seiner Geige oder *fiddle*, wie sie in Schottland genannt wird und der Geiger und Komponist **William McGibbon** (1695-1756). Wer sein Herz für die gälische Kultur und Musik geöffnet hat, kommt nicht umhin, das jährliche Festival **The National Mod**, das seit 1892 an wechselnden Austragungsorten an der Westküste stattfindet, zu besuchen. Neben vielen anderen ist die zeitgenössische Schlagzeugerin **Evelyne Glennie** (1965) eine der größten Musikerinnen, die Schottland je hervorgebracht hat. Das verdient um so mehr Bewunderung, da sie taub ist. Zur gereifteren und doch ewig jungen Folk Szene zählen Musiker mit dem Format des Akkordeonspielers **Jimmy Shand** (1908-2000) und **Andy Stewart** (1933-1994).

International bekannt wurden in den 1960er und 1970er Jahren Musiker wie **Lonnie Donegan** (1931) und schottische Popstars wie **Rod Stewart, Annie Lennox, Lulu, Sheana Easton**. Gleiches gilt für Bands wie die **Bay City Rollers, Capercaillie, Runrig** und die jüngeren Bands wie **Texas, Travis** und **Franz Ferdinand**.

Filme haben das Bild und die Geschichte Schottlands in die ganze Welt getragen, wobei wohl *Braveheart, Rob Roy* und *Trainspotting* zu den bekanntesten Streifen zählen. Deren Darsteller, und dazu gehören natürlich besonders der gebürtige Edinburgher **Sir Sean Connery** (1930) und seit wenigen Jahren auch **Ewan McGregor,** werden weltweit mit dem Land in Verbindung gebracht. Gerade durch sein breites kulturelle Erbe hat Schottland Ende des 20. Jahrhunderts eine besondere Art von neuem Selbstvertrauen gefunden, das auch in der jetzt dezentralisierten schottischen Politik eine große Rolle spielt.

Sprache

Englisch ist seit dem 18. Jahrhundert die Amtssprache in Schottland. Bis dahin wurde in den entlegenen Dörfern des Hochlands **Gälisch** gesprochen und Englisch musste als Fremdsprache erst erlernt werden. In den Lowlands sprach man dagegen eine Vielzahl von Dialekten, von denen es bis zu 70 gegeben haben soll, die sich im Laufe von Jahrhunderten entwickelten.

Seit dem zehnten Jahrhundert wurde in ganz Schottland Gälisch gesprochen. Später änderte sich das in den südwestlichen Regionen: Dort bildete sich das aus dem Northumbrischen kommende Scots (oder *Lallans*) als eigene Nationalsprache aus, während im Hochland und auf den Inseln aber weiterhin Gälisch vorherrschte.

In den dünnbesiedelten Regionen des Nordwestens und auf den Inseln wird heute das Gälisch wiederbelebt. Mit ca. 65 000 Menschen, die diese Sprache wieder sprechen, erfährt Gälisch nach Jahren des Verbots und der Unterdrückung (s. a. im Geschichtsteil des Buchs) derzeit eine Renaissance: Gälisch wird jetzt dort an Schulen unterrichtet, Fernsehstationen (z.B. die BBC) strahlen gälischsprachige Sendungen aus und in Zeitungen und Magazinen gibt es zweisprachige Artikel. Straßenschilder sind, je weiter man sich der gälischsprechenden Region nähert, zweisprachig und schließlich erst in Gälisch und dann in Englisch beschriftet. Im neuen Schottischen Parlament gehen Bestrebungen dahin, ganz offiziell neben Englisch auch Gälisch und gelegentlich Scots zu sprechen.

Besuchern begegnen gälische Wörter am häufigsten in Ortsbezeichnungen. Berge heißen auf Gälisch **beinne** (in der anglizierten Form **ben**), z.B. Ben Hope, während **loch** das Wort für einen See oder eine Meeresbucht ist z.B. Loch Ness und Loch Linnhe.

Scots hat französische, germanische und skandinavische Einflüsse aufgenommen und war im 16. und 17. Jahrhundert die Sprache am Hofe von James VI. Doch nach dessen Wegzug nach London im Jahr 1603 und der anschließenden ins Englische übersetzten und nach ihm benannten Bibel hatte diese Sprache keine Chance mehr, sich auszubreiten. Verstärkt wurde dies noch durch die parlamentarische Union 1707, als Englisch zur Verwaltungssprache in ganz Großbritannien erhoben wurde. Der schottische Dichter Robert Burns schrieb aber noch gegen Ende des 18. Jahrhunderts die meisten seiner Gedichte und Lieder in Scots – seine Werke sind in der schottischen Tradition heute noch sehr hoch angesiedelt.

Dann ist da noch Aberdeen. Die Menschen in dieser Stadt, die Aberdonier, sprechen heute noch unter sich das **Doric** – eigentlich eine eigene Sprache, die manche als Dialekt abtun.

Kleines Glossar:		Gälisch	
achadh	Feld	dubh	schwarz
strath	breites Tal	aon	eins
Alba	Schottland	mhor/mor	groß
ceud	hundert	da	zwei
balloch	Gebirgspass	eilean	Insel
madainn	Morgen	tri	drei
beagh	klein	failte	Willkommen
inver	Flussmündung	deich	zehn
bhafle	Ortschaft	glen	Schlucht
Post Oifis	Post	mile	Tausend
coll	Wald	disathurna	Samstag

Die Schotten, wie die Menschen vieler englischsprachiger Ländern, haben allerdings ganz offenbar einen Nachholbedarf in bezug auf Fremdsprachen. Neuere Statistiken belegen, dass nur knapp über 30% der erwachsenen Schotten eine Fremdsprache sprechen. Dabei ist die Zahl der Schulabsolventen mit einem Fremdsprachenabschluss in den letzten 25 Jahren aber schon um die Hälfte gesunken.

Doch die meisten europäischen Schüler lernen ja Englisch als Zweitsprache, warum soll man sich da mühen? Das senkt natürlich für britische Schüler die offensichtliche Notwendigkeit noch weiter.

Rechtssystem

Seit dem 17. Jahrhundert bezieht Schottland eine besondere
Position in der Rechtswelt, denn es ist auch heute noch kein
souveräner Staat. Es ist das einzige Land, das sein eigenes,
autonomes Rechtssystem mit eigenen Quellen, Gerichtshö-
fen, Verfahrensabläufen und Berufsständen hat, obwohl es
politisch Teil eines anderen Staates ist.

Staat und Justiz

Wissenschaftler der Harvard Universität und der Universität von Chicago haben eine Liste der am 'besten' und
am 'schlechtesten' regierten Länder der Welt zusammen-
gestellt. Die Kriterien dabei waren Effizienz, persönliche
Freiheit und das Mass, bis zu welchem Grad Regierungen
einen Einfluss auf die Justiz nehmen. Dabei haben acht
der zehn Schlusslichter dieser Liste Rechtssysteme, die
mehr oder weniger ausschließlich auf dem Napoleonischen Rechtscode basieren. Die Länder allerdings, die ein
Rechtssystem haben, das auf dem englischen Common
Law basiert, tendieren dazu, 'besser' regiert zu sein. Der
Napoleonischen Rechtscode stellt die Rechte des Staats
über die des Individuums, während das englische Common Law nach der Verteidigung der Eigentumsrechte
strebt. Zur Urteilsverfassung ziehen die Richter in
Schottland auch heute noch diese alten angelsächsischen Rechte, die von ihren Vorgängern gefällten Urteile
(Präzedenzfälle), und Aufzeichnungen der institutionellen
Rechtsverfasser des 17. – 19. Jahrhunderts heran.
Ein Aspekt des schottischen Rechts ist besonders bemerkenswert. Schottische Gerichte haben drei Urteilsmöglich-
keiten und können neben den Urteilen ‚schuldig' und ‚nicht
schuldig' seit 300 Jahren noch das rechtmäßige Urteil ‚not
proven' (nicht bewiesen) aussprechen. Das ist nicht mit
dem deutschen ‚Freispruch aus Mangel an Beweisen' zu
verwechseln. Damit unterscheidet sich das schottische
Recht nicht nur vom englischen Recht, sondern ist bis auf
zwei Ausnahmen einzigartig in der Welt.

Wie in Deutschland basiert das schottische Recht teilweise auf dem **römischen Recht.** Der Großteil des schottischen Rechtssystems hat seine Wurzeln aber in der Landesgeschichte und anderen Rechtsquellen. Schottland hat ein ge-

mischtes Recht, das von dem römischen Recht, dem englischen **Common Law**, dem **Kirchenrecht** und dem französischen **Code Napoleon** abgeleitet ist.

Schottisches Recht besteht im Grunde aus zwei Teilgebieten, dem **öffentlichen Recht**, das sich mit den staatlichen Rechten und Pflichten sowie dem Kriminalbereich befasst und dem **Zivilrecht**, das alle weiteren Bereiche einschließt. Beide Bereiche haben ihre eigenen Systeme, Personal und Gerichte, wobei letztere in Schottland nicht so diversifiziert sind, wie in Deutschland.

Zivilrechtsfälle beginnen ihren Weg im **Sheriff Court**. Allerdings gehen die wichtigeren Bürgerrechtsfälle gleich vor die nächst höheren Instanzen des **Court of Session** mit dessen **Inner** und **Outer House**. Dieser Court of Session ist schon seit 1532 die höchste schottische Rechtsinstanz. Dagegen ist Londons Westminster mit dem dortigen **House of Lords** z.Zt. noch die höchste Instanz und Berufungsmöglichkeit im zivilrechtlichen Bereich. Das ist einer der großen Unterschiede zum deutschen Recht, wo es keinerlei Verbindung der Justiz zu den gesetzgebenden Organen gibt. Neueste Pläne der britischen Regierung, die allerdings im schottischen Parlament sehr umstritten sind, sehen in den nächsten Jahren die Schaffung eines **Supreme Courts** (Oberster Gerichtshof) in England vor.

Der Rechtsweg der Kriminalgerichte und des öffentlichen Rechts beginnt im **District Court** und geht ebenfalls über den Sheriff Court, der aber nur bis zu einer gewissen Höhe Urteile verhängen kann. Allerdings werden schwerere Fälle gleich im **High Court of Judiciary** behandelt. Das wiederum ist aufgeteilt in die Verfahrensinstanzen des **Trial Courts** und des **Appeal Courts** (Berufungsgericht). Besonders an dieser Institution ist klar erkennbar, dass Unterschiede zwischen England und Schottland, die seit der Union von 1707 in vielen Bereichen aufgehoben erscheinen, sehr wohl existieren.

So sei der Reisende des 21. Jahrhunderts, wenn er die Grenze überschreitet, gewarnt: Manche Gesetze und die Rechtsprechung unterscheiden sich auch heute noch beträchtlich.

Bildungswesen

Die Union mit England 1707 unter Queen Anne vollzog sich unter großem politischem und wirtschaftlichem Druck für Schottland. In den Verhandlungen darüber wurden aber trotzdem einige fundamentale Eigenarten des Landes herübergerettet, die Schottland von England seither deutlich unterscheiden. Neben dem Rechtssystem gehörte dazu auch das Recht, eigene Geldnoten zu drucken und ein selbständiges Schulsystem. John Knox hatte schon Mitte des 16. Jahrhunderts die erste allgemeine Schule gegründet, die zunächst eine rein religiöse Basis hatte. Von da an entwickelte sich das Schulwesen anders als in England. Das gilt bis heute, obwohl der Lehrplan im Großen und Ganzen ähnlich ist.

In Schottland herrscht heute für Kinder zwischen dem fünften und sechzehnten Lebensjahr die allgemeine Schulpflicht. Die Eltern haben von Anfang an oder auch später die Möglichkeit, zwischen der *public school* (allgemeinen Schule) – in England sind dies paradoxerweise die Privatschulen – oder einer unabhängigen, privaten Schule zu wählen. Es gibt z. Zt. 115 private Schulen, die schulgeldpflichtig sind. Die Schulgebühren schließen nicht die Kosten für Kost und Logis, Uniformen, Bücher und auch nicht die Fahrt- und Reisekosten ein. In Edinburgh sind z. B. Fettes College, die Mary Erskine School, George Herriot, und das Stewart Melville's College solche Institutionen. Jede Privatschule wird aber im Rahmen des *assisted place scheme* bei der Aufnahme einer bestimmten Anzahl von Schülern aus finanziell schwächer gestellten Familien subventioniert. Für Kinder unter fünf Jahren gibt es die sogenannte **nursery school** – eine Vorschule. Zwischen dem fünften und dem zwölften Lebensjahr wird die **primary school** (Grundschule) besucht. Danach ist für mindestens vier Jahre der Besuch der **secondary school** Pflicht. Der Abgang von der allgemeinbildenden Schule erfolgt danach mit dem sogenannten *standard grade*. Die Schüler haben fortan die Möglichkeit, Kurz- oder Vollkurse im Rahmen des SCOTVEC (National Certificat of the Scottish Vocational Education Council) zu besuchen. Zwischen dem 16.

und 18. Lebensjahr können dann noch individuell ein bzw. zwei Jahre an der secondary school angehängt werden. Der

---

Studiengebühren

Das britische Parlament hat 1998 Verordnungen herausgegeben, die das sogenannte grant system (ähnlich des BAföG) abschafften und durch ein Darlehnssystem zu günstigen Bedingungen ersetzten. Gleichzeitig wurde eine Studiengebühr von 1000 Pfund pro Studienjahr von den Universitäten erhoben. Diese Darlehenslasten konnten für den Studenten nach vorsichtigen Kalkulationen von Experten auf bis zu 18000 Pfund anwachsen und waren ein umstrittenes Thema im Wahlkampf und in der ersten Legislaturperiode des neuen schottischen Parlaments. Die linksliberale Regierungskoalition beschloss im Januar 2000 eine tiefgreifende Änderung: Diese Gebühren werden an den schottischen Universitäten abgeschafft. Die Studenten haben dagegen nach Abschluss ihres Studiums und einem Jahresgehalt von mindestens 10000 Pfund einen Pauschalbetrag von 2000 Pfund in einen Fonds zu zahlen. Dieses Modell wird Schottland rund 50 Mio. Pfund kosten und unterscheidet das Land vom Rest Großbritanniens, für den das vorher beschriebenen Gebührenmodell zum Zeitpunkt der Drucklegung noch weiterbesteht.

Ausbildungsplan mit einer erweiterten Kursauswahl führt nach dem erfolgreichen Examen im fünften Schuljahr der secondary school zum sce Higher Grade, der Mittleren Reife. Der krönende Abschluss einer erfolgreichen Schullaufbahn wird allerdings erst im sechsten Schuljahr, nach dem Examen in mindestens drei oder mehr Fächern, mit dem Advanced Highers (etwa wie das Abitur), erlangt. Allein an der Mary Erskine und Stewart Melville School in Edinburgh schlagen fast 90% der 2700 Schüler den weiterführenden Bildungsweg ein. Ähnlich ist es auch an anderen Schulen in Schottland. Eine zeitgemässe und ständige Neuorientierung passt sich diesen Ansprüchen und Herausforderungen an. So werden in den nächsten Jahren die Prüfungen zum Standard Grade durch eine neue Qalifizierung, die Intermediate 2, ersetzt.

Mit dem ‚Higher' und mit dem ‚Advanced Higher' hat der Schüler dann die Wahl zwischen einer ganzen Reihe von

Weiterbildungsinstitutionen oder Colleges. 2004 gab es in Schottland 20 Hochschuleinrichtungen, darunter 14 **Universitäten**, die **Open University** und fünf **Colleges**. Schottische Studenten können sich aber auch in England um einen Platz an einer dortigen Universität bewerben. Die Studienzeit für ein BA oder BSc (Bachelor of Art oder Bachelor of Science) beträgt mindestens drei Jahre. Um aber sein Honours Degree zu erlangen, muss der Student in Schottland vier Jahre studieren. Das Studienjahr ist an den meisten schottischen Universitäten in drei sogenannte *terms* (Trimester) aufgeteilt. Lediglich an der progressiven Universität Stirling ist das Studienjahr in Semester unterteilt.

Religion

Die **Church of Scotland** ist eine presbyterianische Kirche auf der Basis der calvinistischen Lehre. Sie wurde von John Knox mit der Reformation 1559 in Schottland verbreitet und 1696 endgültig in ihren Dogmen festgelegt. Der Unterschied zur anglikanischen Kirche in England liegt vor allem in der freien und demokratischen Verfassung, die kein Bischofsamt kennt. Stattdessen wählt in Schottland eine Gruppe von Pfarrern und gewählten Gemeindevertretern während der jährlichen Generalversammlung in Edinburgh ihr Oberhaupt – den **Moderator of the Church of Scotland**. Die Church of Scotland hatte Mitte des letzten Jahrzehnts rund 770 000 Mitglieder. Sie besteht weitgehend aus selbstverwalteten Gemeinden. Die Kirche ist vollkommen frei in ihrer Doktrin, Ordnung und Disziplin. Unter ihrer presbyterianischen Form der Verwaltung haben alle Pastoren den gleichen Status und jede der rund 1600 Gemeinden hat ihre eigene Administration, die sich aus dem Pastor und den Ältesten zusammensetzt. Dieses Presbyterium schickt dann ausgewählte Pastoren und Laienälteste zur jährlichen Generalversammlung, auf der aktuelle Themen diskutiert werden. Die Königin hat hierauf keinen direkten Einfluss, obwohl Schottland Teils ihres Königreichs und sie das Oberhaupt der anglikanischen Kirche in England ist. Sie wird aber bei der Assembly von einem Vertreter (dem **Lord High Commissioner**) repräsentiert, den sie selbst auswählt. Dieser hat einen hohen Status und lebt für die Dauer der **General Assembly** im Palast von Holyroodhouse.

Nur eine Minderheit von rund 14% der Bevölkerung gehört heute der römisch-katholischen Kirche an. Sie ist trotzdem die zweitgrößte Kirche in Schottland. Viele katholische Iren haben sich während der Schwerindustriephase im Westen des Landes und besonders in und um Glasgow angesiedelt. Das ist einer der Hauptgründe für die heutige Position dieser Kirche. Im Hochland und auf einzelnen westlichen Inseln sind aber weitere römisch-katholische Gemeinden zu finden. Diese Kirche ist in zwei Erzdiözesen und sechs Diözesen gegliedert.

Die kleineren Kirchenorganisationen sind in manchen Regionen Schottlands sehr einflussreich. Zu nennen sind hier die ebenfalls presbyterianische **Free Church of Scotland,** die sich 1843 von der Church of Scotland abspaltete, die **Episcopal Church,** die der anglikanischen Kirche am nächsten kommt, sowie die **Baptisten, Methodisten, Kongregationalisten** und eine ganze Reihe anderer Freikirchen. Etwa 40 000 bis 50 000 Mitglieder religiöser Minderheiten, größtenteils aus den Commonwealth-Staaten, sind über Schottland verteilt. Dazu gehören **Muslims, Hindus, Sikhs** und **Juden.** Sie praktizieren ihre Religionen aber hauptsächlich in den größeren Städten. Da es in Großbritannien keine Kirchensteuer gibt, finanzieren sich die Religionen durch Gemeindebeiträge und Spenden.

Traditionen: Dudelsack & Co.

Die Schotten haben die Musik im Blut. Auch wenn sie früher hart kämpften, so tanzten und feierten sie doch mindestens ebenso oft. Diese Tradition hat sich fortgesetzt. Schmerz und Freude der Menschen prägten die Kultur und besonders die Musik. Der aufmerksame Zuhörer wird das sehr gut aus den Melodien der gälischen *piob mor* – des Dudelsacks – heraushören. Er is eines der ältesten Musikinstrumente, wurde früher von Hirten gespielt und kam auch in kriegerischen Auseinandersetzungen zum Einsatz. Der typische und durchdringende Klang ist heute in vielen Orten zu hören besonders in Städten wie Edinburgh. Dort steht im Sommer zur Freude aller Besucher an fast jeder Straßenecke ein Dudelsackspieler. Neben diesem touristischen Aspekt greifen Schotten fast bei jeder Feier oder auch ganz spontan zum Dudelsack. Das war nicht immer so einfach, denn nach dem letzten Jakobiteraufstand 1746 war u. a. auch das Spielen dieses Instruments 36 Jahre lang verboten. Es wurde als Kriegsinstrument angesehen und der unglückliche Musikant in einem Fall sogar mit dem Tod bestraft. Der Dudelsackspieler benötigt drei elementare Voraussetzungen: viel Luft und Kraft, Musikalität und eine angeborene Leidenschaft für dieses Instrument. Es ist nämlich gar nicht so einfach, ihm einen Ton zu entlocken Der Sack muss über das Mundstück zunächst aufgeblasen und dann fest mit dem Ellenbogen gepresst werden. Der entstehende Luftstrom erzeugt die gleichbleibenden Tenor- und Bassgrundlaute in den drei feststehenden Rohren (*Drons*), die über der Schulter aufragen, und die Melodiestimme wird auf dem flötenähnlichen Rohr (*Chanter*) mit seinen neun Grifflöchern erzeugt.

Auftritte von **Pipebands** finden in den verschiedensten Formen und bei allen möglichen Gelegenheiten, u.a. bei den **Highlandgames** und beim **Tattoo** in Edinburgh statt. Allgemein beherrschen die Piper ein reiches Repertoire an Melodien, darunter die Tanzmusik des Hochlands (*Reels*), die Märsche der Clans und Regimenter, die verschiedensten Variationen der Bagpipemelodien (*Piobaireachd* oder angliziert *Pibrochs*) und die Klage für gefallene Helden (*Laments*). Es ist wirklich ein erhebender Anblick, wenn eine farbenprächtig gekleidete Pipeband marschiert. Doch die oft weltweit bekannten Melodien der Militärmusiker sind – ähnlich wie Pop und Klassik – nicht mit einander zu vergleichen. Die eigentlichen pibrochs des Hochlands, von einem wirklichen Künstler gespielt, beginnen mit einem Thema (*Urlar)* und gehen dann in einen Variationenkomplex mit traditioneller Folge über, der eine ganz gehörige Portion Fingerfertigkeit, Atemkontrolle, Musikalität und viel Gefühl erfordert.

Als Souvenir für zu Hause ist ein echter Dudelsack jedoch ein teurer Spaß. In Fachgeschäften in Glasgow oder Edinburgh liegen die Preise für eine Einsteigerversion bei ca. €400. Doch auf der Edinburgher Royal Mile und anderswo gibt es auch Billigversionen in den Souvenirläden.

Untrennbar mit den musikalischen Traditionen verknüpft sind die schottischen Karos, für die die Nation in der ganzen Welt bekannt ist. Um es gleich vorweg zu sagen: Die Schotten sind nicht die einzigen Männer in der Welt, die Röcke tragen. Der erfahrene Reisende hat Gleiches schon in Griechenland, auf den Fidschi-Inseln und anderswo gesehen. Es mag ja sein, dass die sogenannten Schottenröcke für manchen Touristen ein (faszinierender, aber unausgesprochener) Grund seines Besuchs sind. Diese Besucher werden aber mit Erstaunen feststellen, dass der Schottenrock heute in den touristischen Lowlands mehr getragen wird als im Hochland, aus dem er ursprünglich stammt.

Die Geschichte dieses Kleidungsstückes und seines Musters (*Tartan*) reicht weit in frühere Zeiten zurück. Möglicherweise hatten schon die Wikinger die Kleidungsgewohnheit der damaligen Einwohner übernommen. Der Name des Königs Magnus Barelegs („Nacktbein") deutet darauf hin. Die keltischen und frühmittelalterlichen Bewohner Albas, Schottlands Name vom 8.-11. Jahrhundert, hatten eine Vielzahl von verschiedenen Kleidungsstücken. Darunter waren auch strumpfartige Hosen, sowie Hemden und Umhänge. Die Kleidung und Ausrüstung dieser frühen Einwohner unterscheidet sich jedoch beträchtlich vom heutigen **Kilt**. Sicherlich waren nackte Beine in den Mooren und dem nassen Terrain des Hochlands praktischer. Zur Erhaltung der Gesundheit waren sie auch eine Voraussetzung, denn nasse Kleidung und Ausrüstung war nicht nur unangenehm, sie konnte bei dem feuchten Wetter auch kaum trocknen. So war das Plaid eine der frühesten nützlichen Erfindungen, für die die Schotten später auf zahllosen anderen Gebieten bekannt werden sollten. Ursprünglich war das äussere Kleidungsstück, das *Leine-hroich*, ein Hemd, das bis über das Knie reichte und aus einem 24 Ellen (neun Meter) langen, gelbgefärbten und gefalteten Leintuch hergestellt wurde. Dieses wurde dann im 17. Jahrhundert durch das *Feileadh Mór* abgelöst, einem gewebten, deckenähnlichem Tuch, das um den Körper gewickelt wurde. Dieses einfache Tuch, auf das sich der Hochländer legte, es zum Anziehen dann um den Körper schlug und es um die Taille herum mit einem Gürtel und über der Schulter mit einer großen Spange befestigte, war etwa zwei x sechs Meter groß. Doch das harsche Winterwetter verlangte auch eine Bedeckung des Knies. Bildliche Darstellungen und Überlieferungen aus dem 17. Jahrhundert machen deutlich, dass in allen Klassen damals die den Strumpfhosen ähnelnden, gemusterten oder einfarbigen *trews* getragen wurden. 1754 wurden diesen Strümpfen von **Sir John Sinclair** die Füße abgeschnitten. Er rüstete damals sein Caithness-Regiment mit richtigen Hosen aus. Daraus entstand eine Tradition, die auch heute noch im schottischen Militär sichtbar ist: Hochlandregimenter tragen Kilts und die Tiefländer müssen sich mit den karogemusterten Hosen begnügen.

Der Tartan ist eigentlich nur das Muster des Stoffs, aus dem heute u.a. die Kilts gemacht werden. Das gälische Wort für Tartan ist *breacan*, das eigentlich gemustert bedeutet. Die charakteristischen und individuellen Muster entwickelten sich aus einst sanften, natürlichen Farben, für deren Herstellung Pflanzen und Wurzeln verwendet wurden. So waren diese Muster ursprünglich auf die Region beschränkt, aus der der Träger stammte und darauf, was die Natur dort an Färbemöglichkeiten bot. In manchen Fällen konnte anhand eines bestimmten Musters bzw. der Farben die Familie oder der **Clan** des Trägers bestimmt werden. Ursprünglich wurden die warmen, stumpfen Farbtöne der Wolle durch natürliche Färbemethoden, z. B. Rhabarber für Gelb, Wasserkresse für Violett, Heidekraut und Ginster für Grüntöne gewonnen. Urin wurde als traditionelles Fixier- und Entfettungsmittel genutzt und später, während der industriellen Wollverarbeitung, jeden Morgen von Fabrikmannschaften aus den Häusern abgeholt. Mit der Flut der neuen Muster stieg sehr bald die Nachfrage für klare Farben. So wurde bald auch mit chemischen Rohstoffen experimentiert.

Zuvor war aber nach der unglücklichen Rebellion der Jakobiter im Jahre 1746 das Tragen von Kleidung mit Tartan-Muster verboten. Dieses streng durchgesetzte Verbot war fast vierzig Jahre lang in Kraft. Als es in den 1780er Jahren wieder aufgehoben wurde, war das Wissen um die Bedeutung der Muster so gut wie verlorengegangen.

Das 19. Jahrhundert brachte wieder einige der alten und dazu eine ganze Reihe neuer Tartans hervor. Ausschlaggebend für diese Entwicklung war unter anderem **Sir Walter Scott,** der Schriftsteller und Patriot. Im Jahre 1822 bewegte er **König George IV.** dazu, Edinburgh zu besuchen. Aus diesem Anlass trug der beleibte König einen (etwas zu kurzen) Kilt mit nicht ganz traditionsgemässen fleischfarbenen Strumpfhosen (damit seine Untertanen das königliche Knie nicht sehen konnten!). Diese öffentliche Vorführung des schottischen Tuchs auf derart erlauchtem Leibe wirkte wie ein auslösendes Signal. Das Ergebnis war, dass die Muster in ihrem Ursprungsland und auch bei den südlichen Nachbarn gesellschaftsfähig wurden. **Königin Viktoria** war bekanntlich ebenso begeistert von der Landschaft Schottlands wie von der traditionellen Kleidung. **Prinz Albert,** ihr Gemahl, bescherte den Webereien einen großen Aufschwung, indem er sein eigenes Balmoral-Muster entwarf und es in einer Manufaktur in Walkerburn in den Borders weben ließ. Dieser Tartan war – und ist noch immer – für die königliche Familie reserviert; aber auch andere schottische **Clanchiefs** und Landherren entdeckten oder erfanden ihre eigenen Muster. Die Begeisterung für Muster und Kilt hat sich seitdem nicht geändert. Im Gegenteil, die Schottenkaros haben sich mit vielen modischen Variationen inzwischen über die ganze Welt verbreitet.

Getragen werden die *Kilts* nicht nur von den Hochlandregimentern, sondern auch privat – sowohl im Alltag als auch bei besonderen und offiziellen Anlässen. Dazu zählt neben Hochzeiten u.a. das jährliche Rugbymatch zwischen Schottland und England. In Edinburghs Murrayfield Stadium gibt ein großer Teil der 65 000 Besucher dann damit auch äußerlich zu erkennen, auf welcher Seite die Sympathien liegen! Traditionell unbekannt ist der Kilt nur auf Orkney und

Traditionelle Hochlandkleidung

den Shetlandinseln! Das hängt mit der jahrhunderte langen Besetzung durch die Wikinger und die Nähe zu Skandinavien zusammen. Die Menschen auf den Nordinseln fühlen sich mehr mit Skandinavien verwandt, denn mit Schottland.

Inzwischen haben sich die Grenzen aber verwischt und so wird dieses Kleidungsstück hin und wieder auch von Nichtschotten aus den unterschiedlichsten Gründen getragen. Sicherlich ist das eine Frage des Geschmacks und vielleicht vergleichbar damit, ob ein Nichtbayer eine Lederhose tragen kann.

Im 18. Jahrhundert wurde das ursprünglich 'große Tuch' – *feileadh mór* – von dem Engländer **Thomas Rawlinson** verändert. Er soll den bekannten, kürzeren und praktischeren Kilt (*feileadh beag*) für die Highlandarbeiter in seiner Eisengießerei in Lochaber kreiert haben. Heute setzt sich die komplette Kleidung eines traditionsbewussten Schotten zusammen aus der Mütze (*bonnet*), die flach, breit und in dunklem Blau oder Grün hergestellt sein sollte und an die die Spange mit dem Wappen (*crest*) des Trägers geheftet wird. Der Kilt wird aus ca. sieben bis acht Meter Stoff maßgeschneidert. Vor dem Bauch wird eine Ledertasche *(sporran)* befestigt. Dazu werden knielange Strümpfe *(hoses),* einfarbig oder in den Farben des *Kilts* und des Plaids getragen. Diese werden umgeschlagen, mit einem Strumpfband (*garter*) befestigt und in den Bund ein kleines Messer *(sgean dubh)* und die *Flashes* (bunte Stoffzipfel) gesteckt. Dazu kommen Sakko *(doublet),* Gürtel (*belt and buckle*) oder Weste und meistens geschnürte Lederschuhe. Zur Hochzeit und anderen feierlichen Gelegenheiten wird symbolhaft ein über die Schulter geschlagenes und an das Feileadh Mór erinnerndes Tuch im gleichen Muster wie der Kilt getragen.

Die Auftraggeber und Käufer der Tartans sind schon lange nicht mehr nur Clanchiefs und Clanmitglieder, ondrn auch stolze Schotten ohne Familienkaro. Heute ist der Kilt auch ein modisches Accessoire und Designobjekt. Inssamt werden inzwischen weit über tausend verschiedene Tartans gezählt. Mit den jeweiligen Familiengeschichten samt Stammbäumen wurden sie alle in Computern registriert, damit der Überblick nicht verloren geht. Über die neuen und alten, sowie die rund 60 offiziellen Tartans und über die Wappen wacht übrigens in Edinburgh der königliche Stammbaumverwalter oder Kronwappenherold mit dem offiziellen Titel **Lord Lyon King of Arms**. Anders als bei den Wappen und Erbfolgen, gibt er aber nur Weisungen für das Tragen von Tartans.

TEIL 2

Geschichte

Die schottische Geschichte ist voller dramatischer Geschehnisse. Sie liest sich wie ein spannendes Buch, besonders wenn man sich weiterin die Details vorarbeitet. Die Ereignisse und Personen, die dieses Land formten, haben oftmals in die große europäische Geschichte hineingespielt und tun dies immer noch. Ein gutes Beispiel ist das erst vor wenigen Jahren begonnene Kapitel einer wiedererworbenen (Teil-)Eigenständigkeit mit der Schaffung des neuen schottischen Parlaments.

Prähistorisches Schottland

Schottland war nach dem Ende der letzten Eiszeit ein Land, in dem es sich offensichtlich recht gut leben ließ. Zahllose archäologische Kostbarkeiten beweisen, dass auch schon vorher Menschen in Schottland gelebt haben – über sie lässt sich allerdings leider viel weniger sagen, als darüber, was nach der großen Eisschmelze vor rund 12 000 Jahren geschah.

Im **Mesolithikum** (Mittelsteinzeit) siedelten zwischen dem sechsten und vierten Jahrtausend v. Chr., vor rund 8000 Jahren also, die ersten Fischer und Sammler in Schottland. Sie lebten vor allem auf den Inseln wie z. B. Rum oder in den Küstenregionen, an Flussläufen oder am Fuß schützender Berghänge. Woher diese Menschen kamen und welche Kulturen sie pflegten, ist auch heute noch nicht in vollem Umfang erforscht.

Im **Neolithikum** (Jungsteinzeit) setzte ab ca. 4000 v. Chr. ein weiterer Zustrom von Siedlern in die Region ein. Mit den neuen Bewohnern kamen entscheidende kulturelle Neuerungen: Erkenntnisse über Ackerbau und Viehzucht verbreiteten sich auch in diesen Breitengraden. Die bei Skara Brae auf der Orkney gefundenen Überreste von **Steinhäusern** (4000-2000 v. Chr.) sind mit über 5000 Jahren wesentlich älter als die großen Pyramiden in Ägypten.

In der nächsten Epoche, der **Bronzezeit** entstanden zwischen 1000 und 400 v. Chr., die sogenannten *Cairns,* die Steingräber, die für hochrangige Persönlichkeiten, möglicherweise für Sippenhäuptlinge, errichtet wurden. Die darin befindlichen Grabkammern wurden mit ganzen Hügeln aus Steinen bedeckt. Die besten Beispiele dieser spezifischen Grabkultur sind Maeshowe auf Orkney, die Gray Cairns of Camster bei Wick in der Region Caithness und die Clava Cairns bei Culloden, in der Nähe von Inverness.

Viele Rätsel geben den Wissenschaftlern nach wie vor auch die mystisch wirkenden **Steinkreise** wie z. B. der **Ring of Brodgar** oder die **Standing Stones of Stenness** (beide auf den Orkney-Inseln) oder Callanish auf der Insel Lewis auf. Diese Kultstätten, die zwischen 3000 bis ca. 2500 v. Chr. errichtet wurden, werden u.a. als frühzeitliche Kalender interpretiert. So ergibt z.B. die Mondumlaufphase am Ring von Callanish alle 18,6 Jahre eine eindeutige astronomische Konstellation. Während der beiden Tagundnachtgleichen erweckt der Mond über den umliegenden Hügeln von der dortigen Prozessionsstrasse aus gesehen den Eindruck, als wenn er in dem Steinkreis unterginge.

Einwanderer brachten in den nachfolgenden Jahrtausenden immer wieder neuartige Techniken, landwirtschaftliche Methoden und soziale Strukturen in das heutige Großbritannien und damit auch nach Schottland.

In der Bronzezeit und in der darauffolgenden **Eisenzeit** (ca. 400 v. Chr. – 200 n. Chr.) spielten u. a. die Fertigkeiten in der Metallgewinnung und -verarbeitung eine immer wichtigere Rolle für die Herstellung von Schmuck, Hausrat und Waffen. Diese Waffen wurden nicht nur für die Jagd benutzt, sondern zunehmend auch im Kampf gegeneinander. Zahlreiche Überreste der ersten Verteidigungsbauten in Form von **Bergfestungen** (*duns*), die ihren Beginn in der Bronzezeit hatten, belegen das recht eindeutig in fast allen Gebieten Schottlands.

Wahrscheinlich um die Familie und Habe (Vorräte, Waffen, Werkzeug etc.) gegen zunehmende Überfälle zu schützen, wurden in der Eisenzeit gegen Beginn unserer Zeitrechnung die später so benannten *brochs* gebaut. Bauherren waren möglicherweise Stammesfürsten oder andere wohlhabende und gesellschaftlich angesehene Personen. Markantestes Beispiel für diesen merkwürdigen Bau und den eigenwilligen Stil ist die gut erhaltene Anlage **Mousa** auf den Shetland Inseln. Diese bis zu zwölf Meter hohen steinernen Wehrtürme (Durchmesser bis zu 30 m), die beinahe so aussehen wie die Kühltürme eines modernen Kernkraftwerks, dienten dem Schutz kleinerer Gemeinschaften. Am Boden dieser Brochs befanden sich wahrscheinlich die Gemeinschaftsräume und in den doppelwandigen Mauern waren die Aufgänge eingearbeitet, die zu den Zwischenplattformen oder zu einer Wehrplattform führten. Da es keine komplett erhaltenen Brochs mehr gibt, sind sich die Wissenschaftler nicht einig, ob es solche Etagen gegeben hat. Auf Shetland und im Hochland sind neben vielen Ruinen auch gut erhaltene Teilstücke von diesen Brochs zu sehen.

Andere Verteidigungsanlagen in exponierter Höhenlage, sogenannte *hillforts*, oder *duns* demonstrierten durch ihre gewaltigen Ausmaße weithin sichtbar die Verteidigungsbereitschaft der Urbevölkerung. In den Silben vieler Ortsnamen sind diese *duns* heute neben einzelnen Überresten noch präsent. Bestes Beispiel ist der Name Edinburgh, der sich aus der alten northumbrischen Bezeichnung 'Dun Eidin' entwickelte. 'Edwin's Burg' war die nördlichste Burg des gleichnamigen anglisch-northumbrischen Königs aus dem siebten Jahrhundert.

Die Römer in Britannien

Jeder Schüler weiß, dass **Julius Cäsar** in Gallien war. Dort erfuhr er durch Händler von der Insel jenseits des Kanals. Er besuchte sie auch kurz, doch einen militärischen Vorstoß gab er Mitte des ersten vorchristlichen Jahrhunderts auf. Erst 43 n. Chr. gelang es dann den Römern unter **Kaiser Claudius**, auf der Insel Fuß zu fassen. Die allmählich eroberten Gebiete wurden zur römischen Provinz Britannia. Das römische Gastspiel sollte fast 400 Jahre dauern.

Ungefähr 80 n. Chr. gelang dem römischen Statthalter Britanniens, **Julius Agricola**, der Vorstoß bis ins heutige südöstliche Schottland hinein. Diese Region erhielt die Bezeichnung **Caledonia**. Entlang seiner Eroberungsroute baute Agricola eine Reihe von Lagern und Forts, von denen zahlreiche Spuren als Grundrisse auch heute noch in Schottland zu finden sind. Die erste Schlacht, die in die Geschichte dieses Landes einging, wurde aus jener Zeit von den Römern überliefert. 84 n. Chr. schlug Agricola am Berg **Mons Graupius** die damals erstmalig vereinten Stämme der von den Römern so benannten **Kaledonier** vernichtend. Nach den Beschreibungen des römischen Historikers **Ptolomaios** wurde diese Schlacht in der Nähe de Nordostküste Schottlands geschlagen, wobei der genaue Ort bis heute nicht eindeutig identifiziert werden konnte.

Kaiser Hadrian wollte nach seinem Besuch auf der Insel ein Bollwerk gegen die zahlreichen Überfälle der Kaledonier und gleichzeitig eine Kontrolle darüber haben, wer seine Grenze überquert. So ließ er 123 n. Chr. den mit Wachtürmen, Kastellen und Forts verstärkten **Hadrian's Wall** auf der Tyne – Solway Linie (dicht an der heutigen englisch-schottischen Grenze) errichten.

138 n. Chr., nur wenige Monate nach Hadrians Tod, entschied sich sein Adoptivsohn und Nachfolger **Antoninus Pius** für eine Vorwärtspolitik in Britannien. Er sandte seinen neuen Gouverneur **Lollius Urbicus** mit dem Befehl, das südliche Kaledonien wieder zu besetzen und 160 km weiter nördlich einen neuen Wall an der engsten Stelle der Provinz, dem Forth-Clyde Isthmus, zu bauen. Es wurde der nördlichste Befestigungswall des gesamten Imperiums. Von diesem Wall sind auch heute noch zahlreiche Spuren zu sehen. Viele der von den Römern vormals gebauten und bei ihrem Abzug demolierten Forts und Straßen wurden damals wieder hergestellt. Um 142 n. Chr. herum war der Süden Schottlands wieder erobert. Dieser nach dem römischen Kaiser benannte **Antonine Wall** wurde zunächst aber nur bis 183 n. Chr. gehalten.

Schon von 142 n. Chr. an kam es aber trotz der beiden römischen Schutzwälle immer wieder zu Übergriffen auf römisches Territorium durch die Kaledonier. Diese waren keinesfalls Angehörige eines einzelnen Stammes. Vielmehr wurden sie lediglich von den Römern mit dem Sammelbegriff **Pikten** belegt. Für diese Bezeichnung (lat. *pictor* = der Maler oder *picti* = die Bemalten) gibt es keine genaue Erklärung. Obwohl die Römer sich danach generell hinter Hadrian's Wall zurückzogen, kamen sie aber 208 n. Chr. zu einem dritten Vorstoß mit **Kaiser** *Septimus Severus* für eine allerdings nur kurze Zeit ins Land. 367 n. Chr. erfolgten aber größere und erstmals formierte Angriffe der piktischen Stämme über den Hadrian's Wall auf die römischen Garnisonen. Zeitgleich mit dem Zerfall des Römischen Reichs begann sich 383 n. Chr. die Provinz Britannia aufzulösen. Die Truppenstärke in Britannia wurde danach sehr bald drastisch reduziert. Natürlich wurde diese Schwäche ausgenutzt und es kam zu wiederholten Raubzügen der Pikten aus Kaledonien, der Skoten aus dem heutigen Irland und anderer keltischer Stämme von der Westküste Britanniens.

Bis 410 n. Chr. hatten die Römer die gesamte Insel verlassen, um das römische Kernland gegen einfallende germanische Stämme zu schützen. Das war auch der Zeitpunkt, als nach Alerichs Belagerung der Hauptstadt das römische Weltreich auseinanderzubrechen begann. In Britannien war es nach dem Abzug der Römer mit der römischen Kultur sehr bald vorbei. Zur gleichen Zeit häuften sich aber schon die Überfälle der Angeln und Sachsen auf die Ostküste der britischen Insel. Es war der Beginn der sogenannten **Dark Ages**.

Dark Ages – Jahrhunderte der Finsternis?

Nur wenige Angehörige der belagerten Völker der Insel waren des Lesens und Schreibens mächtig. Daher stammt die Bezeichnung der folgenden 400 Jahre zwischen 400 und rund 800 n. Chr. als 'dunkles' Zeitalter. Sehr wenig ist uns darüber bekannt, und schriftlich wurde kaum etwas überliefert. Legenden und Sagen, ähnlich der von König Arthurs Tafelrunde, haben vielfach ihren Ursprung in dieser Zeit.

Trotz der fast vierhundertjährigen Besatzung der Insel hinterließen die Römer, abgesehen von Bauten und Gegenständen, wenig Kultur. Brutaler und nachhaltiger drückten zunächst ihre Nachfolger der Insel ihren Stempel auf. Germanische Stämme, **Jüten**, **Angeln** und **Sachsen**, fielen plündernd und mordend in das von den Römern verlassene Gebiet ein und erstickten in weiten Bereichen das vorrömisch geprägte keltische Leben. In der Folgezeit gründeten die neuen Herren auf dem Boden des heutigen Englands und teil-weise auch Schottlands sieben kleinere Königreiche: die Jüten Kent, die Sachsen Essex, Wessex und Sussex und die Angeln Mercia, East Anglia sowie Deira und Bernicia, das spätere Northumbrien. Letzteres erstreckte sich von York die Ostküste hinauf bis in das Gebiet des heutigen Edinburgh. Es wurde das größte Königreich auf dieser Vielvölkerinsel.

Frühe Heilige

Der zu Beginn des 5. Jh. von Sklavenjägern aus der Region des heutigen Glasgow nach Irland entführte junge Patrick konnte entfliehen. Er kam in Frankreich mit dem christlichen Glauben in Berührung, wurde zum Bischof erhoben und 432 n. Chr. von Papst Celestine auf Grund seiner Sprachkenntnisse zurück nach Irland gesandt. Dort missionierte er die Clans und Stämme und legte die Basis für eine christliche Kultur, die vielfach und fälschlich als keltisch christliche Kirche bezeichnet wird. Es gab keine alleinstehende keltische Kirche. Doch die frühen Gläubigen am nordwestlichen Rand der damaligen Welt hatten ihre eigenen Wege zur Glaubensauslegung und –ausübung. Zu diesen zählen beispielsweise **St. Columba** und einzelne, unabhängige Kirchenmänner wie **St. Ninian** in Whithorn, **St. Miren** in Paisley, **St. Mael Rubha** am Loch Maree, **St. Mungo** in Glasgow, **St. Conval**, in Renfrewshire, **St. Ethernan** auf der Insel May, **St. Cuthbert** in Melrose, **St. Machar** in Aberdeen. Sie betreuten entweder die frühen christlichen Zellen oder missionierten heidnische Stämme.

Fast zeitgleich mit dem Wechsel der Macht kam es auch zur **Christianisierung** Englands und Schottlands. Dieser Glaube war schon durch christliche Römer in die Provinz gebracht worden und sickerte bereits damals in das tägliche Leben der Briten, Gaelen und Pikten ein. An den südlichen Küsten des heutigen Schottlands bekehrten irische Mönche zunächst die Kelten. Whithorn, am Solway Firth, wurde schon zu Zeiten der Römer 397 n. Chr. unter **St. Ninian** zum Zentrum der Missionsarbeit in Schottland. 563 n. Chr. landete der aus einem irischen Königshaus stammende Mönch St. Columba mit einer kleinen Schar anderer Mönche auf der Hebriden-Insel Iona. Er kam zu seinen gälisch-christlichen Landsleuten in Dalriada und wahrscheinlich christianisierte er von dort aus auch Teile Westschottlands. So war das ganze heutige Schottland schon zu Beginn des achten Jahrhunderts christianisiert. Der Einfluss des von dieser Insel ausgehenden neuen Glaubens weitete sich dann auch bald nach Süden und über die Grenzen Britanniens aus.

Buchschätze der keltischen Kirche

Neben ihrer großen Bedeutung für das lokale und europäische Christentum wurden die Klöster Iona und Lindisfarne auch noch durch ihre prächtigen und kunstvollen Buchschätze bekannt, die dort entstanden sind. Sowohl das **Book of Kells**, das wahrscheinlich auf Iona begonnen wurde, als auch das **Lindisfarne Gospel** sind wegen ihrer herrlichen Illuminationen berühmt. Sie sind ausserordentlich wertvoll und werden heute im Museum von Dublin bzw. in der British Library in London aufbewahrt.

St. Aidan, einer der bekanntesten Zeitgenossen St. Columbas, wurde einer seiner eifrigsten und erfolgreichsten Nachfolger. Von Iona stammend, gründete er mit Hilfe des northumbrischen Königs Oswald das Kloster **Lindisfarne** auf einer vor der Ostküste des heutigen Englands gelegenen Insel. Lindisfarne wurde die Urzelle mehrerer später noch bedeutenderer Klöster wie Hartlepool und Whitby im Nordosten Englands. Lindisfarne und Hartlepool beeinflussten auch den in Deutschland bekannten Mönch Bonifazius. Mit ihm und anderen, wie St. Gallus, setzte die Christianisierung Mitteleuropas und auch der deutschen Länder ein. Die Gebeine des Bonifazius ruhen denn auch im Dom zu Fulda. Somit hat diese frühe keltisch-christliche Kirche über Fulda und St. Gallen und die sogenannten Schottenklöster, wie z. B. in

Regensburg und Würzburg ihre Spuren auch in Deutschland und im Alpenraum hinterlassen.

Die Pikten

Die **Pikten** haben den größten Anspruch darauf, als Vorfahren der modernen Schotten angesehen zu werden und jahrhundertelang wurde allgemein angenommen, sie seien von den eindringenden Mächten der Skoten, Britonen, Angeln und Wikingern total vernichtet worden. Inzwischen sprechen viele Hinweise gegen diese Annahme.

Zu der Zeit, als sie 297 n. Chr. zum ersten Mal in den römischen Schriften auftauchten, bewohnten die Pikten das gesamte Land nördlich von Aberfoyle und dem heutigen Stirling. Archäologen haben jedoch noch frühere Spuren von piktischen Siedlungen gefunden. Die Pikten waren wahrscheinlich den abschmelzenden Gletschern folgend um das sechste Jahrtausend v. Chr. auf die britische Insel gekommen. Das würde sie zu den eigentlichen Ureinwohnern dieser Gegend und Schottlands insgesamt machen. Sie waren es dann wahrscheinlich, die um das erste Jahrtausend v. Chr. frühe Siedlerstämme formten.

Den Römern waren diese Stämme im nördlichen Britannien wohlbekannt. Einige ihrer Stammesnamen sind nämlich von Ptolomaios, dem alexandrinischen Geographen und Schwiegersohn Agricolas, überliefert worden. Für die Nachwelt nicht sehr aufschlussreich belegten aber die römischen Legionen der Einfachheit halber alle ihre nördlichen Feinde mit dem gleichen Namen, nämlich dem des mächtigsten keltischen Stamms im ersten Jahrhundert n. Chr., den Kaledoniern. Deren Gebiet lag um den Berg Schiehallion im Zentrum des heutigen Schottland und um ihren Stützpunkt Dunkeld herum. Es wird stark angenommen, dass die Hauptsprache der Pikten keltischen Ursprungs und der Sprache der Gallier im späteren Frankreich oder dem südlichen Britannien ähnlich war. Die Römer nannten sie die 'bemalten oder 'Bilder-Menschen', während die Iren die Pikten auch als 'Cruthini' bezeichneten.

Allmählich scheinen die Pikten sich in größeren Gruppie-
rungen unter der Oberherrschaft eines Monarchen zusam-
mengefunden zu haben. In dieser Zeit kämpften sie sowohl
gegen die Römer als auch gegen die südlichen Kelten und oftmals auch gegen einander. Vor einigen Jahren wurde in East
Lothian ein großer Silberschatz gefunden, der zahlreiche von
den Römern erbeutete und als Bestechung erhaltene Gegenstände enthielt. Diese sind heute im schottischen Nationalmuseum in Edinburgh ausgestellt.

Alle vorgenannten Königreiche wurden langsam durch
neue Invasoren, die in das nördliche Britannien eindrangen,
verändert. Um 300 n. Ch. kamen Piraten aus Irland. Diese
gälischsprachigen Iren siedelten sich schließlich im heutigen
Argyll im Westen an und gründeten dort im sechsten Jahrhundert das Königreich **Dalriada**. Im siebten Jahrhundert widersetzten sich die Pikten aber schon dem Vordringen der
Dalriadianer.

Kenneth MacAlpin, der skotische König von Dalriada,
ließ sich um 843 schließlich auch zum König der Pikten er-
nennen. Erstmals wurden damit zwei Völker vereint und
über den größten Teil des heutigen Schottlands regierte ein
allein herrschender König. Diese Region wurde allerdings zunächst noch **Alba** genannt. Kenneth und die nachfolgenden
Könige wurden in den folgenden 60 Jahren aber immer noch
als Könige der Pikten bezeichnet. In den darauffolgenden
knapp zweihundert Jahren wurde Alba von einer ganzen Reihe von Königen regiert. Die Nachfolge wurde durch die Tradition der **Tanistry** entschieden, d.h. ein Mitglied der königlichen Familie wurde vorab zu diesem Amt des neuen Königs
bestimmt.

Das größte Mysterium in der Geschichte Schottlands ist
allerdings immer noch die Frage: Was geschah nach Kenneth
mit den Pikten? Die Pikten und Dalriadianer scheinen einfach in einander aufgegangen zu sein. Unter den Nachfolgern
Kenneth MacAlpins verschmolzen sie wohl langsam zu einem einheitlichen Volk. Unter den wenigen Funden der Pikten nehmen die rätselhaften **Symbolsteine** die markanteste
Position ein. Diese einzigartigen Zeugen aus dem frühen Bri-

tannien sind noch heute verstreut im Osten und Nordosten Schottlands zu finden, wenn sie nicht vor den Witterungen geschützt in Museen untergebracht wurden.

Wie es nun zu der Namengebung kam, ist mysteriös. Manche vermuten, dass die Pikten, ihre Körper bemalten oder tätowierten und der Name Pikten deshalb von dem lateinischen *pictor*, der Maler, oder *picti*, die Bemalten, abstammen würde. Es ist jedoch kaum vorstellbar, dass irgendwelche Völker auf dieser Insel und bei dem Klima so knapp bekleidet waren, dass ihre Tätowierungen am ganzen Körper zu sehen waren. Wahrscheinlicher dagegen ist, dass die römische Bezeichnung von den Symbolen und Bildern hergeleitet wurde, mit denen diese Menschen, da sie offensichtlich keine Schriftzeichen kannten, mit einander kommunizierten. Diese Symbolkunst ist die Kunst der eigentlichen Ureinwohner des hohen Nordens dieser Insel. Allein deshalb wird sie von deren Nachfahren, den heutigen Schotten, als großes kulturelles Erbe angesehen und geschätzt – somit ist sie heute auch ein europäisches Kulturgut.

In Schottland gab es seit dem siebten Jahrhundert vier Reiche, die sich ständig befehdeten. Das Reich der Pikten lag im östlichen Hochland. Die aus Nordirland eingewanderten **Skoten** oder Gälen (der **Ehrwürdige Bede,** ein englischer Mönch, prägte im achten Jahrhundert den Ausdruck 'Scoti') lebten in Dalriada, im westlichen Hochland und auf den Hebriden. Zwei der Reiche wurden von aus England heraufgezogenen Stämmen gegründet. Die **Britannier,** die aus Wales kamen, hatten sich im Königreich von Strathclyde – in der Gegend des heutigen Glasgow – niedergelassen. Die **Angeln** beherrschten von York in England bis hoch hinauf zum Firth of Forth alles Land nördlich des Flusses Humber. Es war das größte Reich im Gebiet des heutigen England und setzte sich zusammen aus den Königreichen Deira und Bernicia und das schloss mit Lothian den Südosten des heutigen Schottland ein. Der Legende nach ist der Angelnkönig **Edwin** (siebtes Jahrhundert) auch der Namensgeber von **Edinburgh.**

Im späten achten Jahrhundert – zeitgleich mit der Erweiterung des Frankenreichs auf dem Kontinent durch Karl den

Großen, der dort die Sachsen unterwarf – bekamen die Völker in der Region des heutigen Schottland und Nordengland Probleme von außen: Aus Skandinavien drangen die Wikinger oder Nordmänner Ende des achten Jahrhunderts in das Land ein. Sie errichteten Stützpunkte an den Küsten und auf den Shetland-, Orkney- und Hebriden-Inseln bis hinunter zur Isle of Man. Von dort aus plünderten sie die Klöster und das umliegende Land in England, im nordwestlichen und nordöstlichen Hochland sowie in Irland. Mit der Zeit wurden die Wikinger, quasi als fünfter Volksstamm, zu einem enormen kulturellen und politischen Faktor im Norden und Nordwesten von Schottland.

Der erste König, der einige Autorität in Gebieten südlich des River Forth hatte, war **Constantin II**. Er wurde allerdings 937 in einer Schlacht gegen die Angeln geschlagen. Sein Nachfolger wurde **Malcolm I.**, der 937 den König Athelstane von Wessex schlug.

Unter **Malcolm II.** wurde dem Königreich **Alba** 1018 nach der Schlacht bei **Carham-on-Tweed** ein Teil des angelsächsischen Northumbriens, südlich des heutigen Edinburgh bis an den Tweed, angegliedert. Das ist praktisch das Gebiet der heutigen Borders. Gleiches geschah 1034 nach dem Tod Malcolms auch im Westen. Sein Enkelsohn **Duncan** war schon König des ursprünglich britonischen Strathclyde und einte beide Königreiche. 1034 befand sich zum ersten Mal das gesamte Land – mit Ausnahme der Inseln, aber inklusive des Hochlands nördlich von Edinburgh und Glasgow – unter einer Krone. Bis auf die von den Wikingern besetzten Gebiete deckte sich dieses **Kingdom of Scotia** fast mit den heutigen Landesgrenzen.

Kingdom of Scotia

Das neue Königreich war jedoch alles andere als eine gefestigte Einheit. Regiert werden konnte im Prinzip nur der Südosten (die Lowlands), da dieser Landesteil schon früh nach dem anglo-normannischen Lehnswesen organisiert war. Im Hochland hingegen hielten sich die patriarchalen Clanstrukturen keltischen Ursprungs. Wegen der fortdauernden blutigen Überfälle der Wikinger und der Auseinandersetzungen mit den Hochlandclans konnten die schottischen Herrscher nur mit Mühe ihre Unabhängigkeit gegenüber den englischen Nachbarn aufrechterhalten.

Duncan I., Enkel und Nachfolger des Reichsgründers Malcolm II., unterlag 1040 in einer Schlacht seinem Cousin **Macbeth**. Der berüchtigte Macbeth (geb. um. 1005) hatte als Sohn der zweiten Tochter Molcolms II. seinerzeit einen ebenso berechtigten Thronanspruch wie Duncan. Dank Shakespeare ist Macbeth inzwischen sehr bekannt, nur leider historisch nicht korrekt dargestellt. Er regierte Schottland 17 Jahre (1040-57) sehr erfolgreich und verstärkte seine Position noch durch seine Ehe mit **Gruoch**, der Enkelin **Kenneth III.** Ihr Sohn **Lulach** aus erster Ehe übernahm 1057, wenn auch nur für ein Jahr, den Thron. 1054 wurde Macbeth dann nicht weit von Scone durch Duncans Sohn **Malcolm** nach dessen Rückkehr aus England erstmals geschlagen. In einer anderen Schlacht wurde er 1057 bei Lumphanan – nicht weit von Aberdeen – getötet. Nach seinem Tod bestieg sein Gegner als **Malcolm III. Canmore** (1058-93) den schottischen Thron. Mit seiner Frau **Margaret** begründete er zwölf Jahre später eine der wichtigsten Dynastien in der mittelalterlichen Geschichte des Landes.

Margaret war eine Schwester des legitimen sächsischen Thronfolgers von England. Auf der Flucht vor dem normannischen Eroberer William war sie 1066 zusammen mit ihrem Bruder in Schottland gelandet. Mit ihren acht Kindern leitete diese Familie eine grundlegende Wende in der schottischen Geschichte ein. Margarets Einfluss führte zu einer starken Normannisierung Schottlands. Handel, Handwerk und die Künste erhielten bedeutende Impulse und im kulturellen und vor allem religiösen Bereich änderte sich viel. Nicht länger war die keltische Kirche des Heiligen Columba (*Culdees*) tonangebend – ihren Platz nahm fortan die römische Kirche ein.

Malcolm und sein ältester Sohn wurden beide 1093 in einer Schlacht gegen die Engländer bei Alnwick getötet. Auf Schottlands Thron folgten nach einigen Wirren und der Intervention des englischen Königs in den darauffolgenden 30 Jahren die Söhne **Edmund, Edgar, Alexander** und **David**.

Das aufblühende England, zusammengeschweißt aus keltischem Urvolk, Angel-Sachsen und Normannen betrachtete sich zunehmend überlegen und den Völkern jenseits seiner Grenzen übergeordnet. So gewann England durch geschickt arrangierte Ehen mit dem schottischen Königshaus immer mehr Einfluss auf das Land im Norden der Insel. So heiratete Alexander eine illegitime Tochter von Henry I. von England und David heiratete **Mathilda**, die Tochter des Grafen von Northumbria. Diese Ehe machte ihn zu einem der größten Landbesitzer und Barone in England. Durch ihn begann der steigende Zustrom der Normannen nach Schottland.

Unter **David I.** (1124-53), dem jüngsten Sohn Malcolms, erlebte Schottland eine relativ friedliche Periode. Vielen Orten, die damals entstanden, wurde eine Königliche Charta verliehen oder sie wurden sogar zu Freien Städten erhoben. David setzt das Reformwerk seiner frommen Mutter Margaret, die später hauptsächlich für die Einführung der römischen Kirche in Schottland heiliggesprochen wurde, konsequent und erfolgreich fort. Er gliederte das Land neu in Diözesen und Pfarreien (weltliche und geistliche Aufteilung waren identisch). Damit wurde David der eifrigsten Klostergründer in der Geschichte Schottlands. Das hatte vor allem einen praktischen Hintergrund: Klöster waren damals die einzigen Bildungseinrichtungen. Sie beschäftigten Klerus und Verwaltungsfachleute und waren Keimzellen landwirtschaftlicher Neuerungen.

Nicht ganz unproblematisch war, dass David, der lange im englischen Exil gelebt hatte, viele normannische Familien und anglo-normannische Barone ins Land brachte und mit schottischem Land belehnte. Darunter waren so typisch schottische Familien wie die später anglizierten *Lindsay, Gordon,* oder *Frazer*. Zwei Familien waren dabei, die von ganz besonderer Bedeutung für die Geschichte Schottlands werden sollten: die *de Brus* (Bruce) und die *FitzAllan* (später Stewarts).

Die normannischen Ritter waren zwar Meister der Kriegskunst, hatten aber buchstäblich kaum Ahnung von Ackerbau und Viehzucht. Sie bauten sich befestigte Anlagen und später auch steinerne Burgen, von denen einige noch heute erhalten sind. Das Land vergaben sie an Bauern, die ihnen neben den Abgaben im Konfliktfall auch mit ihrem Leben zur Verfügung standen. In diese Zeit reicht der Ursprung des Lehnswesens, das in Schottland bis vor kurzer Zeit, wenn auch in abgeschwächter und gewandelter Form, z.T. noch in Kraft war.

Durch seine Verwandtschaft mit dem englischen Königshaus war David I. auch einer der größten Landbesitzer im damaligen England, so dass er kräftig in der englischen Politik mitmischen konnte. Im englischen Thronfolgestreit nahm er 1138 beispielsweise Partei für seine Schwester, indem er einfach in England einmarschierte – die Entscheidungsschlacht in der Nähe von York verlor er allerdings. Sie ging in die britische Geschichte als die **Schlacht der Standarten** (1138) ein. Etwas merkwürdig für das heutige Verständnis ist vielleicht, dass die englischen Truppen damals erfolgreich unter der Führung von **Thurstan**, dem Erzbischof von York, kämpften. In England gab es nach der normannischen Eroberung (1066) mehrere bischöfliche Schlachtführer. Bischöfe in geografisch wichtigen Regionen wurden von den frühen Königen Englands mit großer weltlicher Macht und Privilegien ausgestattet; die Mächtigsten waren bis ins 19. Jahrhundert hinein die Prinz-Bischöfe von Durham, die sogar ihr Heer selbst rekrutieren konnten, eigenes Münzrecht hatten und natürlich selber Recht sprachen

1157 musste Davids Enkel, **Malcolm IV.**, aufgrund eines Keuschheitsgelübdes genannt die Jungfrau (1153-1165), Northumbria an Henry II. abtreten. Malcolm war politisch schwach und ineffizient und so war es kein Wunder, dass sich die schottischen Fürsten und Chiefs im Hochland gegen den König auflehnten. Im Tiefland bevorzugten die normannischen Adligen einen schwachen Herrscher und gaben somit Malcolm Rückendeckung.

Malcolms Bruder **William der Löwe** (1165-1214), begann 1174 in England einzufallen, um die verlorenen Gebiete zurückzuerobern. Das Unternehmen missglückte, William wurde gefangengenommen und in die Normandie gebracht. Dort wurde er gezwungen, den **Vertrag von Falaise** zu unterzeichnen, der Schottland der englischen Lehnsherrschaft unterstellte und Northumbrien noch einmal als englischen Besitz bestätigte.

Erst seinem Neffen **Alexander II.** (1214-1249) gelang es dann Anfang des 13. Jahrhunderts, die königliche Autorität nach innen und aussen wiederherzustellen. 1217 erkannte er seinem Schwager gegenüber, dem englischen König Henry III. die Linie zwischen Tweed und Solway als schottische Südgrenze an. Damit verlor er die reichen schottischen Besitztümer auf englischem Boden. Alexander war es aber, der dann erstmals gegen die seit mehreren Jahrhunderten auf den westlichen Inseln lebenden Wikinger vorging. Er starb jedoch während dieses Feldzugs auf der Insel Kerrera vor Oban. Die Wikinger wurden dann endgültig im Jahr 1263 von seinem Sohn **Alexander III.** (1249-1286) bei **Largs** an der Westküste geschlagen. Dieser Alexander stürzte 1286 bei Kinghorn in Fife von den Klippen und hinterließ ausser seiner Enkelin **Margaret,** der Tochter des norwegischen Königs Eric, keine Erben. Das kleine Mädchen, später bekannt als **The Maid of Norway,** wurde nach dem Tod seines Großvaters als letzter direkter Nachkomme von Malcolm III. Canmore in Schottland als erste Königin anerkannt. Auf dem Weg zu ihrer Krönung vier Jahre später starb sie jedoch auf der stürmischen Überfahrt von Norwegen nach Schottland. Schottland hatte nun keinen Monarchen mehr und so begann die Zeit des **Ersten Interregnums.**

Was in Schottland nach dem Tod von Margaret geschah, war ein Ränkespiel um Thronfolge und Macht. Angesichts mehrerer Bewerber um diese Position gab es zwischen den weltlichen und kirchlichen Fürsten und den Großen des Reiches keine Einigung. So wurde der Schwager Alexanders III., der englische König **Edward I.,** in diesem Thronfolgestreit zum Schiedsrichter gerufen. Zwischen den zwei engeren

Thronbewerbern **Robert Bruce,** Großvater des späteren Robert I und **John Balliol** entschied sich dieser für John Balliol, von dem er sich versprach, dass er sich vollkommen nach den englischen Interessen in Schottland richten würde.

Es kam jedoch anders als geplant. Als England vier Jahre später Krieg gegen Frankreich führte und Edward von den Schotten militärische Hilfe verlangte, verweigerte Balliol (1292-96) ihm nämlich die Unterstützung. Edward machte kurzen Prozess, marschierte in Schottland ein, schlachtete die gesamte Bevölkerung von Berwick-upon-Tweed ab und zwang John Balliol sowie den Adel und den hohen Klerus zur Kapitulation. Sie alle mussten Edward als Herrscher (*overlord*) von Schottland anerkennen. Schottland kam unter englisches Recht und englische Verwaltung. Balliol wurde im Tower von London eingekerkert und später nach Frankreich verbannt. Das war der Beginn des **Zweiten Interregnums.**

Vermutlich war es dieser absolute Tiefpunkt in der schottischen Geschichte, der zum ersten Mal Widerstand hervorrief und die Bildung einer schottischen nationalen Identität, von der man bis dahin nur bedingt sprechen konnte, geradezu provozierte. Schottland schloss mit Frankreich einen Vertrag zur gegenseitigen Unterstützung gegen den gemeinsamen Feind England: die **Auld Alliance,** die für Schottland später noch mehrfach von großer und oft auch schicksalhafter Bedeutung sein sollte.

Wars of Independence – die Unabhängigkeitskriege

Die erste heroische Figur auf dem Weg zu schottischen Unabhängigkeit von England war kein Adliger, sondern ein freier Mann – *William Wallace.* Wallace begann in den neunziger Jahren des 13. Jahrhunderts mit anderen wie z.B. dem Fürsten **Andrew Moray,** Überfälle auf englische Einheiten auszuüben. Hinzu kam, dass ein Engländer, so wird vermutet, seine Frau umgebracht hatte. Sie hatte ihm zur Flucht vor englischen Soldaten verholfen. Dadurch gesellte sich seinem Patriotismus noch ein starkes persönliches Motiv hinzu. Es war der Anfang einer offenen Rebellion gegen die fremden Machthaber. Nach mehreren Überfällen und Scharmützeln gelang Wallace 1297 zusammen mit Moray an der Brücke über den Forth bei **Stirling** sogar ein spektakulärer militärischer Erfolg. In dieser Schlacht von Stirling Bridge, wie sie in die Geschichtsbücher eingegangen ist, vernichtete er die gefürchtete und mit ca. 10 000 Mann zahlenmäßig doppelt so starke Streitmacht Edwards.

Der nichtadlige Wallace wurde von den Schotten geehrt und zum Beschützer von Schottland ernannt. Später jedoch fehlte es ihm an Unterstützung durch den meist normannischen Adel. Zu oft hatten diese Adligen auch in England Besitztümer und wollten diese nicht durch Parteinahme für Wallace gefährden. So wurden die aufständischen Schotten 1298 – nur ein Jahr nach **Stirling Bridge** – in der Schlacht von **Falkirk** von Edward geschlagen. Wegen dieser und anderer schwerer Niederlagen, die der englische König Edward I. den Schotten beibrachte, ist er unter dem Beinamen 'der Hammer der Schotten' in die Landesgeschichte eingegangen.

Nach Falkirk konnte William Wallace zwar fliehen, doch sieben Jahre später wurde er von einem Landsmann verraten, gefangen genommen und nach einem ungerechten Verfahren in London auf grausamste Weise hingerichtet. Im Bewusstsein der Schotten wurde Wallace zum Märtyrer und zum ersten schottischen Nationalhelden.

Erst **Robert I.** (1306-1329), später bekannt als **Robert the Bruce** und Zeitgenosse von William Wallace, konnte das schottische Machtvakuum füllen. Er wurde dessen Nachfolger in der Führung und im Kampf um die schottische Unabhängigkeit. Gleich zu Beginn allerdings machte Bruce einen folgenschweren Fehler: in einem hitzig geführten Streit um den Thronanspruch erdolchte er nämlich 1306 in der Kirche von Dumfries seinen entfernten Verwandten **John Comyn**. Comyn war der mächtigste Rivale im Kampf um den schottischen Thron. Und natürlich wurde Bruce ob dieser Freveltat auf heiligem Boden vom Papst mit dem Kirchenbann belegt. Einst loyal zu Edward I. stehend, war Bruce dafür von diesem mit Privilegien versehen worden. Nach dem Mord an

Comyn konnte der englische König ihn jedoch nicht mehr decken. Bruce hatte damit alle Brücken hinter sich verbrannt und musste sehr schnell handeln. Es gab nur den Weg nach vorn: Um nicht alles zu verlieren – vor allem nicht den Anspruch auf den schottischen Thron – ließ er sich nur wenige Tage später, am 25. März 1306, in Scone zum König der Schotten krönen.

Viele Angehörige des altgälischen und auch des normannischen Adels misstrauten ihm aber wegen seiner Beziehungen zum englischen König und unterstützten ihn nicht. Ausserdem hatten die normannischen Fürsten, wie zu der Zeit von William Wallace, ja noch immer Ländereien beiderseits der Grenze in England und Schottland und wagten es daher nicht, sich gegen den englischen König zu stellen. So war Robert zunächst ein so gut wie machtloser König und ständig auf der Flucht vor Edward, der sich an seinem untreuen Vasallen rächen wollte und ihm seine Häscher nachsandte. Robert wurde mehrfach geschlagen und floh schließlich sogar ausser Landes nach Irland.

Nach einer längeren und von Legenden umwobenen Konsolidierungsphase begann er 1307, sein Reich von seinen inneren und äusseren Feinden in mehreren Schlachten zurück zu erobern. Unermüdlich griff er an – meist aus dem Hinterhalt – und wurde dabei zu einem Meister der Guerillataktik. Durch seine Erfolge in diesen Kämpfen errang Bruce ganz allmählich doch den Respekt und die dringend notwendige Unterstützung des schottischen Adels.

Wieder einmal auf dem Weg, seinen schottischen Opponenten zur Räson zu bringen, starb sein Erzfeind Edward I. 1307 kurz vor der schottischen Grenze nicht weit von Carlisle.

Sieben Jahre später wurde in der denkwürdigsten Schlacht Schottlands das englische Riesenheer an dem kleinen Bach **Bannockburn** vor den Toren Stirlings von den Schotten so gut wie vollständig aufgerieben. In der Auseinandersetzung um Stirling Castle, der letzten von Engländern gehaltenen Burg in Schottland kämpften dort am 23. und 24. Juni 1314 nur rund 8000 Schotten unter der Führung von Robert the Bruce gegen die von Edward II. angeführten ca.

24 000 Engländer. Diese Schlacht war eine der entscheidendsten in der Geschichte Schottlands – mit einem der glorreichsten Siege. Kein Wunder, dass zahllose Geschichten und Bücher bis heute dieses Thema und die Person Robert the Bruce
behandeln. Der unerwartete Sieg über Edward II. garantierte
die vollständige Akzeptanz von Robert I. als König im eigenen Land und stellte später auch die Unabhängigkeit Schottlands wieder her. Nach dem Trauma der Unabhängigkeitskriege machten die Großen des Reichs 1320 ihrem König allerdings klar, dass er nicht vollkommen willkürlich handeln
konnte: In der **Deklaration von Arbroath** erklärten sie, dass
sie ihn nur solange unterstützen würden, wie er die Rechte
der Nation zu wahren bereit war. Als erste ihrer Art überhaupt ist diese Willenserklärung ein bewegendes Dokument.
Es ist die Antwort einer unerschütterlichen Nation an die viel
stärkeren Mächte, die ihre Freiheit beschränken wollten und
ein beredter Ausdruck schottischen Bewusstseins für eine eigene nationale Identität.

Schottland hebt sich damit unter den anderen europäischen Nationen, in deren Selbstverständnis das Gottesgnadentum der Krone grundlegend war, singulär hervor. Im frühen 14. Jahrhundert formulierten die Mächtigen Schottlands
ihren Anspruch, den Monarchen nur solange zu unterstützen, wie er die Souveränität Schottlands angesichts englischer
Herrschaftsansprüche bewahrte. In der entscheidenden Passage dieser Erklärung heißt es:

> Doch Robert selbst, sollte er sich von dieser Aufgabe, die er be
> gonnen hat, abwenden und sich einverstanden erklären, dass
> wir oder unser Reich dem englischen König oder seinem Volk
> unterworfen würden, würden wir ihn als unser aller Feind aus
> stoßen, als einen, der unsere und seine Rechte untergraben hat
> und würden einen anderen König wählen, damit er unsere Frei
> heit verteidigt; denn so lange, als nur Hundert von uns noch
> überleben, werden wir uns in keiner Weise englischer Herr
> schaft beugen. Denn wir kämpfen weder für Ruhm, noch für
> Wohlstand, noch für Ehre; sondern wir kämpfen allein für die
> Freiheit, die kein rechtschaffener Mann aufgibt - ausser mit sei
> nem Leben.

Zwar hielt der Krieg zwischen den beiden Ländern noch an, doch wurde 1328 – 14 Jahre nach Bannockburn – die Unabhängigkeit Schottlands durch den englischen König **Edward III.** im sogenannten **Abkommen von Edinburgh und Northampton** anerkannt. Robert heiratete in zweiter Ehe Elizabeth, die Tochter des Grafen von Ulster. Nach seinem Tod kam ihr Sohn im Alter von nur fünf Jahren als König **David II.** (1329-71) auf den Thron.

Die Engländer konnten aber immer noch nicht die schmähliche Niederlage bei Bannockburn vergessen. Sie witterten jetzt Morgenluft und ermutigten **Edward Balliol**, Sohn des glücklosen John Balliol, als Gegenkönig nach der schottischen Krone zu greifen. Der junge David floh ins verbündete Frankreich. Edward Balliol wurde aber von königstreuen, schottischen Fürsten verjagt und damit war der Weg für David wieder frei. Erwachsen und gereift zurückgekehrt, fiel David dann 1346 u.a. mit französischen Truppen in England ein und geriet dabei in Gefangenschaft.

Robert Stewart – durch seine Mutter Marjorie Bruce ein Enkel von Robert I. – war der Neffe von David II. Sein Vater hatte das Amt seiner Vorväter – **Lord High Steward of Scotland** – in seinen Namen übernommen (der Lord High Steward ist auch heute noch einer der höchsten Repräsentanten der Krone). Für die Zeit, während der David in England gefangengehalten wurde, übernahm Robert die Regierungsgeschäfte in seinem Namen. Durch die Zahlung eines astronomisch hohen Lösegelds an England ermöglichte er David die Rückkehr auf den Thron. Ganz Schottland litt danach unter einer enormen Steuerlast. Als David II. 1371 kinderlos starb hinterließ er seinem Nachfolger **Robert II.** ein von Abgaben, Hungersnöten und Pestepidemien geschwächtes Schottland.

Die Stewarts

Mit Robert II. (1371-90) betrat zum ersten Mal ein Stewart die politische Bühne und begann die lange Karriere seiner Dynastie als schottische Königsfamilie. Später änderte **Mary Queen of Scots** den Namen in die französische Schreibweise

Stuart. Die Stewarts steuerten das Land fast 350 Jahre lang durch schwieriges Fahrwasser. Fast alle von ihnen kamen schon als Kind oder gar Säugling auf den Thron, doch nur wenige starben eines natürlichen Todes.

Robert II. war mit 55 Jahren bei seiner Thronbesteigung viel zu alt und später auch politisch ebenso schwach, wie sein Sohn und Nachfolger John. Wegen der unliebsamen Erinnerung an John Balliol bevorzugte der es aber, sich ebenfalls Robert zu nennen und regierte als **Robert III.** von 1390-1406. Es war eine wirre Zeit. Da Robert III. durch einen Unfall teilweise gelähmt war, wurden die Regierungsgeschäfte von einem Bruder des Königs – dem ersten **Herzog von Albany** – wahrgenommen. Es wird vermutet, dass dieser später sogar seinen eigenen Neffen, den ältesten Sohn von Robert und nächsten Thronfolger, umbrachte, nur um seine Machtposition zu sichern.

In dieser schwierigen Zeit wurde 1414 in **St. Andrews** die erste Universität Schottlands gegründet.

James I. (1406-1437) war der zweite Sohn Roberts. Nach dem Tod seines älteren Bruders wurde er noch als Kind von seinem Vater nach Frankreich geschickt, wo er vor seinem machtgierigen Onkel in Sicherheit aufwachsen sollte.

James I

Doch das Schiff wurde mit dem Kind an Bord von englischen Piraten gekapert und der Kronprinz an den englischen Hof gebracht. Kurz nach Empfang der Hiobsbotschaft starb sein Vater Robert III. Nach Roberts Tod (1406) war James I. zwar der rechtmäßige König von Schottland, doch zu dem Zeitpunkt saß er in Gefangenschaft am Hof des englischen Königs Henry IV. Dort wuchs er auf, während von seinem Heimatland wieder einmal Lösegeld erpresst wurde.

Doch aus naheliegenden Gründen zahlte der Onkel, besagter Herzog von Albany, kaum etwas. So dauerte die Gefangenschaft von James fast 18 Jahre. Das hatte sein Gutes, denn James brachte, als er 1424 von England zurückkehrte, neben einer guten politischen Ausbildung und viel Erfahrung auch seine Frau Joan (oder Jane) Beaufort mit. Sie war die Enkelin des einflussreichen englischen Fürsten John of Gaunt, dem Sohn Edwards III. und Ratgeber Richards II. von England. Für kurze Zeit gelang es James dann, die rivalisierenden Hochlandclans und die Douglas-Familie, die den Süden Schottlands beherrschte, sowie die einflussreichen Lords of the Isles in Schach zu halten. In dieser Zeit wurde auch die Auld Alliance mit Frankreich nochmals erneuert. Leider hielt all dies nur knapp 13 Jahre vor. 1437 fiel James I. in Perth einem Mordanschlag zum Opfer.

Sein Sohn kam mit sieben Jahren als **James II.** (1437-1460) auf den Thron. Noch unmündig wurde er, wie später viele andere Stewarts, zunächst von Regenten vertreten. So musste er sich, nachdem er volljährig geworden war und die Regierungsgeschäfte selbst voll übernommen hatte, genau wie sein Vater innenpolitisch erst einmal durchsetzen. Das geschah mit einem durch seine Regenten durchgeführten Doppelmord auf Edinburgh Castle und wiederholte sich später mit einem von ihm persönlich ausgeführten Mord auf

---

Mons Meg

James II. war ein großer Liebhaber von den mehr und mehr in Mode kommenden Kanonen. Von seinem Schwager bekam er als Hochzeitsgeschenk die gewaltige Belagerungskanone Mons Meg, die noch heute in der Festung in Edinburgh zu sehen ist.

Stirling Castle. Die Ländereien der Douglas fielen danach der Krone zu. James führte damit die Politik seines Vaters fort. Die Rosenkriege, die in dieser Zeit in England als Thronfolgekriege zwischen den Fürstenhäusern York und Lancaster tobten, schwächte den südlichen Nachbarn. Das begünstigte den Frieden im schottischen Reich und gewährte der Wirtschaft eine kleine Atempause zum Aufschwung. Ein Porträt des deutschen Ritters Jörg von Ehingen zeigt James II. mit seinem Muttermal, das ihm den Spitznamen 'das Feuergesicht' eintrug. In seiner Regierungszeit wurde 1451 in Glasgow die zweite Universität Schottlands gegründet. Damit gab es in Schottland genauso viele höhere Bildungsanstalten wie in England, wo Oxford und Cambridge gegründet worden waren.

Gerade einmal auf dem Höhepunkt seiner Macht starb James viel zu jung im Jahr 1460. Der Kanonenenthusiast hatte sich durch einen Rohrkrepierer bei der Belagerung von Roxburgh Castle eine tödliche Verletzung zugezogen.

Sein Sohn folgte ihm – wieder einmal ein Minderjähriger – als **James III.** auf den Thron. 1468 heiratete dieser Prinzessin **Margaret von Dänemark,** die in Absicherung der versprochenen Mitgift die **Orkney-** und **Shetlandinseln** in die Ehe einbrachte. Bis dahin waren diese Inseln im Besitz der Skandinavier und zwar durchgehend seit der Zeit der Besetzung durch die Wikinger fünfhundert Jahre zuvor. Da die Mitgift von Dänemark später aber nie gezahlt wurde, übernahm James III. die Nordinseln in sein Reich. Schottland hatte damit seine größte Ausdehnung erreicht. In den Augen der Historiker war James allerdings ein schwacher König, weil er sich lieber den Künsten und der Magie widmete als der Politik. So ist es nicht verwunderlich, dass es sehr bald große Schwierigkeiten und Spannungen im Reich gab: Verschiedene schottische Fürsten stellten Machtansprüche. Zeitweise wurde der König auf Edinburgh Castle sogar festgesetzt. All das erreichte am 11. Juni 1488 in der **Schlacht von Sauchieburn,** die, wie viele andere, in Sichtweite von Stirling ausgefochten wurde, seinen Höhepunkt. Schwerverletzt stürzte James nach dieser Schlacht vom Pferd. Er rettete sich noch in ein Bauernhaus und erbat geistlichen Beistand; doch während der König noch seine letzte Beichte ablegte, wurde er von dem wie sich später herausstellte falschen Priester auf dem Totenbett erstochen. Die Identität des Mörders wurde nie geklärt.

Der Sohn des unbeliebten James III. kam im Alter von 16 Jahren als **James IV.** auf den Thron. Später hiess es, er sei der beste König gewesen, den Schottland jemals hatte. Unter diesem James erholte sich das Land im 15. Jahrhundert. Die

James IV

Wirtschaft belebte sich sichtlich und Schottland erlebte eine kulturelle Blüte, die durchaus an die Renaissance auf dem Kontinent anknüpfte. Der gebildete Monarch sprach vier Sprachen, tauschte Botschafter mit allen Monarchien des Kontinents aus, umgab sich mit Vertretern der Künste und Wissenschaften und praktizierte vieles davon selbst. Er zog sogar Zähne, förderte die Druckkunst und lernte Gälisch, um sich den Hochlandclans zu nähern. Dennoch ging der König gegen sie hart vor und brach schließlich die Macht der der MacDonalds, der Lords of the Isles.

In einer schwierigen Zeit war **James IV.** innenpolitisch ein erfolgreicher, aussenpolitisch allerdings ein sehr ungeschickter König. Aus politischen Gründen heiratete er **Margaret Tudor,** die Tochter des englischen Königs Henry VII., die Schwester des später so berüchtigten Henry VIII. Zu dem Zeitpunkt als dieser in Frankreich einfiel, war James durch den Vertrag der **Auld Alliance** von 1286 als schottischer König immer noch an Frankreich gebunden. Daher marschierte er 1513 in England ein. Das Unternehmen fand kurze Zeit später seinen blutigen Höhepunkt in der berühmt- berüchtigten Schlacht von Flodden. In dieser Schlacht nahe der englisch-schottischen Grenze fielen der König und mit ihm Zehntausende seiner Untertanen.

Sein Sohn war 1512 in Linlithgow geboren worden und erst 17 Monate alt, als er seinem Vater als **James V.** auf den Thron folgte. James hatte eine keine angenehme Jugend. Innerhalb eines Jahres nach dem Tod seines Vaters heiratete seine Mutter **Archibald Douglas,** den sechsten Graf von Angus. James hasste seinen Stiefvater, der ihn zur Durchsetzung seiner eigenen Machtansprüche von 1526 bis 1528 wie einen Gefangenen hielt. Das führte nach seiner Thronbesteigung zu einer weiteren Fehde mit den Douglases und zu blutigen Auseinandersetzungen mit weitreichenden innenpolitischen Konsequenzen.

James V

Schottland war immer schon ein kleines und armes Land am Rand der diplomatischen Bühne Europas gewesen. Doch obwohl das Land nur eine Satellitenrolle spielte, war es im damaligen Europa eine wesentliche Frage, in wessen politischen Einflussbereich – den Englands, Frankreichs oder Spaniens – Schottland gehörte. In den Augen Frankreichs und Spaniens war Schottland eine Basis, von der aus man den Erzfeind England hinterrücks angreifen konnte (bestes Beispiel für einen solchen Angriff ist Schlacht von Flodden). England wiederum betrachtete Schottland als eine Art Sicherheitszone.

Seit Beginn der Reformation gab es neben dem politischen auch noch ein kirchliches Element in diesen internationalen Beziehungen. Große Teile des heutigen Deutschland und Skandinaviens hatten sich bis Mitte der 1530er Jahre vom Papsttum losgesagt. Weil der Papst die Scheidung von seiner Frau Katharina von Aragon nicht akzeptierte, löste sich 1534 dann auch der englische König Henry VIII. von Rom und der katholischen Kirche. Dabei spielten aber auch noch andere Gründe – etwa finanzieller Art – eine Rolle. So zielten verständliche Überlegungen in Rom auf die Frage ab, ob und wie Schottland noch unter den päpstlichen Einfluss gebracht werden konnte. Damit würde das Land im Norden Britanniens ein wichtiger Stützpunkt für die römisch-katholische Gegenreformation unter der Führung Spaniens oder Frankreichs sein, denn von dort aus konnte England vielleicht für Rom zurückerobert werden. Andererseits war England natürlich bestrebt, mit Schottland zusammen in einem protestantischen Groß-Britannien ein Gegengewicht zu den römisch-katholischen Mächten des Kontinents zu bilden. Henry VIII. bot deshalb dem jungen James V. seine Tochter Mary (später Mary die Katholische oder besser bekannt als **Bloody Mary**) zur Frau an. Das hätte, wenn James angenommen hätte, den Verlauf der Geschichte zwischen England und

Schottland wohl grundlegend verändert, doch er lehnte ab. James wies darüber hinaus die weiteren englischen Vorschläge zurück und entschloss sich statt dessen, Schottland in das französisch-päpstliche Lager zu bringen. Neben seiner Suche nach einer reichen Mitgift war das einer der Gründe für seine Ehen mit zwei Französinnen. Im Januar 1537 heiratete er Madeleine, Tochter des französischen Königs François I. Kurz nach ihrem Umzug starb diese aber im Juli des selben Jahres. Bald darauf nahm James in zweiter Ehe **Mary de Guise** zur Frau. Ihre Familie war eines der mächtigsten und einflussreichsten Fürstenhäuser Frankreichs und sogar Europas. Mary de Guise gebar zwei Söhne, die allerdings noch vor der Geburt der Prinzessin **Mary**, der späteren Mary Queen of Scots, starben.

Clever spielte James zunächst aber die gleiche Karte wie sein Onkel Henry VIII. gegen den Papst. Ein sehr umfangreiches finanzielles Paket in Form von geistlichen Steuern des Papstes nahm er dankend an und nutze es klug, in dem er damit 1532 in Edinburgh das College of Justiciary ins Leben rief, statt den eigentlich versprochenen Kreuzzug zu unternehmen. James war rachsüchtig, habgierig und rücksichtslos. Seine erbarmungsloses Vorgehen gegen unbequeme Untergebene und sein Misstrauen spalteten die Nation. Das war einer der Gründe, die am 24. November 1542 zur Schlacht auf **Solway Moss** im Südwesten des Landes gegen seinen Onkel führten. Es war ein ganz und gar aberwitziger Feldzug gegen Henrys Streitmacht. Das schottische Heer wurde vernichtend geschlagen.

Herzkrank, voller Gram über die Niederlage und vom Fieber geschüttelt lag James wenige Tage später in seinem Jagdschloss in Falkland. Sein frühes Ende kam mit der Nachricht, dass die Königin nicht den erhofften männlichen Thronfolger, sondern ein Mädchen geboren hatte. Zutiefst enttäuscht darüber erregte sich so sehr, dass er kurz darauf am 14. Dezember 1542 starb. Damit wurde sein einziges legitimes Kind, die gerade einmal sechs Tage alte Mary, seine Nachfolgerin. Im Alter von nur neun Monaten wurde sie in der Chapel Royal in Stirling zur schottischen Königin gekrönt.

Exkurs: Mary Queen of Scots

Mary Stewart ist eine der ganz großen Frauengestalten der europäischen Geschichte. Sie hat als schillernde Figur den Stoff für unzählige literarische Werke geliefert und hat auch heute, fast 450 Jahre nach ihrem Tod, nichts an Faszination eingebüßt. Mary wurde am 7. oder 8. Dezember 1542 im Palast von Linlithgow in West Lothian geboren, während ihr Vater im Palast von Falkland im Sterben lag. Wenig später

Mary, Queen of Scots

wurde sie von dem sie vertretenden Regenten Arran dem jungen englischen Prinz Edward versprochen, doch das Versprechen wurde vom Schottischen Parlament für ungültig erklärt. Daraus resultierte ein Krieg mit England und 1547 die katastrophale Niederlage der schottischen Armee bei **Pinkie** in der Nähe von Edinburgh.

Mary wurde in dieser Zeit in Burgen und Klöstern vor den Schergen ihres Großonkels versteckt und am 7. August 1548 schließlich ins verbündete Frankreich in Sicherheit gebracht. Der darüber geschlossene Vertrag sah vor, dass sie den ältesten Sohn des französischen Königs Henri II. und seiner Frau Katharina de Medici heiraten sollte. In den nächsten zehn Jahren wurde sie deshalb am dortigen Hof sehr sorgfältig unterrichtet – unter anderem lernte sie fünf Sprachen. Vereinbarungsgemäss heiratete sie am 24. April 1558 in einer großartigen Zeremonie vor der Kathedrale von Notre Dame den ein Jahr jüngeren französischen Kronprinzen **François**. Sie wurde dann dazu bewegt, ein geheimes Abkommen zu unterzeichnen. Darin versicherte sie, dass ihr schottisches Königreich ebenso wie ihr Anspruch auf den englischen Thron (als Großenkelin des englischen Königs Henry VII.), sollte sie kinderlos sterben, an Frankreich überginge.

1559 starb ihr Schwiegervater, König Henry II. und Marys Mann folgte als François II. auf den Thron – damit wurde sie ebenfalls Königin von Frankreich. Der fünfzehnjährige König war schwach und in Wirklichkeit gingen die Regierungsgeschäfte in Frankreich in die Hände von Marys Verwandten über, der schon vorher sehr mächtigen Familie de Guise. Ein nur kurzfristiges Arrangement, denn der junge König erkrankte und starb wenig später am 5. Dezember 1560. Seine Mutter Katharina de Medici riss die Macht für ihren anderen Sohn, den späteren Charles IX., an sich. Mary, Königin von Schottland und Frankreich, war ihr im Weg.

Inzwischen wurde aber auch in Schottland die Anwesenheit der jungen Königin dringend notwendig. Ihre Mutter war 1560 ebenfalls gestorben und das Land durchlebte die Geburtswehen der Reformation. So verließ sie Frankreich, gerade einmal 18 Jahre alt, segelte am 14. August 1561 von Calais ab und erreichte fünf Tage später das vor den Toren Edinburghs gelegene Leith. Marys Regierungszeit begann vielversprechend. Klug beabsichtigte sie, alles so zu belassen, wie sie es vorgefunden hatte. Gleichzeitig nahm sie aber für sich die Freiheit in Anspruch, ihre eigene Religion ausüben zu dürfen. Natürlich rief das sofort das Misstrauen des Reformators John Knox hervor, der mit ihr im Palast von Holyroodhouse heftig darüber diskutierte.

Ihr Halbbruder **James Stewart,** ein Protestant, den sie zum Grafen von Moray erhob, wurde in diesen ersten Jahren ihr wichtigster Berater und Minister. Unter seiner Führung bereiste sie auch den Norden ihres Reichs und unterwarf dort den Grafen von Huntly ihren Cousin und überaus mächtigen und unbeugsamen Anführer der katholischen Opposition.

Aufgabe eines Monarchen war es natürlich, zu heiraten und einen Thronfolger zu zeugen – das galt auch für Mary. So wurden ihr die Könige von Schweden, Dänemark und Frankreich, der Erzherzog Karl von Österreich, Don Carlos von Spanien, die Herzöge von Ferrara, Namur und Anjou, der Earl of Arran und der Earl of Leicester als potentielle Ehemänner vorgeschlagen. Ihre eigene Wahl fiel auf **Don Carlos.** Daraus wurde jedoch nichts. Sie verliebte sich 1565 sehr plötzlich in ihren achtzehnjährigen Cousin **Henry Ste-**

wart, **Lord Darnley**, den Sohn des Grafen Lennox. Lennox hatte durch seine Ehe mit einer der Enkelinnen Henry VII. von England seinen Sohn in die unmittelbare Nähe des englischen Throns gebracht. Doch ausser dieses Thronanspruchs und seinem guten Aussehen gab es nichts, was für Darnley sprach. Er war charakterschwach und dazu noch unverschämt, rachsüchtig und gemein. Ausserdem war er drei Jahre jünger als Mary. Zunächst wurden sie aber am 19. Juli 1565 in Holyrood getraut. Die Eheschließung führte zu einer kurzen Rebellion unter der Führung von Moray und den Hamiltons. Mary gelang es aber, diesen Aufstand sehr schnell zu unterdrücken.

Doch sie wurde schon bald von den rosa Wolken herunter auf den Boden der Tatsachen zurück geholt. Sie hatte Darnley zwar zum König erhoben, lehnte aber seinen weiteren Anspruch auf die Krone kategorisch ab. Genauso widersetzte sie sich seinem Ansinnen, die Krone im Fall der Kinderlosigkeit an seine Erben übergehen zu lassen.

David Riccio, ein Italiener aus ihrem Hofstaat und ihr Sekretär, wurde nach Morays Aufstand zu ihrem Hauptberater. Riccio war anfänglich mit Darnley sogar befreundet, doch änderte sich das rasch, als Darnleys Wünsche auf die Thronfolge nicht erfüllt wurden. Darnley sah in Riccio als wichtigem Sekretär und Berater der Königin sehr bald das größte Hindernis auf seinem Weg zum Thron. Er paktierte deshalb mit den schottischen Grafen Moray, Ruthven, Morton und anderen Protestanten. Sie schmiedeten ein Komplott und drangen am Abend des 9. März 1566 unter seiner Führung gemeinsam in das kleine Esszimmer der Königin im Palast von Holyroodhouse ein. Darnley hielt die zu diesem Zeitpunkt schwangere Königin fest, während die anderen Riccio im Vorzimmer erstachen. In einem Versöhnungsversuch schaffte es Mary zwar nochmals, Darnley von seinen Komplizen zu trennen. Langfristig verbesserte das die Situation jedoch nicht. Am 19. Juni 1566 wurde der gemeinsame Sohn James in Edinburgh Castle geboren. Kurz vor der Geburt schien die Zuneigung der Königin zu ihrem Ehemann nochmals aufzublühen. Jedoch war das nur von kurzer Dauer und zum Zeitpunkt der Taufe des Sohns in Stirling am 17. Dezember 1566 wurde die Scheidung öffentlich diskutiert.

Darnley erkrankte kurz darauf an den Pocken und wurde daher ausserhalb der Stadtmauern Edinburghs in dem kleinen Haus Kirk o' Field untergebracht. Mary besuchte ihn dort täglich. In der Nacht zum 10. Februar 1567 flog dieses Haus durch eine Schießpulverexplosion in die Luft. Darnleys Leiche wurde im Garten gegen einen Baum gelehnt gefunden. Würgemale am Hals des Leichnams ließen den Verdacht aufkommen, dass er wohl im Rahmen eines Komplotts ermordete worden war – die Explosion sei nur zur Täuschung inszeniert worden. Ob die Königin von dem Mord oder dem Komplott gewusst hatte, wurde nie geklärt. Der Hauptdrahtzieher dieses Ränkespiels war sehr wahrscheinlich der ihr sehr ergebene Fürst **James Hepburn**, Graf Bothwell. Unter dem Verdacht des Mordes wurde er zwar angeklagt, aber trotz allem am 12. April 1567 freigesprochen. Gerade einmal zwölf Tage später fing derselbe Bothwell die Königin auf ihrem Weg von Stirling, wo sie ihren Sohn besucht hatte, nach Edinburgh ab. Er entführte sie einfach und offensichtlich ohne großen Widerstand in eine seiner Burgen nach Dunbar.

Nun überschlugen sich die Ereignisse, denn am 3. Mai, wenige Tages später, ließ sich Bothwell von seiner Frau scheiden. Am 12. Mai vergab Mary ihrem Entführer öffentlich, indem sie ihn zum Herzog von Orkney erhob. Wiederum drei Tage später und gerade einmal drei Monate nach der Ermordung ihres Mannes, heiratete Mary James Bothwell, den viele für Darnleys Mörder hielten, in Holyrood. Doch diese Heirat erwies sich sehr bald als ein fataler Fehler, denn es kam zu einem Aufstand der ihr zuvor treu ergebenen Adligen. Sie forderten ihre Abdankung. Am 15. Juni 1567 versuchte Mary zwar nochmals bei **Carberry,** nicht weit von Edinburgh, die Situation zu ihren Gunsten zu beeinflussen. Doch selbst das Heer, das sie mit Bothwell um sich geschart hatte, weigerte sich, für sie zu kämpfen – es blieb ihr nichts anderes übrig, als sich den Fürsten ihres Landes zu ergeben. Von ihnen wurde sie auf einer Insel im **Loch Leven** in der gleichnamigen Festung gefangengesetzt. Dort zwang ihr Halbbruder sie am

24. Juli, ihre Abdankung zu Gunsten ihres Sohns zu unterzeichnen. Das Kind wurde nur fünf Tage später in der Holy Rude Church in Stirling zu König **James VI.** gekrönt.

Nach diesen dramatischen Ereignissen herrschte in Schottland bis 1573 Bürgerkrieg zwischen den ihr immer noch ergebenen Fürsten und denjenigen, die auf der Seite ihres Sohnes standen. Erst nachdem die Edinburgher Festung gefallen war und nach der Hinrichtung des Gouverneurs der Burg – **William Kircaldy of Grange** – war der Fall der Mary Queen of Scots in Schottland praktisch beendet.

Mary hatte in Loch Leven Castle eine Fehlgeburt von Zwillingen erlitten. Dank ihres Charmes, ihrer Jugend und Schönheit aber soll sich ihr junger Gefängniswärter **Willie Douglas** in sie verliebt haben. Die Legende berichtet, mit seiner Hilfe sei es ihr gelungen, am 2. Mai 1568, knapp ein Jahr nach ihrer Gefangennahme, zu entfliehen. Wenige Tage danach führte Mary nochmals eine Armee von 6000 Getreuen an. Diese wurde jedoch am 13. Mai 1568 bei Langside, in der Nähe von Glasgow, vernichtend geschlagen. Mary ahnte den Ausgang und flüchtete gen Süden. Drei Tage später erreichte sie Carlisle. Dort wollte sie ihre Kusine, Königin Elisabeth von England, um Unterstützung gegen die rebellierenden schottischen Fürsten bitten.

Elizabeth Tudor war 1558 nach dem Tod ihres jüngeren Bruders Edward und ihrer älteren Schwester Mary (Bloody Mary) Königin von England geworden. Ihr Vater Henry VIII. hatte ihre Mutter Anne Boleyn noch zu Lebzeiten seiner ersten Frau Katharina von Aragon, aber erst nach Elizabeths Geburt, geheiratet. Somit betrachteten besonders die vielen Katholiken in England Elizabeth als illegitime Thronfolgerin. Sie glaubten stattdessen, dass Mary als Urenkelin Henrys VII. rechtmäßig auf den englischen Thron gehörte. Aus diesen Gründen war die katholische Mary für Elizabeth und ihren protestantischen Hof eine ständige Bedrohung. Die sehr große katholische Minderheit in England sah nämlich in ihr die einzige Möglichkeit, die alte katholische Kirche wieder einzusetzen.

Mary wurde deshalb in den folgenden fast 19 Jahren nach ihrer Flucht in den englischen Burgen in Carlisle, Bolton, Chatsworth, Sheffield, Buxton, Chartley und schließlich Fotheringhay eingesperrt. All diese Anlagen wurden so gewählt, dass sie weit genug sowohl von Schottland als auch von London entfernt waren. Die angespannte Lage führte zu mehreren Verschwörungen; schließlich wurde der sogenannte ,Babington Plot', der u. a. die Ermordung von Elisabeth und die Befreiung Marys plante, aufgedeckt. Dabei wurde auch die Korrespondenz gefunden, in der Mary ihr Einverständnis zu diesen Plänen gab. Ihr wurde daraufhin im September 1586 in England der Hochverratsprozess gemacht und das erwartete Todesurteil wurde am 25. Oktober 1586 ausgesprochen. Doch erst am 1. Februar 1587 unterzeichnete Elisabeth die Hinrichtungsurkunde. Zuvor hatte sie noch versucht, den Gefängniswärter dazu zu bringen, Mary zu ermorden, um die Hinrichtung zu umgehen. Am 8. Februar 1587 legte Mary in Fotheringhay ihren Kopf auf den Block. Ihr Leichnam wurde zunächst in der Kathedrale von Peterborough beigesetzt. Als ihr Sohn **James VI.** nach dem Tod von Elizabeth auch den englischen Thron erbte und König von England wurde, verlegte er seinen Hof nach London. Er ließ den Leichnam seiner Mutter nach Westminster Abbey überführen.

Union of the Crowns, Bürgerkrieg und Killing Times

James, der gegen die Hinrichtung seiner Mutter lediglich der Form halber protestiert hatte, hielt sich auch in Sachen Religion in Schottland diplomatisch zurück. Um auch weiterhin seine Thronansprüche als Verwandter der kinderlosen Elisabeth von England nicht zu gefährden, stimmte er 1586 sogar dem **Vertrag von Berwick** zu, der das Schutzbündnis gegen Frankreich, den Jahrhunderte alten Partner Schottlands, beinhaltete. Mit dem Tod von Elisabeth 1603 bestieg James VI. als direkter Verwandter und Nachkomme von Henry VII. den englischen Thron. Damit wurde er zu König **James I.** von England. Trotz dieser Personalunion der englischen und der schottischen Kronen behielten beide Länder zunächst ihr eigenes Parlament, eine separate Verwaltungsstruktur und ihre jeweils eigene Nationalkirche.

Zu seinem Regierungsantritt in England zog der König mit seinem gesamten Hofstaat von Edinburgh nach London. Danach kehrte er nur noch ein einziges Mal (1617) nach Schottland zurück. Der pompöse englische Hof war natürlich für ihn deutlich attraktiver als der sehr viel bescheidenere Hof Schottlands. Dennoch bemühte sich James, die neu zu vergebenen Ämter gleichmäßig auf Engländer und Schotten aufzuteilen - was den Engländern nich gefiel. Kein Wunder also, dass sein zweiter Sohn **Charles I.** bei seiner Thronbesteigung (1625) keine großen Kenntnisse von den schottischen Verhältnissen hatte. Charles wurde zwar in Dunfermline, in Schottland, geboren, wuchs aber in England auf. Henry, sein älterer Bruder, der eigentliche Kronprinz, starb 1612 im Alter

von 18 Jahren. Die Schwester Elisabeth heiratete Friedrich, den Kurfürst von der Pfalz. Dieser wiederum wurde zum deutschen König Friedrich V. gekrönt, jedoch ein Jahr später zu Beginn des Dreißigjährigen Krieges (1618-1648) ins Exil gezwungen. In die deutsche Geschichte ging er unter dem Titel 'der Winterkönig' ein.

Charles I

Charles führte die Royal Mail ein, machte sich aber u. a. durch hohe Steuern und andere Abgaben unbeliebt. Sein größter Fehler war jedoch sein Glaube an das Gottesgnadentum der Krone. Damit versuchte er, die anglikanische Kirchenordnung mit ihrer bischöflichen Hierarchie im schon seit 1560 kalvinistisch reformierten Schottland durchzusetzen. Der Unwille des Volkes darüber zeigte sich deutlich im Aufruhr in der Kirche St. Giles in Edinburgh, als dort erstmals die neue Liturgie eingeführt wurde. Das beschwor den Zorn der von John Knox reformierten Gemeinde herauf. Ein Teil der Anwesenden verließ die Kirche und protestierte lautstark davor – schließlich sollen sogar Stühle geflogen sein – und der Bi-

schof musste in einer geliehenen Kutsche Hals über Kopf fliehen. Das Ganze gipfelte 1638 darin, dass sich der reformier-
te schottische Adel und das Bürgertum in dem sogenannten
National Covenant zusammenschlossen. In dessen Erklärung
erkannten sie klar und deutlich die weltliche Herrschaft des
Königs an, forderten aber mit Nachdruck die Unabhängigkeit der neuen, reformierten Kirche von weltlichen Einflüssen
und die Abschaffung der alten Hierarchien zugunsten eines
Presbyteriums. Die Mitglieder der Bewegung nannten sich
seitdem 'Covenanters'. Diese einflussreiche Gruppe nutzte
1638 die Generalversammlungen der schottischen Nationalkirche und des schottischen Parlaments, um das Bischofswe-
sen abzuschaffen – in Schottland lag eine Revolution in der
Luft.

Auf ähnliche Widerstände stieß Charles I. auch in England. Hier regierte er als absoluter Souverän seit 1629 sogar
ohne das ihm unbequeme Parlament. Doch genau dieses Parlament musste er 1640 wieder einberufen, ausgerechnet um
die Bekämpfung der religiösen Unruhen in Schottland zu finanzieren. Das blieb natürlich nicht ohne Folgen. Aus den alten Differenzen zwischen dem König und dem englischen
Parlament in England entbrannte sehr bald der Bürgerkrieg,
der von 1642-1648 andauerte und mit der Enthauptung des
Königs endete. In seinem Verlauf setzt das puritanisch domi-
nierte englische Parlament die neugeschaffene **New Model
Army** unter **Oliver Cromwell** (1599-1658) gegen den König
ein. Diese Armee war erstmals in der britischen Geschichte
ein Söldnerheer, bestehend aus Gesinnungstreuen des Parlaments.

Im Sommer 1643 unterzeichnete das englische Parlament den **Solemn League and Covenant**. Um schottischen
Beistand gegen die Royalisten zu erhalten, verpflichtete dieses Vertragswerk das englische Parlament den Covenanters
den Presbyterianismus auch in England und Irland einzuführen und dazu noch eine hohe Geldsumme zu zahlen. In den
Highlands bildet sich unterdessen unter **James Graham**, dem
Grafen von Montrose, eine Royalistenstreitmacht, die die Covenanters bitter bekämpfte, jedoch niemals die Unterstützung

der Lowlands erlangte. 1645 wurde dieser Spuk mit der Schlacht von Philliphaugh und Montrose's Niederlage beendet. Zunächst kämpfte die Mehrzahl der Schotten also für die Sache des englischen Parlaments, aber das änderte sich, als Charles sich der schottischen Armee ergab. Er lehnte es allerdings ab, die presbyterianische Kirche in England zu etablieren und so übergaben die Schotten ihren König an die Puritaner. Das sollten sie jedoch bald bereuen, denn die Engländer ließen Charles am 30. Januar 1649 vor Whitehall köpfen. Die an sich königstreuen Schotten waren über die Hinrichtung des Königs derart entsetzt, dass sie seinen Sohn in Edinburgh kurz danach zum König ausriefen und am 1. Januar 1651 in Scone krönten. **Charles II.** sollte der letzte König sein, der dort gekrönt wurde. Dieser Akt brachte Oliver Cromwell nach Schottland: 1650/51 schlug der mit seinen Elitetruppen, den Ironsides, die Schotten bei Dunbar und dann später nochmals bei Worcester in England. Charles kämpfte an der Spitze des schottischen Heeres, doch nach seiner Niederlage in Worcester musste er auf abenteuerliche Weise ins Ausland fliehen. Schottland wurde von Cromwell besetzt. Bis 1654 erstickte sein General **Monk** auch den letzte royalistischen Widerstand im Hochland. Insgesamt dauerte die Besetzung Schottlands bis zum Tod Oliver Cromwells 1658. Obwohl Cromwells Sohn die Nachfolge seines Vaters antrat, hatte er längst nicht dessen Persönlichkeit und Durchsetzungsvermögen geerbt. Er wurde abgesetzt. Das von Monk neu einberufene Parlament sorgte für die Restauration der Monarchie, indem es Charles einlud, nun auch den englischen Thron zu besteigen.

Nach seiner **Deklaration von Breda**, im Jahr 1660, in der er für jedermann Religionsfreiheit versprach, bestieg Charles II. in London den Thron und brachte in der Folgezeit beiden Königreichen den Frieden. Obwohl er in religiösen Angelegenheiten zunächst zurückhaltend war, betrachtete Charles die extreme Partei der Covenanters in Schottland als Bedrohung seiner dortigen Autorität. 1662 widerrief er den von ihm zunächst widerstrebend unterzeichneten Covenant und setzte dafür in der Kirche das Episkopat wieder ein. Charles betrat nie wieder schottischen Boden. Stattdessen ließ er sich dort durch **John Maitland**, den Herzog von Lauderdale, vertreten. Dieser versuchte ebenfalls, mit Nachdruck das Episkopat in Schottland durchzusetzen. Das Ergebnis war, dass es besonders in dem im Südwesten liegenden Dumfries und Galloway zu blutigen Auseinandersetzungen kam. Die beiden daraus resultieren Schlachten – 1666 während des **Pentland Rising** und 1679 die Schlacht bei **Bothwell Bridge** – wurden beide blutig niedergeschlagen. Die Anhänger des Covenants trafen sich in Konventikeln, die in Privathäusern oder sogar unter freiem Himmel Gottesdienste abhielten und teilweise sogar von bewaffneten Männern bewacht wurden. Auf der einen Seite gab es die moderat reformierten Königstreuen, auf der anderen die extremen, reformierten Anhänger des Covenant. Lauderdale wurde schließlich vom Bruder des Königs, James, Herzog von York, abgelöst und das Königshaus versuchte per Gesetz – dem sogenannten **Test Act** von 1681 – die Kirche unter Kontrolle zu bringen. Dieser Versuch und die damit verbundene Verfolgung der Presbyterianer gipfelte in einer Zeit fürchterlicher Kämpfe und Blutbäder. Sie ging in die Geschichte ein als die **Killing Times** (Jahre des Tötens), die ihren Höhepunkt zwischen 1681 und 1689 erreichten und damit über den Tod von Charles hinaus andauerte. In seinem historischen Roman **Ringan Gilhaize** (1823) beschreibt John Galt sehr drastisch über drei Generation die Zeit der religiös motivierten Tumulte in Schottland – von der Reformation bis zu den Killing Times.

Charles II. starb ohne legitime Nachkommen am 6. Februar 1685. In England war er besonders beim einfachen Volk sehr populär gewesen. Er war ein Freund der Künste und wurde allgemein als der fähigste Stewart-König anerkannt. Charles war jedoch ein durchtriebener Politiker. Er hatte die Fähigkeit zu erkennen, wann die richtigen Momente für Kompromisse, aber auch für rücksichtsloses Durchgreifen, waren.

Der Herzog von York bestieg 1685 als **James II.** den englischen Thron und wurde damit James VII. von Schottland. Äusserst fähig und ebenfalls populär beging er allerdings einen großen Fehler als er versuchte, Großbritannien zu re-katholisieren. Nach dem Herzog von York wurde – nebenbei bemerkt – New York benannt.

Als dann sein einziger Sohn James, der künftige Thronfolger aus zweiter Ehe, katholisch getauft wurde, befürchtete die Mehrzahl der englischen Protestanten große Schwierigkeiten durch ein weiterhin katholisches Königshaus. Deshalb holte das Parlament in London 1688 die protestantische Tochter von James, **Mary**, und deren protestantischen Ehemann **William of Orange** aus Holland und beförderte sie kurzerhand auf den Thron. Als **Glorious Revolution** (Glorreiche Revolution) ging dieser Umsturz in die Geschichte ein. Er verlief unblutig, denn James floh ins Exil nach Frankreich.

William zwang die zögernden Clanchiefs des schottischen Hochlands auf die Fahne zu schwören, was von den meisten nur äusserst widerstrebend getan wurde. Die Jakobiter waren Stewart-Anhänger, die sich in England, Irland und vor allem in Schottland nach ihrem ehemaligen König James (lateinisch Jacobus, deutsch Jakob) benannten. Sie hielten in der Folge besonders im schottischen Hochland an der Stewart-Dynastie fest. In uralter Tradition fühlten sich dort die Clanchiefs und Feudalherren trotz religiöser Differenzen durch ihren Treueid dem König verbunden. Jetzt trat die bisher unbekannte Situation ein, dass der neue, protestantische König William von ihnen eben diesen Treueid forderte, während der ins Exil geflohene James noch lebte. Als dann aber der Chief der MacDonalds von Glencoe aus verschiedenen und äusserst unglücklichen Gründen wenige Tage verspätet zu der Eidesleistung eintraf, sah William die Möglichkeit, ein Exempel zu statuieren. 1692 unterzeichnete er einen Befehl und bevollmächtigte damit seinen schottischen Vertreter im Tal **Glen Coe** ein fürchterliches Massaker anzurichten. Selbstverständlich trat im Hochland genau das Gegenteil von dem ein, was William beabsichtigt hatte – dort waren nach diesem Pogrom die Sympathien für London endgültig auf dem Tiefpunkt angelangt.

Nach dem Tod Williams (1702) wurde seine Schwägerin **Anne,** die jüngere Tochter von James VII./II., Königin von

England und Schottland. Sie war die letzte **Stewart-Königin** und unter ihrer Herrschaft wurden 1707 auch die beiden Parlamente zusammengeschlossen. Die Aufgabe der Souveränität Schottlands hatte aber hauptsächlich wirtschaftliche Gründe: Schottland war nach dem missglückten Versuch, eine Kolonie in Mittelamerika aufzubauen, auch wirtschaftlich am Boden. Um von den englischen Rechten und den Märkten in Übersee zu profitieren und überhaupt Zugang zu den Kolonien zu bekommen, blieb unter diesen Umständen nur die vollkommene politische Union mit dem Nachbarn im Süden. Sie kam allerdings nur unter großem Protest der Bevölkerung zustande. Die Ratifizierung des **Unionsvertrages** war die letzte Amtshandlung des Schottischen Parlaments. Danach löste es sich selbst auf. Schottland entsandte fortan nur 44 Vertreter in das Ober- und Unterhaus nach London.

1714 starb **Königin Anne.** Das jetzt britische Parlament holte Georg von Hannover, den deutschen Nachkommen von James VI./I., als **George I.** an die Themse. Dieser König Georg fühlte sich jedoch überhaupt nicht wohl in seiner Rolle: Er verstand zu wenig von der britischen Mentalität und der Politik. Hinzu kam, dass er die Sprache nicht beherrschte. So ernannte er Viscount Charles Townshend zum Obersten Berater, dem Vorläufer des Amtes des Prime Minister.

Exkurs: Das Clanwesen und seine Geschichte

Das englische Wort clan bezeichnet eine soziale Gruppe. Es ist ein Begriff, der besonders mit Schottland assoziiert wird. Ursprünglich aus dem gälischen clann stammend, heißt es übersetzt Kinder, Abkömmlinge, Stamm oder Familie. Die Sippe kann den gleichen Namen haben, wie das Gebiet in dem sie lebt, und einen bestimmten Clanchief anerkennen. Es ist dagegen falsch, dass alle Schotten gleichen Nachnamens dem selben Clan angehören, genauso wie es falsch ist, dass jeder Clan einen Häuptling haben muss.

Unterschieden wird zwischen drei verschiedenen Kategorien von Clans. Zur wichtigsten Gruppe gehören Clans wie die *Campbells*, *MacDonalds*, *Gordons* und *Mackenzies* und vielleicht noch *Clan Chattan*, die über große Gebiete herrschten. Sie alle zerschlugen kleinere Clans und/oder übernahmen diese und deren Land mit Gewalt, durch Einheirat oder geschicktes politische Agieren. Darüber hinaus hatten sie oft auch auf nationaler Ebene großen politischen Einfluss. Die zweite Kategorie mit etwas weniger Einfluss waren Clans wie die **Frazers, Gunns, Macphersons, Maclachlans, Macleans** und **Macleods.** Dazu gehörten ebenfalls kleine Familiengruppen wie der **Kennedy-Clan.** Schließlich gab es Clans, die Titel oder Namen hatten wie z. B. Clan der Nacht (die **Morrisons** von Mull), Clan der Briten (die **Galbraith** Familie von Gigha) oder der Clan der Kinder Raigns (die **Rankins**). Generell sind die Clans mit dem Hochland und den Inseln verbunden und nur zu einem geringeren Teil in den Randgebieten, wie z. B. den Borders und Galloway, heimisch. Im Zentralbereich Schottlands und im größten Teil des Flachlands sind solche Verwandschaftsgruppen durch das Feudalsystem verdrängt worden. Mit Margaret, der Frau Malcolm Canmores und besonders ihrem Sohn David hielt auch das **Feudalrecht,** das das genaue Gegenteil des Clanwesens bildet, Einzug in das keltische Schottland. Ursprünglich gehörte das Land der Clangemeinschaft und wurde vom Chief verwaltet, nach dem Lehnsrecht war aber das ganze Land königliches Eigentum. Die Loyalität der Clanangehörigen gehörte traditionell ihrem Chief, sie sahen sich keinesfalls als direkte Untergebene des Königs. Die Entschlossenheit einer Reihe von Königen, dieses Clanwesen durch das Lehnswesen zu ersetzen, trieb einen Keil zwischen das keltische Hochland und das angelsächsische Tiefland, der bis zur Wende von **Culloden**, die das Ende der Jakobiteraufstände markierte, die beiden Regionen kulturell und wirtschaftlich aufspaltete.

Das Zusammengehörigkeitsgefühl der Clans wurde vor allem durch die **Unabhängigkeitskriege** (1296-1314) erzeugt. Die 21 Clans, die sich damals um Robert the Bruce auf dem Schlachtfeld von Bannockburn versammelten, hatten ein gemeinsames Ziel: die Freiheit des schottischen Volkes von jeglicher Fremdherrschaft. Doch die Gewinner durften sich auch der großzügigen Verteilung von Ländereien und Titeln sicher sein, denn die Besiegten wurden vertrieben. Besonders ein Name sollte sich mit dem Schicksal Schottlands entscheidend verbinden: derjenige der Campbells.

Bis zum Ende des 14. Jahrhunderts hatten sich die meisten Clans etabliert. Die Clanchiefs residierten z. T. recht fürstlich auf ansehnlichen – wenn auch kalten – Trutzburgen. Wie Feudalherren verpachteten sie Ländereien an ihre Untergebenen. Einem Clan anzugehören, hieß nicht nur, in ein soziales Netz eingebunden zu sein, sondern beinhaltete auch Pflicht zum Kriegsdienst für den Herrn. Dieses Sozialgefüge offenbarte seine Schwachpunkte, als die Clans ihre eigenen Verwaltungsstrukturen zu bilden begannen. Kleinere Familien suchten durch Bündnisse und Gegenbündnisse beim mächtigen Nachbarn Schutz. Es kam aus den verschiedensten Gründen zu Auseinandersetzungen von kleineren Fehden bis zu blutigen Schlachten – ja regelrechten **Clankriegen**, die manchmal Jahrzehnte anhielten.

Als Schottland und England längst unter einer Krone vereint und die Lowlands befriedet waren, verschanzten sich die Clans immer noch im unwegsamen Hochland. Militärpfade und Straßen mussten im 18. Jahrhundert von der Regierung erst noch gebaut, Burgen belagert und besetzt werden. Das endgültige Aus für das Clansystem kam 1746 mit der Niederschlagung des letzten **Jakobiteraufstandes**. Viele Clanchiefs und Familien flohen ins Ausland. Die Folgen der daraus resultierenden Umverteilung der Ländereien an Nichthochländer waren das Desinteresse der neuen Herren an dem Sozialgefüge der jeweils lokalen Clans und stattdessen die Durchsetzung eigener Wirtschaftsinteressen: Die Schafe wurden aus dem Hochland verdrängt, und die Bevölkerung wurde während der berüchtigten **Clearances** aus großen Teilen des Hochlands vertrieben.

Das größte Problem lag nunmehr in der Verantwortung der Großgrundbesitzer für die auf ihrem Land lebenden Menschen. Das alte Clansystem war galt nicht mehr und selbst dort, wo die Chiefs das Land noch besaßen, konnten sie die gewaltig gewachsene Bevölkerung nicht mehr ernäh

ren. In ersten Landstudien wurden im Jahr 1801 noch
1.608.420 Menschen in Schottland erfasst, doch 1831, nur

Die Herzöge von Argyll

Der Stammbaum dieser mächtigen Fürsten Schottlands
erstreckt sich bis in das frühe Mittelalter. Während der Regierungszeit von John Balliol wurde **Sir Colin Campbell
von Lochawe** 1292 als der führende Baron von Argyll
anerkannt. Er nahm den alten gälischen Titel McCailean
Mór an, eine Bezeichnung, die auch heute noch vom Oberhaupt des Clans getragen wird. Colin's Sohn Neil legte
dann den eigentlichen Grundstein zum Wohlstand der Familie. Er unterstützte Robert the Bruce in seinem Kampf
um die Freiheit Schottlands und heiratete dessen Schwester Mary. Bis zum Beginn des 15. Jh. war der Stammsitz
der Familie Innischonnel Castle, heute eine Ruine am südlichen Ende von Loch Awe. Die Macht der Campbells wuchs
über die Jahrhunderte bis weit in die Neuzeit. Das wird
durch zahlreiche Burgen im Westen bis hinauf nach Cawdor Castle bei Nairn demonstriert. Sir Colin's Enkel wurde
von James II. zum Lord ernannt. Er wurde der Stammva-
ter der verschiedenen Familienzweige. Sein Enkel wurde
1457 der erste Graf von Argyll. Er baute auch die Burg, die
noch immer der Kern des heutigen Schlosses in Inveraray
ist. Der achte Graf, zum ersten Marquis erhoben, spielte
im Bürgerkrieg eine dubiose Rolle und ein gefährliches
Spiel. Er unterstützte die Covenanter, wurde von seinem
schottischen Gegenspieler, dem Marquis von Montrose,
mehrfach geschlagen. Er krönte sogar Charles II. in Scone
und intrigierte schließlich mit Cromwell. Dafür wurde er
1661 nach der Wiedereinsetzung von Charles II. hingerichtet. Dem neunte Grafen erging es nicht besser. Er wurde wegen seiner Beteiligung an der Monmouth-Rebellion
geköpfte. Der zehnte Graf war wesentlich an der Einset-
zung von Wilhelm von Oranien beteiligt und wurde 1701
dafür mit dem Herzogtitel ausgezeichnet. John, der zweite
Herzog, war einer der treibenden Kräfte in der Schaffung
des Unions-Aktes und führte auch die Armee im Jakobiteraufstand von 1715 an. 1871 heiratete der neunte Herzog
schließlich die Tochter der Königin Victoria, Prinzessin
Louise, und rückte die Familie damit, wenn auch nur entfernt, in die Nähe der heutigen königlichen Familie.

30 Jahre später, gab es schon 2 364 386. Das war ein Anstieg um fast 50% in dieser kurzen Zeit. Im Hochland wurde das Land sehr schnell knapp: 200 000 Menschen lebten auf dem nicht sehr ergiebigen Boden des Hochlands und konnten sich nur mehr schlecht als recht davon ernähren. Die verbliebenen alten Clanchiefs und Familienoberhäupter fühlten sich trotz dem noch verantwortlich für die auf ihrem Grund lebenden Menschen und saßen damit in einer Zwickmühle.

Neue Erkenntnisse der Landnutzung und -aufteilung wurden vom Kontinent und aus aus dem Tiefland erworben und in die Situation des Hochlands umgesetzt. Das wenige nutzbare Land konnte nur eine stark ausgedünnte Bevölkerung richtig ernähren. Damit gehörten die einfachen Bewohner des schottischen Hochlands also wieder einmal zu den Verlierern. Auf den riesigen Weideflächen, die einst erträglich genug waren, Rinder zu halten und Getreide anzubauen, wurden bald die allesvertilgenden Schafe gehalten, die den Landeigner sehr schnelle und große Profite brachten. Die Clanmitglieder wurden oft gewaltsam von ihrem Pachtgrund vertrieben. Hütten, die nicht freiwillig geräumt wurden, steckte der Verwalter in Brand, oft ohne Rücksicht darauf, ob sich dort Alte oder Kranke aufhielten. Im Verlauf der Clearances, von denen sich das Hochland bis heute noch nicht erholt hat, wurden Hunderttausende vom Land vertrieben und ein Großteil des Hochlands buchstäblich entvölkert. Einige Kleinbauern bekamen von ihrem Pachtherrn in den Küstenregionen ein kleines Grundstück als Ausgleich zugeteilt, doch kaum einer der vertriebenen Bauern kannte die See oder konnte mit einem Fischerboot umgehen – viele kamen um. Zehntausende emigrierten auf den Kontinent oder nach Kanada, Amerika, Neuseeland und Australien, oder wurden mit bezahlten Passagen dorthin ausgesiedelt. Sie bildeten zu einem großen Teil den Grundstock für die heute allein 50 Millionen Amerikaner, die Schottland als ihr Herkunftsland betrachten. Zurück blieb die einst zumindest in Teilen fruchtbare Heimat – heute ist sie oft menschenleeres Ödland mit ein paar überwucherten Grundmauern.

Mit Blick auf die Geografie des schottischen Hochlands ist es kein Wunder, dass die Könige es sehr schwierig fanden, ihre Autorität über die Menschen auszuüben, die in den entfernten und unzugänglichen Bergen lebten. Die Hochlandlinie erstreckt sich diagonal vom Clyde bis nach Stonehaven an der Nordsee, südlich von Aberdeen. Nördlich davon fühlten sich die Clans an die jeweiligen Gebiete gebunden, die sie als Familienland beanspruchten. Die tiefen Täler und weiten Hochlandgebiete wurden von Clans wie den Campbells in Argyll, den Camerons in Lochaber, den Robertsons in Rannoch, den Mackays in Sutherland bevölkert und die Inseln im Westen waren die Domäne der MacDonalds in Islay, der Macleans in Mull, Tiree und Coll, während Skye zwischen den MacDonalds, MacLeods und Mackinnons aufgeteilt war.

Trotz des kargen Bodens waren alle Clans nahezu autark und lebten von den Kleinrindern, die in den Bergen weideten. Auf den Inseln und an der Küste fischten die Clanmitglieder und exportierten sogar den Fangüberschuss ins Tiefland. In den Tälern hatten sie ihre Gerste zum Brauen von Whisky (hauptsächlich zur Erbauung des Chiefs und seiner nächsten Untergebenen) und Hafer als Grundnahrungsmittel. Es war ein karges Leben für die Clanangehörigen. Beim Schutz des Viehs entwickelten diese keltischen Bergmenschen Ausdauer und sammelten im oft kriegerische Umgang mit ihren Nachbarn ihre rauhe Erfahrung. Bei passenden Gelegenheiten waren dann sowohl Tiefländer als auch Engländer von deren Angriffslust gleichermaßen entsetzt.

Die erste herausragende Persönlichkeit, die in der Geschichte der Clans genannt wurde, war **Somerled**, der Urahn des Clans der späteren **MacDonald**. Er war der Anführer im Widerstand gegen die Norweger, die die westlichen Inseln, die Orkneys und Shetland kontrollierten. Somerled war ein aussergewöhnlicher Krieger von piktisch-norwegischem Geblüt. Nach einer fürchterlichen Seeschlacht im Jahr 1156 gewann er das Königreich Man. Damit kontrollierte er die westlichen Inseln von Bute im Clyde bis Ardnamurchan. Im Gegenzug für Somerleds Treueversprechen erkannte König

Malcolm IV. seine Herrschaft dort an. In diesem Zusammenhang gab es aber erstmals ein bedeutendes Missverständnis.
Während Malcolm meinte, Somerled erhielte seine Länderei-
en als Lehen von der Krone, betrachtete dieser sich als Eroberer und autonomer Machthaber. Aus seiner politisch abenteuerlichen Ehe mit Ranghildis, der Tochter des norwegischen Königs der Insel Man, hinterließ Somerled drei Kinder,
von denen zwei seine Linie fortsetzten. **Dougal,** der die Mac-
Dougals von Argyll und Lorn gründete und **Reginald,** dessen
Sohn den Namen Donald trug. Er gründete die MacDonalds
von Islay. Diese Nachkommen Somerleds – die MacDonalds
– wurden die Herren der Inseln (**Lords of the Isles**).

Die Clans arbeiteten nicht zusammen. Selbst nach dem
Ende der norwegischen Besetzung im Jahre 1266 kämpften
sie im Hochland gegeneinander und die Krone verzweifelte
schier daran, sich ihre Loyalität zu sichern und Ruhe und
Frieden im Hochland zu schaffen. Ein herausragendes Beispiel waren die MacDougals und MacDonalds. Sie widersetzten sich König Robert the Bruce, da sie mit ihm noch ein
Hühnchen zu rupfen hatten: Der von ihm ermordete Comyn
war mit ihnen verwandt gewesen. Trotzdem folgte der Clan
Donald dem Bruder des Chiefs – Angus Og – und kämpfte in
der **Schlacht von Bannockburn** an der rechten Seite von Bruce. Diese Geste der Fahnentreue stärkte die Position der
MacDonalds und bewahrte die illoyalen Mitglieder des
Clans vor Strafmaßnahmen.

Zahllose Aufsplitterungen und Zerwürfnisse waren innerhalb der Clangruppierungen die Regel. Die einzige Zeit,
in der eine wirklich beträchtliche Anzahl von Clans zusam-
menwirkte war während der Unterstützung der Stewart-Dynastie im 18. Jh. Die große Ausnahme bildete in dieser Zeit
des Bürgerkriegs (das Tiefland gegen große Teile des Hochlands) der Clan Campbell, der sich auf die Seite der Hannoveraner schlug. Die katholischen Clans waren immer überzeugt davon, dass der Stewart Monarch der Chief der Chiefs
sei, obwohl die Stewarts den Clans gegenüber nie besonders
freundlich eingestellt gewesen waren. Wenn sich jemand vom
Königshaus überhaupt jemals für sie interessiert hatte, dann

nur, wenn es darum ging, das Hochland den Normen des Tieflandes anzupassen.

Die im Wechselspiel erstarkten Clans und wurden vernichtet oder unterworfen, wie beispielsweise der Clan Donald, der im 15. Jahrhundert fiel; daraus wuchs und erstarkte der Clan Campbell. Dieser Name ist ursprünglich gälisch cambeul und bedeutet – im übertragenen Sinne – „das verdrehte Maul".

James IV. schaffte es schließlich, das normannische Feudalkonzept des Tieflands endgültig auch im Hochland durchzusetzen. Er bestätigte vielen Chiefs ihre Landansprüche durch ein königliches Übertragungspapier – die sogenannte **Schafsfellurkunde**. Damit unterstrich er, dass diese Vasallenclans ihre Ländereien direkt durch die Krone erhielten. James gab auch den Campbells von Argyll einen Dreijahresvertrag über mehrere Ländereien, die zuvor von den Lords of the Isles beherrscht worden waren. Klug unterstützten die Campbells jedermann, der ihnen Vorteile verschaffte. Darüber hinaus fingen sie an, die angrenzenden Ländereien ebenfalls zu dominieren. Um ihren Landbesitz zu vergrößern, nutzten sie in Argyll und im Nordwesten jede sich bietende Möglichkeit – das Schicksal der **MacGregors** ist dafür ein beredtes Beispiele. Die MacGregors (ein späterer Abkömmling wurde bekannt als Rob Roy) besaßen sowohl in Argyll als auch in Perthshire Land nach dem alten Clanprinzip. Ohne dokumentarischen Eigentumsbeweis und ohne diese Schafsfellurkunde konnten sie sich lediglich auf die Tradition berufen. Unter der Beschlagnahmung von immer mehr MacGregor-Land verzweifelt dieser Clan nach und nach – und um überhaupt noch leben zu können, wurden die MacGregors zu Viehdieben. Nach 1603 waren die Campbells entschlossen, ihnen endgültig den Garaus zu machen. Der Graf von Argyll, Chief des Clan Campbell, schürte einen Streit zwischen den MacGregors und den **Colquhouns** von Luss am Loch Lomond. Dieser Streit endete – wie viele andere auch – in einer fürchterlichen Schlacht, die im **Glen Truim** stattfand. Zwar siegten die **MacGregors** trotz gewaltiger Übermacht der Gegner, doch es war ein Pyrrhussieg. Die Schlacht war so blutig und fürchterlich, dass James VI. – gerade auch zu James I. von England gekrönt – ein Gesetz durch sein **Privy Council** herausgeben ließ, das die MacGregors zu Vogelfreien machte und ihren Namen auslöschen sollte. Danach war dieser Clan über 139 Jahre lang ein Clan der Gesetzlosen (zwischendurch wurde die Anordnung zeitweise aufgehoben). 30 Jahre nach Culloden bekannten sich 1775 trotzdem immerhin noch 826 Menschen zur Mitgliedschaft im Clan MacGregor und stellten dadurch die bemerkenswerte traditionelle Gefühlsbindung, die das alte Clanprinzip schuf, unter Beweis.

James war es leid, immer nur von Blutfehden und Streitereien zu hören. So beauftragte er schließlich **Lord Ochiltree**, unter allen Umständen Gesetz und Ordnung auf den Inseln zu schaffen. Dieser Mann wurde durch **Andrew Knox**, den Bischof der Inseln in seiner schwierigen Aufgabe unterstützt. Die Chiefs der **MacLean of Duart, Donald Gorm of Sleat, Clanranald, MacLeod** und **Maclean of Ardgour** dinierten aber zunächst erst einmal zusammen auf Duart Castle (Mull), bevor sie der Einladung zur Predigt durch Bischof Knox auf das Flaggschiff Lord Ochiltrees folgten. Sie bekamen dann aber mehr als nur eine Predigt. Einmal an Bord, brachte sie das Schiff nämlich nach Edinburgh, wo sie eingekerkert und erst freigelassen wurden, als sie sich dazu bereit erklärten, Bischof Knox bei der Reform der Inseln zu unterstützen.

Großbritannien wandte sich allmählich einer neuen kommerziell blühenden Ära zu, in der kein Platz mehr für Clans war. Das war jedenfalls der Standpunkt von **William III.**, der seine Macht durch die **Schlacht an der Boyne** gefestigt hatte. Er entschied, dass mit den Hochländern etwas Drastischeres geschehen müsse, da diese offensichtlich immer noch auf der Seite der Stewart-Dynastie standen. Der Schotte Sir **John Dalrymple**, Graf Stair und Unterstaatssekretär für Schottland, plante eine Lösung des Hochlandproblems. Er wurde in seinen Bestrebungen von William unterstützt und fand in **John Campbell**, dem Grafen von Breadalbane, einen willigen Helfer. Zunächst bekam Breadalbane vom König 12000 Pfund. Damit sollte er die Loyalität der Clanchiefs erkaufen. Der verantwortliche Graf Stair ließ jedoch in einem vertraulichen Gespräch gegenüber Campbell von Breadalbane verlauten, die Clans **Donnel** und **Lochiel** sollten ausgerottet werden. So wurde entschieden, dass alle Chiefs bis zum 1. Januar 1692 einen Treueid auf den König ablegen müssten. Denjenigen, die sich widersetzten, würde „mit Feuer und Schwert und allen möglichen Arten von Feindlichkeiten begegnet werden". Das Datum war offensichtlich sehr sorgfältig gewählt worden, denn der harte Hochlandwinter würde die Hochländer teilweise lähmen. Ein Punkt, der von Stair sehr wohl einkalkuliert worden war. „Der Winter ist die einzige Saison, in der wir sicher sein können, dass die Clanmitglieder nicht mit ihren Frauen, Kindern und Rindern in die Berge entfliehen können. Dies ist die richtige Zeit, sie in der langen, dunklen Nacht zu vernichten."

Die meisten Clanchiefs leisteten diesen Eid sofort. Lediglich der mächtige **MacDonnel of Glengarry** und der alte **MacIan MacDonald of Glencoe** hatten dies bis zum 1. Januar nicht getan. MacIan hatte nach langen Überlegungen versucht, seinen Treueid am 31. Dezember in Fort William abzulegen. Da kein Magistrat anwesend war und der Kommandant sich weigerte, den Eid entgegenzunehmen, war er gezwungen, durch den Schnee nach **Inveraray** zu ziehen. In diesem schlimmen Winter kam MacIan aber erst am 2. Januar in Inveraray an. Da aber auch dort nur ein Stellvertreter des Kommandanten war, erreichte sein Eid Edinburgh erst am 6. Januar.

Endlich hatte William damit seinen Sündenbock. Dalrymple schrieb an den Kommandanten in Fort William „Wenn MacIan von Glencoe und sein Stamm sich so verschieden von den Übrigen verhält, haben wir eine klare Rehabilitation öffentlichen Rechts, dass dieser diebische Clan mit Stumpf und Stiel ausgerottet wird". 120 Mann vom Regiment des Grafen von Argyll wurden unter dem Kommando von Hauptmann **Robert Campbell** von Glenlyon nach Glen Coe in Marsch gesetzt um dort in den Hütten Quartier zu beziehen. Die Soldaten wurden mit der üblichen Gastfreundschaft des Hochlands empfangen. Über 15 Tage lang teilten die MacDonalds die karge Speise und Trank mit ihnen. Hauptmann Campbell spielte sogar Karten mit dem alten MacIan MacDonald und dessen Söhnen. Doch am 12. Februar 1693 erhielt der Hauptmann den Befehl: „Ihnen wird hiermit befohlen, über die Rebellen, die MacDonalds von Glencoe herzufallen und alle unter 70 Jahren dem Schwert zuzuführen. Besonders haben Sie dafür zu sorgen, dass der alte Fuchs und seine Söhne unter keinen Umständen Ihren Händen entfliehen können. Das Morden sollte um fünf Uhr am folgenden Morgen beginnen. Am Vorabend soll Hauptmann Campbell sogar wie in den Tagen zuvor Karten mit den Söhnen MacDonalds gespielt und nebenbei erwähnt haben, wie sehr er sich schon auf das Abendessen des folgenden Tages zusammen mit dem Chief freue. Als sich nach langer und stürmischer Nacht der Morgen näherte, begannen die Soldaten mit ihrer grausamen Aufgabe. Das Ergebnis war, dass mehr als 30 MacDonalds ermordet wurden. Viele Mitglieder des Clans, die es geschafft hatten, sich in den immer noch tobenden Schneesturm zu retten, erfroren darin. Etliche überlebten. Das Gemetzel wurde bekannt.

Es war nicht nur ein vollkommen sinnloses Verbrechen, sondern auch eine totale und bewusste Verhöhnung der jahrhundertealten Hochlandtradition, die selbst dem ärgsten Feind Gastfreundschaft gewährte.

William mag seine Macht und Entschlossenheit bewiesen haben, erzielte aber das genaue Gegenteil des Beabsichtigten. Nach dem Massaker von Glencoe wirkten die Stewarts verheißungsvoller denn je. Kurz nach der parlamentarischen Vereinigung Schottlands und Englands war es für die Clans klar, dass sie nur einen Status als Minderheitengruppe in 'North Britain', wie Schottland nun gerne genannt wurde, hatten. Sie richteten ihre Hoffnungen mehr und mehr auf 'den König jenseits des Wassers' – James – und nach dessen Tod auf seinen Sohn Francis Edward, den Old Pretender. 1714 kam George I. auf den Thron des vereinigten Königreiches. Er war unattraktiv, intellektuell schlecht ausgestattet und in Bezug auf sein neues Königreich hatte er so gut wie keine Kenntnisse. Die Jakobiter glaubten, nun sei die ideale Gelegenheit für die Wiedereinsetzung der Stewarts gekommen.

Nach dem Jakobiteraufstand von 1715 erschloss **General Wade**, der Generalkommandeur von Schottland, das Hochland mit einem Netz von Straßen und Brücken, von denen einige noch heute erhalten sind. Er reorganisierte die sechs von Clanmitgliedschaft unabhängigen Hochlandkompanien und überließ ihnen die Kontrolle des Hochlandes. Diese **Black Watch**, wie die Regimenter genannt wurden, trugen das auch heute noch beliebte dunkelblaue und grüne Muster in ihrem Kilt.

1724 schätzte Wade, dass rund 22 000 Mann im Hochland Waffen tragen könnten. Davon wären sicherlich mehr als die Hälfte bereit, wieder eine Stewartrebellion zu unterstützen. Nach diesen Zahlen kann die Hochlandbevölkerung zu jener Zeit sehr gut auf ca. 150 000 geschätzt werden. Die Regierung befürchtete aber nicht so sehr die Anzahl der Oppositionellen, sondern vielmehr die Durchschlagskraft, die diese Clanmänner im Kampf entwickeln konnten. Am gefürchtetsten war ein Präventivschlag der Hochländer. Dieser stützte sich allein darauf, dass Schwung und Ansturm, gepaart mit der absoluten Rücksichtslosigkeit sowohl sich selbst als auch dem Gegner gegenüber, den Feind in Angst lähmten. Mit dem Kleinschild am linken Arm, einem Dolch in der linken Faust und dem kurzen Breitschwert in der Rechten konnten die Hochländer weit in die gegnerischen Truppen vordringen und sich dann kämpfend unter der Führung ihres Chiefs in kleine Einheiten aufteilen. Diese Technik war später – ganz besonders während des '45er Aufstands – sehr gefürchtet, so sehr, dass sie von **Bonnie Prinz Charlie** als eine Geheimwaffe immer wieder eingesetzt wurde.

Der Zeitpunkt zum Umsturz schien gut gewählt. Die britische Regierung war in finanziellen Nöten und hatte nur eine Armee von gerade einmal 3000 Mann – hauptsächlich Rekruten – unter General **John Cope**. So landete **Charles Edward Stewart** – bekannter als Bonnie Prinz Charlie – am 2. August 1745, 30 Jahre nach der Niederlage seines Vaters, von Frankreich kommend, auf Eriskay, einer Insel der Äusseren Hebriden. Auf seiner Reise hatte er fast alles Material verloren, nur noch sieben Getreue bei sich und keinerlei Waffen oder Unterstützung mehr. Er kam in ein Land, von dem er kaum etwas wusste und das er nicht kannte. Zu Beginn sträubten sich die schottischen Jakobiter, Bonnie Prinz Charlie zu unterstützen. Wegen des 'Königs jenseits des Wassers, wie sein Großvater romantisch genannt worden war, hatten die Clans in der Vergangenheit sehr zu leiden gehabt. Die MacDonalds of Clanranald, MacDonalds of Sleat und MacLeods of Dunvegan – alle lehnten es ab, sich für den Prinz zu erheben. Trotzdem und im naiven und vollen Vertrauen auf die Rechtmäßigkeit seines Thronanspruchs gewann Charles den schlauen **Cameron of Lochiel** an seine Seite. Am 19. August 1745 hisste er vor rund 1200 Clanmännern seine Fahne in Glenfinnan. Diese Hochlandclans bildeten den Kern seiner Streitmacht.

Nach dem letzten Jakobiteraufstand von 1745/46 waren die Hochländer vernichtet und ihr Mut wurde mit dem neuen Entwaffnungsgesetz endgültig gebrochen. Zusätzlich zur Niederlage wurden die Hochlandkultur, das Sozialgefüge und das Clanwesen mit Gesetzesmitteln zerschlagen. Das schottische Tiefland war über die Auslöschung des Widerstands im Hochland erleichtert. Schottland war in zwei Nationen geteilt: die eine war kommerziell ausgerichtet und bemühte sich, englische Gepflogenheiten anzunehmen und die andere war landwirtschaftlich orientiert, in weiten Teilen gegen die südlichen Nachbarn eingestellt und machte aus ihrem keltischen Temperament keinen Hehl. Die Clans lebten nur noch in den historischen Dimensionen. Zum Zeitpunkt ihrer endgültigen Niederlage waren sie aus der Sicht der Tiefländer längst ein wirtschaftlicher und sozialer Anachronismus. Doch für die Menschen des Hochlands bedeutete diese Aufhebung der alten Ordnung den tragischen und unwiederbringlichen Verlust ihrer eigene Sprache und Kultur.

Die Jakobiteraufstände

Die Geschehnisse in Schottland waren nach der Flucht von **James** nach Frankreich im Dezember 1688 absolut undurchsichtig und widersprüchlich. Keine einzige größere Stadt unterstützte den katholischen König oder kam ihm zu Hilfe. Selbst Aberdeen, einst eine Bastion der Stewarts, erkannte jetzt **Mary** und **William** an. Es gab keine Opposition. Am 4. April 1689 trat das schottische Konventionsparlament mehrheitlich dafür ein, James die Krone abzunehmen. In England hingegen wurde es so ausgelegt, als habe James mit seiner Flucht gleichzeitig auf den Thron verzichtet. In Schottland war diese Entscheidung aus einem einzigen Grund heraus getroffen worden – das Parlament sah die Monarchie seit Hunderten von Jahren als eine vertraglich gebundene, konstitutionelle Monarchie an. Das wurde schon in der **Deklaration von Arbroath** ganz klar festgelegt – nur schienen sich die nachfolgenden Monarchen daran nicht mehr erinnern zu wollen. Diese Willenskundgebung war 1320 nach den fürchterlichen Jahren des Zweiten Interregnums und der Unabhängigkeitskriege aufgesetzt worden.

Damals hatten die Menschen noch immer deutlich unter dem Eindruck der englischen Besetzung und des Banns gestanden, den die Kirche über den König und größten Helden Schottlands – Robert the Bruce – verhängt hatte. So waren die führenden schottischen Persönlichkeiten in der Abtei von Arbroath zusammengetroffen, hatten eine Sinneserklärung im besten und geschliffensten Latein verfasst und sie an den Papst geschickt. In diesem Manifest hatte die Führungsschicht des Landes – Landesherren und Fürsten, hohe Bürger und die gesamte kirchliche Obrigkeit – ihre Entschlossenheit, die Unabhängigkeit Schottlands zu verteidigen, betont. Gleichzeitig hatten sie Robert the Bruce auch weiterhin unterstützen wollen – es sei denn er würde sich den Feinden des Landes (also an erster Stelle dem englischen König) beugen.

William war protestantisch und der Enkel von Charles I. hatte die ebenfalls protestantische Mary, die Tochter von James VII., geheiratet. Für einige war das die perfekte protestantische Alternative zu dem katholischen James. Die katholischen Royalisten erhoben sich erstmals 1689 in Schottland unter der Führung von John Graham of Claverhouse, genannt **Bonnie Dundee**. Im April 1689 hisste er auf dem Dundee Law die Fahne von James VII. Im Juli desselben Jahres stand Bonnie Dundee dann schon an der Spitze eines Aufstands des Hochlands und schlug die Regierungstruppen bei **Killiecrankie**. Diese Schlacht dauerte nur rund zehn Minuten – aber sie war mörderisch. Mehr als 30% der Kampfkräfte Dundees, die ursprünglich 2000 Mann umfassten und wahrscheinlich 60% der doppelt so großen gegnerischen Streitmacht wurden in dieser kurzen Zeit getötet.

Killiecrankie hätte das Tor zum Norden Schottlands aufstoßen und damit König James zurückbringen können. Das Schicksal dieses Aufstands wurde aber durch eine verirrte Kugel entschieden, die Bonnie tötete. Die Hochländer waren nun ohne eine starke Führung. Wenige Wochen später und nach einer anderen kurzen, aber ebenso mörderischen Schlacht in **Dunkeld** zogen sie sich einfach zurück in ihre Heimatgebiete. Dieser erste Aufstand dauerte insgesamt 13 Monate und endete mit der Niederlage von Williams Schwiegervater James in der irischen **Schlacht an der Boyne.**

Dieser Schlacht wird in Nordirland auch heute noch jedes Jahr gedacht und ihr Ausgang ist eine wesentliche Ursache des heutigen nordirischen Konflikts.

Gleichzeitig mit dem Ende des Aufstands wurde die **presbyterianische** Kirche endgültig in Schottland etabliert. Es war aber auch der Beginn des Wegs in Richtung der **parlamentarischen Union** zwischen England und Schottland. Schließlich entwickelte die Regierung nach Killiecrankie erstmals auch Pläne zur Kontrolle des bis dahin unwegsamen Hochlandes. Der regierungstreue Campbell of Breadalbane, ein Mitglied des mächtigsten Clans Schottlands, hatte die Idee, jeder einzelne der Clanchiefs solle einen Treueid auf König Wilhelm leisten sollte. Das war ein schicksalsträchtiger Einfall, denn sie führte zu dem bereits beschriebenen **Massaker von Glencoe.** Das löste tiefste Empörung in der Bevölkerung aus und die Regierung sah sich gezwungen, eine Untersuchungskommission einzusetzen, was ohne wirkliche Konsequenzen für die Führungschicht des Landes blieb. Der Vorfall rief aber im westlichen Hochland viel Sympathie für die Jakobiter hervor. Sehr schnell wurde nämlich klar, daß der König in London sich herzlich wenig für schottische Belange interessierte. Er ratifizierte englische Gesetze des englischen Parlaments, die die englischen Kolonien stärkten und den englischen Handel beschützten, Schottland aber von allem ausschlossen. Der schottische Finanzexperte **William Paterson**, der in England ein Vermögen gemacht hatte, dachte zu diesem Zeitpunkt, er hätte eine Lösung für das Dilemma. Er gründete die **Scottish Trading Company** – eine schottische Handelsgesellschaft – und plante, eine Kolonie in der Region des heutigen Panama zu gründen. Da die englische **East India Company** darin eine Konkurrenz witterte, wurden englische Kaufleute davon abgehalten, in diesen Plan zu investieren. Das Ganze wurde dadurch eine rein schottische Angelegenheit. Die Hälfte des gesamten Kapitals Schottlands wurde in Patersons Gesellschaft gesteckt. Das Abenteuer endete als Desaster, denn das ausgewählte Gebiet war malariaverseucht und die schottischen Siedler wurden von spanischen Kolonialisten angegriffen. Der König gab ausdrückliche Anweisungen, den schottischen Siedlern keine Hilfe zu gewähren. Mehr als 2000 schottische Siedler kamen ums Leben. Das investierte Geld war nach dem Zusammenbruch der Kolonie verloren bevor der ganze Plan endgültig aufgegeben wurde. Schottland war danach so gut wie bankrott.

In England wurde erst im Jahre 1700 die parlamentarische Union langsam ein politisches Thema. Die zukünftige **Königin Anne** verlor mit dem Tod von **William,** dem Herzog von Gloucester, den letzten möglichen Nachfolger. Er war das jüngste ihrer 17 Kinder – seine Geschwister waren schon alle vor ihm gestorben. Der **Act of Settlement** von 1701 machte es dann für Katholiken grundsätzlich unmöglich, zu regieren oder ein Staatsamt zu bekleiden. Das Schottische Parlament bestimmte darüber hinaus, dass die Nachfolge Annes durch das Haus Hannover erfolgen sollte. Da sie nun kinderlos war, bestimmte Anne die Kurfürstin **Sophia von**

Hannover zu ihrer Nachfolgerin. Diese war die fünfte und einzige protestantische Tochter von Elisabeth von Böhmen - und eine Enkelin von James VI./I.

1703 verabschiedete das schottische Parlament ein Gesetz, das verhindern sollte, dass Schottland durch die Nachfolger Annes in kriegerische Unternehmen ausserhalb des Landes hineingezogen wurde. Im Gegenzug beschloss Annes Regierung 1705 den sogenannten **Alien Act**. Dieses Gesetz drohte, alle Schotten ausserhalb Englands als Fremde zu behandeln und sie so vom Handel mit England und seinen Kolonien auszuschließen – Schottland war in die Enge getrieben. Viele schottische Adelige, unter ihnen der Herzog von Argyll und der Herzog von Queensberry, sahen daraufhin in der parlamentarischen Union mit England den einzigen Weg, die Interessen Schottlands aufrecht zu erhalten und zu schützen. Die Unionsvereinbarung (**Treaty of Union**) wurde am 16. Januar 1707 mit einer Mehrheit von nur 43 berechtigten Stimmen, aber gegen den Wunsch von mindestens 75% der Bevölkerung Schottlands vom Schottischen Parlament ratifiziert.

Das Einzigartige an der verworrenen politischen Situation war, dass ihr die Nachfolgeschaft der Stewarts zu Grunde lag. Das wird durch die Aufstände der Jakobiter in den Jahren 1715, 1719 und letztlich 1745 vollends klar, doch dazwischen und nur ein Jahr nach der Union fand 1708 schon eine Rebellion statt. Im Quadrat zwischen dem im Exil lebenden Hof von **James VII./II.**, dem unzufriedenen schottischen Tieflandadel, den Hochlandchiefs und der französischen Regierung wurde von 1700 an und in den darauffolgenden 40 Jahren zunächst von Frankreich und später auch von Rom aus immer wieder ein Doppelspiel gespielt: Französische Hilfe hing jeweils davon ab, ob weitgehende Unterstützung eines Aufstands in Schottland selbst gewährleistet schien. Dagegen war das schottische Engagement wiederum davon abhängig, wie weit militärische Unterstützung und Material von Frankreich aus zugesichert wurden.

Nur ein Jahr nach der Union zwischen England und Schottland wollte Louis XIV. von Frankreich 1708 die Streitmacht

Englands wieder einmal aufspalten. Er stattete dazu **James,** den Old Pretender, mit einer Flotte und sechshundert Mann aus. Schlechtes Wetter und mehrere englische Schiffe, die auf der Bildfläche erschienen, vereitelten aber die geplante Invasion.

Am 6. September 1715 dann hisste der **Graf von Mar** in Braemar die Standarte von James zum ersten richtigen Aufstand der Jakobiter. Schon bald darauf stand Mar an der Spitze einer beachtlichen Streitmacht von 12 000 Hochländern. Er war aber als Führer der Aufständischen der ganzen Sache bei weitem nicht gewachsen, sondern zögerte und versäumte es, die Initiative zu ergreifen. Als er dann endlich auf Stirling zumarschierte, wurde er nicht weit davon bei **Sheriffmuir** abgefangen. Dort kam es zu einer Schlacht, die unentschieden endete. Der Old Pretender war noch im Dezember in Peterhead gelandet und hatte versucht, dem Aufstand den dringend notwendigen Rückhalt und Schwung zu geben. Trotzdem schmolz die Unterstützung der Hochländer nach der Schlacht von Sheriffmuir erneut wie Schnee in der Sonne dahin. Das Unternehmen schlug fehl, denn die großen Städte Schottlands hielten fest zur jetzt gesamtbritischen Regierung. Zusätzlich brachte der Graf von Sutherland den hohen Norden Schottlands gegen die Aufständischen auf und gewann sie für die Seite der Hannoveraner. Die Jakobiter erhielten keinerlei Unterstützung von Frankreich, denn nach dem Tod von Louis XIV. versuchte der Regent **Orléans** ein Friedensabkommen und sogar ein Bündnis mit England zu schließen. So machten sich dann auch beide, Mar und der Old Pretender, am 4. Februar 1716 heimlich aus dem Staub und verschwanden auf Nimmerwiedersehen auf den Kontinent.

Während aber der Aufstand von 1715 noch insgesamt das Interesse aller Jakobiter in Schottland vertreten hatte, konnte der Versuch von 1719 nur als eine Auswucherung der Diplomatie des spanischen Kardinals Alberoni betrachtet werden. Dieser versuchte, seine eigenen politischen Ambitionen in Europa durchzusetzen, indem er Britannien mit einer Flotte aus 27 Schiffen und 5000 Mann angreifen wollte. Die alte Taktik wiederholend, versuchte er in einer zweiten Front die Verteidigungskräfte aufzuspalten, wobei er sich geschickt der schottischen Frage bediente. Zur Ablenkung förderte Alberoni einen Überfall auf den Nordwesten Schottlands und setzte dazu zwei Fregatten und einige hundert Mann unter der Führung des schottischen fünften **Grafen Seaforth** ein. Diese Streitmacht wurde aber noch im Juni des selben Jahres in der Schlacht im Tal von Glen Shiel von den Armeeinheiten der Regierung aufgerieben. Zuvor war schon die Seaforth-Festung der MacRaes, Eilean Donan Castle, von Regierungsschiffen unter Beschuss genommen und schließlich gesprengt worden.

Der 1745er Aufstand war ebenfalls nicht spontan. Er kam aus zwei Gründen zustande: Erstens durch die diplomatische Situation in Westeuropa und zweitens auf Grund der Persönlichkeit des jungen Charles Edward Stewart, Bonnie Prinz Charlie. Er war 1720 in Rom geboren worden und sprach fließend Latein, Italienisch, Französisch, Englisch und Gälisch. Aus Frankreich kommend, hisste er am 19. August 1745, wenige Tage nach seiner Landung bei **Glenfinnan,** im Zeichen der Rebellion seine Standarte. Mit 5000 Hochländern verschiedener Clans marschierte er auf Edinburgh zu und begegnete bei **Prestonpans** den Regierungstruppen auf dem Schlachtfeld, die dabei von ihm vernichtend geschlagen wurden. Die Stadt – nicht jedoch die Burg – ergab sich Charles widerstandslos. Für gut sechs Wochen residierte er danach im Palast von Holyroodhouse und gab dort sogar einen großen Ball, auf dem er – so heißt es – die Damen nur so verzaubert habe. Doch die Kontrolle über Schottland reichte ihm nicht aus. Mit seiner auf 5000 Mann angeschwollenen Hochland-

Charles Edward Stuart

armee marschierte Charles Edward bald danach in England ein, wo er sich noch größeren Zulauf von den englischen und irischen Jakobitern erhoffte. Diese Erwartung aber wurde enttäuscht: die englische Seite war vorsichtiger. In schnellen Aktionen wurden jedoch die Städte Lancaster und Manchester eingenommen. Im Dezember stand er schon vor Derby, nur knappe 150 km von dem völlig unvorbereiteten London entfernt. Das schnelle Vordringen der Jakobiterarmee löste bei Hof und in der ganzen Stadt Panik aus. König Georg II. wurde verständlicherweise nervös. Neben der Jakobiterarmee wurde ihm fälschlicherweise auch noch die Landung von 10 000 Soldaten aus Frankreich an der englischen Südküste angekündigt.

Genau zu diesem Zeitpunkt wurde jedoch Charles der strategisch entscheidende Fehler aufgezwungen. Die Hochländer weigerten sich weiter in Richtung auf das völlig überraschte London vorzurücken. Sie sahen keine der zugesagten Unterstützungen durch die englischen Jakobiter und kehrten zum Hochland zurück. Jetzt erst fasste sich die Regierung ein Herz und schickte den Sohn König Georgs II., **Wilhelm,** den **Herzog von Cumberland,** hinter ihm her. Von da an war die Sache der Stewarts verloren. Die Hochlandarmee zog sich nach mehreren Kämpfen tatsächlich zurück bis hinauf nach Inverness. Am 16. April 1746 wurde die total erschöpfte, hungernde und schlecht ausgerüstete Armee von knapp 5000 Mann vor den Toren der Stadt, bei dem Dörfchen **Culloden,** vernichtend geschlagen. Unter Cumberlands Kommando stand ihr eine gutausgerüstete, disziplinierte und trainierte Armee in Stärke von 9000 Mann gegenüber. Cumberland, ein entfernter Verwandter von Bonne Prinz Charlie, hatte nie zuvor eine Schlacht gewonnen. Mit seiner fast doppelt so starken Übermacht aus regulärer Armee und zusätzlichen Truppen mit besserer und stärkerer Bewaffnung brauchte er nur knapp 25 Minuten, um die Clanarmee zu vernichten und er kannte dabei keine Gnade. In England wurde Cumberland nach seinem Sieg in Culloden als großer Retter gefeiert. In Schottland schimpfte man ihn fortan nicht ohne Grund Schlachter.

Der Prinz entkam. Auf seiner Flucht irrte er fünf Monate lang kreuz und quer durch das Hochland und über die Inseln. Trotz und nach allem, was die Menschen des Hochlands mit ihm und durch ihn erlitten hatten und trotz der unglaublichen Belohnung von 30 000 Pfund, die auf seinen Kopf ausgesetzt war, halfen sie ihm während dieser Flucht, denn sie waren dem alten Königshaus noch immer treu ergeben.

Er wurde versteckt und entkam mit Hilfe der im Hochland auch heute noch als Heldin gefeierten **Flora MacDonald**
in Frauenkleidern. Als Zofe **Betty Burke** verkleidet, ruderte
er zusammen mit Flora in einer höchst abenteuerlichen Fahrt
über das Meer zur Insel **Skye**. Am 20 September 1746 schaffte Bonnie Prinz Charlie es endlich, sich heimlich im Gebiet
von Moidart, wo seine Expedition etwas über ein Jahr zuvor
begonnen hatte, einzuschiffen und nach Frankreich zu segeln. Die Menschen, die ihm geholfen hatten und an ihn
glaubten, ließ er zurück – um sie „kümmerten" sich in berüchtigter brutaler Manier Cumberland und die Regierungs-
armee. Charles Edward Stewart ging zurück auf den Kontinent und ohne zurückzuschauen lebte er ein mitleiderregen-
des Leben voller Ausschweifungen.

Die Regierung reagierte auf diesen letzten Aufstand sehr
entschieden und mit drakonischen Massnahmen. Über das
bereits in den 30er Jahren des 18. Jahrhunderts ausgebaute
Wege- und Straßennetz wurden Truppen ins Hochland gebracht, die dort an strategisch wichtigen Punkten in Militär-
bastionen wie dem extra dafür gebauten riesigen Fort George

Culloden Cairn

in der Nähe von Inverness postiert
wurden. Die am Aufstand beteiligten
Clanchiefs und oft auch die Clanmitglieder mussten ins Ausland fliehen oder wurden in Schauprozessen
hingerichtet. Die gälische Sprache,
die Hochlandkultur – wie z. B. das
Tragen der traditionellen Hochlandkleidung und das Dudelsackspielen –
wurden verboten. Ein Großteil des
alten gälischen Kulturgutes ging für immer verloren. Die
Wirtschafts- und Sozialstruktur im Hochland veränderte sich
drastisch. Was blieb, war die romantische Erinnerung an den
letzten katholischen Stewart – Bonnie Prinz Charlie.

Die schottische Aufklärung

Zu Beginn des 18. Jahrhunderts war Schottland noch eines
der ärmsten Länder in Europa gewesen. Die Landwirtschaft

war primitiv und Industrie existierte praktisch nicht. Die einzigen Exportprodukte waren Tierhäute, Holz, Kohle, Salz und gelegentlich noch Wolle oder Leinen. Doch nur ein Jahrhundert später war Schottland schon auf dem besten Weg, eine der blühendsten Wirtschaften der damaligen Zeit zu entwickeln. Zunächst begann aber gleichzeitig mit den Clearances auch die Zeit des **Scottish Enlightenment** (der schottischen Aufklärung). Sie brachte buchstäblich eine Explosion des Geistes hervor. Zu dieser Zeit konnte **Tobias Smollett** (1721-1771), der schottische Romancier, seinen Helden Matthew Bramble in dem Briefroman *Humphrey Clinker* (1771) feststellen lassen: „Edinburgh ist eine Brutstätte des Genies". Es scheint, als wenn die Energien jahrhundertelangen Kämpfens plötzlich umgeleitet worden waren und statt Freiheitshelden jetzt Persönlichkeiten auf den Gebieten der Kunst und Literatur, der Wissenschaft, Technik und der Architektur hervorbringen konnten. Die Wurzeln dafür lagen in der Zeit, als die wirtschaftliche Entwicklung nach der Union von 1707 und das Ende der Jakobiteraufstände eine grundlegende Änderung der Bodennutzung brachten. Dazu trugen die Erkenntnisse und Erfahrungen der Land- und Bodenbesitzer, die sie auf ihren europäischen Reisen der sogenannten Grand Tour gewonnen hatten, entscheidend bei. Nach Schottland zurückgekehrt, setzten sie diese Kenntnisse in die Tat um, verbesserten sie z. T. und passten sie den Bedingungen des Landes an. Die Tatsache, dass die Schotten sich selbst des Rückstands im Vergleich zu ihrem südlichen Nachbarn bewusst wurden, wird ihren Eifer noch geschürt haben.

Das Scottish Enlightenment hatte sein Zentrum in Edinburgh. Hier verband sich das geistige Potential von Wissenschaftlern und Gelehrten mit den Erfordernissen der Wirtschaft und einem neu gewonnen Fortschrittsbewusstsein. Der wohl offensichtlichste Ausdruck dieser Entwicklung ist noch

Robert Burns

heute die New Town von Edinburgh. Dem sehr weitsichtigen Bürgermeister George Drummond ist es zu verdanken, dass

Sir Walter Scott

sich die Situation der Stadt angesichts der Übervölkerung der Altstadt derart drastisch verändern konnte. Große Architekten wurden im 18. Jahrhundert in Schottland geboren oder kamen nach Aufenthalten in England dorthin zurück. Ihr Erbe ist dort auch heute noch zu bewundern. Einer der begnadetsten Architkten überhaupt war der Schotte Robert Adam, der in Edinburgh die Anlage des Charlotte Square in der New Town konzipierte. In dem von ihm geprägten Stil baute er eine große Anzahl herrlicher Gebäude und prächtige Schlösser in dieser Stadt und in ganz Großbritannien. Innerhalb einer verhältnismäßig kurzen Periode von wenigen Jahrzehnten entwickelte sich eine geistige Elite. Sie setzte sich zusammen aus einer großen Anzahl von Männern, die mit ihren Werken nicht nur den Menschen ihre Zeit, sondern auch der Nachwelt sehr viel gegeben haben. Einige der herausragenden Persönlichkeiten dieser Periode waren die Philosophen **David Hume** (1711-76) und **Adam Fergusson** (1723-1816), der Wirtschaftsphilosoph **Adam Smith** (1723-90), Schriftsteller und Poeten wie **Robert Burns** (1759-96) und **Sir Walter Scott** (1771-1832), Maler wie **Allan Ramsay** (1713-84) und **Sir Henry Raeburn** (1756-1823) und Techniker wie **James Watt** (1736-1819). Dank dieser großen Köpfe gelang es Schottland, den Anschluss an das auch zu dieser Zeit auf dem Kontinent stattfindende Feuerwerk der Aufklärung zu finden. 1796 begann in Frankreich der kometenhafte Aufstieg Napoleons. In Schottland setzte sich der Trend des Enlightenment ins 19. und 20. Jahrhundert fort. Viele große Persönlichkeiten vollbrachten eine beachtliche Reihe von Ersttaten, Entdeckungen und Leistungen auf den verschiedensten Gebieten. Unter ihnen waren **James Clerk Maxwell** (1831-79, Naturphilosophie, Elektrizität und Magnetismus),

Sir James 'Young' Simpson (1811-70, Anästhesie), **Joseph Lister** (1827-1912, Antisepsis), die Schriftsteller **Robert Louis Stevenson** (1850-94), und **Arthur Conan Doyle** (1859-1930), der Entdecker und Afrikaforscher **David Livingstone** (1813-73) und der Arzt **Sir Alexander Fleming** (1881-1955), der das Penicillin entdeckte, sowie der Erfinder des Fernsehens **John Logie Baird** (1888-1946).

19. Jahrhundert – Wandel zur Industriegesellschaft

Die Wende zum 19. Jahrhundert war gleichzeitig eine Wende vom Agrar- zum Industriestaat. Großbritannien wurde zum Modellfall der **Industriellen Revolution**. Diese Entwicklung erreichte Schottland und speziell die Lowlands in den 1820er Jahren. Hand in Hand damit ging ein rapides Bevölkerungswachstum. Eine bisher unerwähnte Auswirkung der Clearances war, dass Zehntausende von Hochländern in die Städte des Zentralgürtels strömten. Sie bildeten die in den neuentstandenen Industriezentren beschäftigte Fabrikarbeiterschaft.

Schwierigkeiten bereitete die unterentwickelte Infrastruktur Schottlands: Es gab nur sehr wenige Wege und Straßen. Wie in England wurden daher seit Beginn des 19. Jahrhunderts in Schottland Kanäle gebaut, die durch die wesentlich ökonomischeren Eisenbahnen allerdings sehr bald an Bedeutung verloren. Die dann einsetzende Zentralisierung der Industrie und die Erschließung von ertragreichen Kohleflözen im südwestlichen Schottland waren die Faktoren, die zum phänomenalen Aufstieg Glasgows zur zweitwichtigsten Stadt im britischen Empire führten. Mitte der 1840er Jahre wanderten Hunderttausende von Menschen aus Irland ein, die aufgrund der Kartoffelfäule dort Hungersnot litten.

Notdürftige Behausungen wuchsen ohne jede Planung besonders um die Fabrikanlagen Glasgows herum. Es kam mehrfach zu Epidemien, und Typhus und Cholera rotteten ganze Stadtteile aus. Trotzdem wuchs aber die Bevölkerung. Hauptursachen für die Bevölkerungsexplosion waren neben den Zuwanderungen die weiteren Entwicklungen in der Wirtschaft und die sich trotz Slums und Massenverelendung langsam verbessernden Lebensbedingungen.

New Lanark

Ursprünglich war die Leinenweberei Schottlands Einstieg in die Moderne. Während das allerdings noch weitgehend in Heimarbeit geschah, kann der Schritt zum überwachten Arbeitsplatz in Fabriken, Webereien und Minen als der eigentliche Beginn der Industriellen Revolution gesehen werden. Die Leinen- und Garnhändler erkannten als Erste die Vorteile der Baumwolle. Über 190 Webereien entstanden in vielen Teilen Schottlands. Dabei wurde die Wasserkraft der Flüsse genutzt, vor allem in den Borders und um Glasgow. Mit mehr als 100 000 Menschen, die in den 30er Jahren des 19.Jh. allein in diesen Webereien als billige Arbeitskräfte arbeiteten, wollte man die Preise in England unterbieten. Einer der weitsichtigsten Unternehmer in dieser Zeit war **David Dale** (1739-1806), der 1786 den Webereikomplex **New Lanark** unterhalb der Wasserfälle des Clydes gründete. 1799 wurde New Lanark von seinem Schwiegersohn **Robert Owen** (1771-1858) gekauft. Owens Ideen waren revolutionär: Er führte in New Lanark erstmals ein Genossenschaftswesen ein, verbot Kinderarbeit unter 10 Jahren, verkürzte die Arbeitszeit auf 12 Stunden und führte die Erziehung, Wohlfahrt und medizinische Versorgung der Arbeiter ein. Sein Modell, in dem Zusammenarbeit vor Profit gesetzt und praktiziert wurde, war schon damals das Besucherziel vieler Reformer aus aller Welt. Es wurde von der Regierung durch die Reformgesetzgebung unterstützt und deshalb ist das restaurierte Dorf mit seiner funktionierenden Anlage mit Fug und Recht seit Dezember 2001 ein durch die UNESCO anerkanntes Weltkulturerbe.

Nach seinem fantastischen Aufstieg unter dem Reichtum der Tabakbarone Mitte des 18. Jahrhunderts hatte Glasgow nach dem Verlust der Plantagen in Virginia einen dramatischen Niedergang erlitten. Mit der Industrialisierung erhob sich die Stadt jedoch wie ein Phönix aus der Asche. Glasgow war um 1850 die Arbeiterstadt schlechthin, denn am River Clyde gewann der Schiffbau an Bedeutung und als die Eisenbahn kam wurde die Stadt u.a. zu einer der Hochburgen des

Lokomotivenbaus in der Welt. Die Metropole wuchs und wurde nach London zur ‚zweiten Stadt des britischen Empire'. Großartige Architekten wie u.a. **David Rhynd, die Burnets, James Thomson, Alexander 'Greek' Thompson, Honeyman** und später **Charles Rennie Mackintosh** hinterließen in dieser Stadt ihr Vermächtnis aus der kleiner werdenden viktorianischen Welt. Leider ist die Wertschätzung dieser Reichtümer erst in jüngster Zeit wieder erwacht.

Die Dampfmaschine

Der Beginn der Industriellen Revolution wird vielfach mit der Erfindung der Dampfmaschine in Verbindung gesetzt. James Watt war zwar nicht der Erfinder, aber der eigentliche Vater der Dampfmaschine. Als er an der Universität von Glasgow als Fachmann für mathematische Instrumente angestellt war, begann er sich für die Dampfkraft zu interessieren. Die Dampfmaschine war eigentlich von dem Engländer Thomas Savory (ca. 1650-1715) erfunden und 1698 von Thomas Newcomen (1663-1729) noch verbessert worden (im neuen schottischen Nationalmuseum in Edinburgh ist noch eine Original Newcomen Maschine zu sehen). Watt konstruierte aber 1765 die wesentlich leistungsfähigere Dampfmaschine mit einer separaten Kondensationskammer. Traditionelles Handwerk und Industrie wurden dann mit diesen Maschinen mechanisiert. Sie veränderte mit ihrer Leistung besonders die Kohle- und Textilindustrie, die Spinnereien und Webereien wurden durch sie die ersten Industrieunternehmen. Bereits in den 1830er Jahren hatte die Schwerindustrie aber der Textilindustrie schon den Rang abgelaufen.

Mit der Industrialisierung und der sich immer weiter aufblähenden viktorianischen Armee steigerte sich aber in Großbritannien zunächst der Woll- und der Nahrungsbedarf. Das Schaf konnte das alles liefern und Land gab es im Hochland genug. Schafe machten die neuen Landbesitzer reich.

Schottland begann sich zu verändern. Die Einflüsse einzelner schottischer Persönlichkeiten auf das gesamtbritische Leben waren nicht zu verleugnen. Umgekehrt schwappten aber auch englische Vorstellungen und Gewohnheiten über die Grenze nach Norden. Trotz des Austauschs war Schottland aber weit entfernt davon, von England assimiliert zu werden - viele alte Differenzen blieben bestehen, andere wurden jedoch allmählich beigelegt. Das Land änderte sich so sehr und so schnell, dass Sir Walter Scott 1814 schrieb: „Keine europäische Nation hat sich innerhalb nur eines halben Jahrhunderts derart verändert wie das Königreich Schottland". Im Parlament in Westminster war Schottland von Anfang an – seit 1707 – deutlich unterrepräsentiert. 1885 entstand allerdings mit dem Scottish Office ein eigenes Ministerium für Schottland. Das Jahr 1875 wurde zum Jahr der Wende, auch wenn der Impuls von England ausging: erstmals wurde damals den Gewerkschaften das Existenz- und Streikrecht gesetzlich garantiert.

Das viktorianische Zeitalter, das bis zum Beginn des letzten Jahrhunderts dauerte, war Großbritanniens große Epoche. Es zeichnete sich durch industriellen Wohlstand und durch geografische Expansion aus. Als Reaktion auf die Industrialisierung rückte jedoch besonders in England mehr und mehr die Sehnsucht nach Natur und Landschaft in den Mittlepunkt. **Königin Viktoria** war es vor allem, die Schottland in diesem Zusammenhang für sich entdeckte und als urwüchsiges Reiseland populär machte.

Während Glasgow mit der Industrialisierung wuchs, entwickelte sich **Edinburgh** zum Kulturzentrum Schottlands. Mediziner, Philosophen, Wissenschaftler, Ingenieure und Entdeckungsreisende machten die Stadt durch ihre Errungenschaften bekannt und Schriftsteller wie Robert Louis Stevenson schrieben über sie.

20. Jahrhundert – Dezentralisierung und Neubeginn

Die Industrielle Revolution hatte vor allem im Westen Schottlands eine riesige Arbeiterklasse geschaffen. Die Mehrheit war entsprechend politisch linksorientiert. Der Friedensschluss nach dem Ersten Weltkrieg brachte für Schottland sehr bald eine massive wirtschaftliche Depression, denn das

Land hing zu sehr von der Schwerindustrie ab und der internationale Wettbewerb wirkte sich aus.

Glasgow wurde „rot". 1929 kam es zu Generalstreiks, zeitweise lag sogar Revolution in der Luft und es drohte militärischer Einsatz. Auf dem Höhepunkt der Depression 1931 waren dann 65% der Werftarbeiter am Clyde arbeitslos. Weil sich die wirtschaftliche Situation in Schottland immer weiter verschlechterte, wurde mit einigem Recht angenommen, dass London die Lage durch Vernachläßigung schottischer Belange verschlimmerte. Der Ruf nach *home rule*, einer eigenständigen Regierung, wurde in Schottland immer lauter. Die britische Regierung setzte daraufhin 1928 einen Staatssekretär für Schottland mit dem Rang eines Kabinettmitgliedes ein. Im Zuge dieses ersten Schrittes in Richtung *devolution* (Regionalisierung) wurde ihm die Leitung der Bereiche Gesundheit, Landwirtschaft und Erziehung in Schottland übertragen. Dieser Minister hatte seinen Sitz in St. Andrew's House in Edinburgh.

Doch all das genügte nicht, um in Schottland den Wunsch nach Eigenständigkeit zu unterdrücken. 1943 formte sich die **Scottish National Party** und diese Bewegung verstärkte sich nach dem zweiten Weltkrieg weiter. Ein markanter Ausdruck dessen war 1950 die dramatische Entführung des symbolträchtigsten Steins des **Stones of Destiny** vom Krönungsstuhl in Westminster Abbey nach Schottland. 1979 sollte in einem **Referendum** die Möglichkeit einer Loslösung von der Zentralregierung erwogen werden. Die damalige Labour Regierung fürchtete aber die erstarkte Schottische Nationalpartei und brachte eine Klausel in die Gesetzgebung ein, derzufolge eine einfache Mehrheit nicht mehr genügen sollte, sondern mindestens 40% der Wahlberechtigten zustimmen mussten. Eine einfache Mehrheit wurde zwar erreicht, aber die 40% Hürde konnte nicht genommen werden. In einem zweiten Anlauf ergab eine weitere Volksabstimmung im September 1997 dann aber endlich das überwältigende Ergebnis, dass 74% der Wahlberechtigten für eine Teilunabhängigkeit und eine eigenes Parlament in Schottland stimmten.

Nach fast 300 Jahren hatte Schottland am Ende des zweiten Jahrtausends damit endlich wieder ein eigenes **Parlament**, das am 6. Mai 1999 gewählt wurde. Seine gesetzgebende Macht erstreckt sich auf folgende Gebiete: Gesundheitswesen, Bildung, lokale Regierung und Verwaltung, Soziales, Wohnungswesen, Wirtschaftsentwicklung, Justiz, Umwelt, Landwirtschaft, Fischerei und Forstwirtschaft, Sport, Kunst und Kultur und verschiedene Bereiche des Transportwesens. Das Parlament wählt einen **First Minister** (Premierminister) zum Leiter der **Scottish Executive** (das entspricht dem Kabinett). Dieses ersetzt das bisherige Scottish Office und muss dem Parlament Rechenschaft ablegen. Der allseits beliebte **Donald Dewar** war der erste, dem dieses Amt zuerkannt wurde. Sein plötzlicher und unerwartet früher Tod im Jahr 2000 ließ ihn seinen Traum von einem eigenen Schottischen Palament nur im Modell erleben.

Wie sich allerdings die weitere Beziehung Schottlands zum Rest Großbritanniens entwickelt und insbesondere, ob es letztlich doch zu einer vollständigen Loslösung von London kommen wird, muss vorerst noch offen bleiben.

TEIL 3

Die Regionen

Einige geografische Superlative

Schottland nimmt mit rund 77 925 km² ca. ein Drittel der Landmasse Großbritanniens ein (Regierungs-Statistik 2001). Es ist ungefähr so groß wie Niedersachsen mit 47 300 km² und Nordrhein-Westfalen mit 34 000 km² zusammen. Schottland liegt auf den selben Breitengraden wie Labrador, Moskau und St. Petersburg. Sein allerdings wesentlich milderes Klima verdankt es einem Teil des Golfstroms, der an den West- und Nordostküsten vorbeizieht.

Zu Schottland gehören auch die zwei Inselgruppen der Orkney- und Shetland-Inseln in der Nordsee und im nördlichen Atlantik und die beiden westlich gelegenen Inselgruppen der Inneren und der Äusseren Hebriden. Die fast 2000 Binnenseen nehmen eine Fläche von insgesamt 3100 km² ein, das sind rund 4,5 % des Landes. In Schottland leben mit knapp 5,1 Millionen Einwohnern im Vergleich zum Rest Großbritanniens weniger als ein Zehntel der gesamten Bevölkerung. Auf einem Quadratkilometer leben in Schottland somit im Schnitt nur etwa 65 Einwohner. Dabei gibt es aber große regionale Unterschiede, die von 104 Menschen pro Quadratkilometer im zentralen und südlichen Bereich der Borders, Central, Fife, – Lothian und Tayside bis gerade einmal neun pro Quadratkilometer im Hochland und auf den Inseln reichen. Im Vergleich dazu haben Deutschland 228, Österreich 94 und die Schweiz 165 Einwohner pro Quadratkilometer.

Die Ausdehnung Nord-Süd-Richtung beträgt auf dem Festland knapp 440 km, die größte Breite 248 km. Die engste Stelle zwischen dem Oberlauf des Firth of Forth und dem Clyde ist gerade einmal 41 km schmal. Von John o' Groats im Nordosten Schottlands bis nach Land's End im äussersten Südwesten Englands strecken sich aber immerhin 1400 km.

Von den 790 Inseln Schottlands sind rund 130 bewohnt und die meisten und grössten (ca. 600) liegen vor der West- und Nordküste:

- die Äusseren Hebriden (Westliche Inseln) mit Lewis, Harris, Uist, St. Kilda etc.
- die Inneren Hebriden wie z. B. Mull, Skye, Islay etc.
- die Inseln im Firth of Clyde mit u.a. Arran, Bute und Cumbrae und
- die nördlichen Inseln mit den Einzelgruppen der Shetlands und Orkneys.

Die Brücken über den Firth of Forth

Die **Forth Railway Bridge** (Bauzeit 1882-90), die von South Queensferry nach North Queensferry über die breite Bucht des Firth of Forth führt, ist mit zweieinhalb Kilometer Länge und den vielen anderen unglaublichen Daten das Rekordbauwerk schlechthin in Schottland. Dieser geniale Bau war für die damalige Zeit gleichbedeutend mit dem Flug zum Mond in unserer Zeit. 54 000 Tonnen Stahl wurden von 4500 Arbeitern in über sieben Jahren in vielen für die damalige Zeit neuen Arbeitsverfahren und unter schwierigsten Bedingungen verarbeitet. Die Brücke ist in ihrem Design und als Ingenieursleistung so markant und einmalig, dass sie jetzt für eine Auszeichnung als Weltkulturerbe der un vorgeschlagen wurde. Gleich nebenan spannt sich die **Forth Road Bridge** über die weite Mündungsbucht des Flusses. Mit ihrer Länge von über 2000 Metern und Rekordtragkraft von über 150t ist sie immer noch eine der größten Straßenbrücke der Welt. 1964 wurde sie von Königin Elisabeth eröffnet. Damit wurde die Fähre über die Bucht, die fast 900 Jahre lang die Verbindung zwischen den beiden Ufern gewesen war, ausser Betrieb genommen.

Es gibt keine Schätzungen über die Anzahl der kleineren Inseln ohne Vegetation. Die Küstenlinie Schottlands von rund 10 200 km erscheint unglaublich lang, besonders wenn man bedenkt, dass die gesamte Küstenlinie des vereinten Königreichs nur 15 300 km ausmacht. Sie ergibt sich durch die zahllosen, tief ins Land schneidenden Buchten (*Firths*). Wasser gibt es denkbar reichlich in Schottland, und das nicht nur in den umliegenden Meeren, sondern in den zahllosen und in allen Größen zu findenden Seen (*Lochs*) und Flüssen. Nach neusten Kartenstudien wurden mehr als 30 000 Lochs und 6600 Flusssysteme gezählt. So hat Schottland in seinen Seen und Fließgewässern 90% des Süßwasservolumens des gesamten Vereinigten Königreichs. Der längste Fluss mit 193 km ist der **Tay**, der höchste Wasserfall ist **Eas Coul Aulin** in Wester Ross mit 211 m. Der See mit dem größten Volumen ist **Loch Ness** und die größte Wasserfläche nimmt mit 71 km² **Loch Lomond** ein. Mit über 300 Metern ist **Loch Morar** der tiefste See und **Loch Awe** in Argyllshire ist der längste.

Bergregionen beginnen generell jenseits der 700m Grenze. Grob gesehen ist das auch die Baumgrenze. Dort wird die Landschaft von Flechten, Strauchheide, Flächenmooren und beginnenden Hochmooren bestimmt. Rund 12% des Landes sind gebirgig. Der höchste Berg ist mit 1343m Ben Nevis bei Fort William. Derzeit gibt es 283 Gipfel mit über 3000ft. (914m), die unter dem Begriff *Munros* zusammengefasst und nach dem begeisterten Bergwanderer und Landvermesser Sir Hugh T. Munro (1856-1919) benannt sind, der sie 1891 erstmalig auflistete. Das *Munro bagging* (Erklimmen dieser Gipfel) hat sich seitdem zu einem regelrechten Volkssport ausgeweitet und allerlei skurrile Rekorde hervorgebracht. Bergwandern zu jeder Jahreszeit ist in Schottland sehr verbreitet. Neuste Zahlen sprechen von bis zu 60 000 Enthusiasten dieses Sports, die sogar in den Wintermonaten Januar bis April in den Bergen unterwegs sind

Die höchste Ortschaft Wanlockhead liegt auf 369 m und nicht im Hochland, wie angenommen werden könnte, sondern in den Southern Uplands!

Tiefland – Southern Uplands

Die geografische Grenze Schottlands erstreckt sich vom Atlantik im Westen, über die Wälder und dunklen Moore des Galloway-Hochlandes durch die Borders bis hin an die Nordsee im Osten. Abgerundete Hügel und einige wenige steil aufragende Berggipfel, Flüsse und Lochs, Weide- und Moorlandschaft beherrschen den Süden des Landes. Burgen,

Schlösser, geschichtsträchtige Klosterruinen und prunkvolle Herrenhäuser sind reichlich zu finden, hauptsächlich stehen in dieser Gegend Schafe und Pferde auf den Weiden. Fast genauso zahlreich sind hier die Erinnerungen an Robert Burns und dessen Zeitgenossen Sir Walter Scott.

Die Landschaft ist aufgeteilt in die Regionen der **Borders** und **Dumfries und Galloway.** Sie erstrecken sich von der Grenzlinie zu England im Süden (**Berwick – Gretna**) bis fast auf die Höhe der Linie **Glasgow – Edinburgh.** Dichter und begeisterte Besucher haben diese Landschaft immer wieder bewundert und sehr treffend beschrieben als „rollende Berge und Hügel, die sich wie die Wogen eines grünen Meers gegen die südliche Grenze nach England wälzen und sich kurz davor in der weiten, runden Masse des Cheviots auftürmen". Diese Reihe einzelner Hügel- und Gebirgslandschaften, genannt das **Southern Upland,** ist ein gegliedertes und stark zerteiltes Mittelgebirge. Große waldreiche Gebiete bestimmen das Gesicht dieses Grenzlandes. Einige fruchtbare Anbaugebiete teilen sich die Region mit einer Reihe von idyllischen Lochs und malerischen, meist kahlen Hügeln.

Für den Geologen ist vielleicht interessant, dass dieses Land einmal der Boden eines Ozeans war, in den zahlreiche große Flüsse viel Hochlandsediment geschwemmt haben. Dadurch weist die Region eine geologische Vielfalt aus Grauwacke, grauen und roten Sandsteinen und kohleführenden Schichten auf. In einst flüssiger Form schoben sich dann zusätzlich durch diese Schichten einzelne Massive aus Granit und andere magmatische Gesteine wie Basalt. Vor allem finden sich im Westen der Southern Uplands durch Gletscher ausgefräste Täler und aufgeschüttete Moränen. Sie zeugen davon, dass im Quellgebiet der Flüsse Tweed, Yarrow und Ettrick in den **Tweedsmuir Hills** (über 800 m hoch) während der letzten Eiszeit ein Zentrum der Gletscher lag.

Weitere markante Erhebungen in dieser Region sind die schon erwähnten **Cheviot Hills** an der Grenze zu England, die der Reisende, aus York und Newcastle kommend, überquert, die **Carrick Hills** mit dem Merrick in Dumfries und Galloway, die **Moorfoot Hills** und die **Lammermuir Hills** südöstlich von Edinburgh. Diese Berge und Hügel erreichen maximal eine Höhe von rund 840 m.

Das gesamte südliche Hochland ist reich an Gewässern. Wegen der Küstennähe erreicht jedoch kaum ein Fluss eine grössere Länge. Die längsten sind der **Clyde** mit 171 km und der **Tweed** mit 156 km. Einige andere bedeutende Flüsse sind **Teviot, Tyne, Nith** und **Ayr.** Einige Reservoirs sind für die Energieerzeugung und als Trinkwasserreservoirs angelegt. Gute Nachrichten für Angler: Alle diese Gewässer sind ideale Angelreviere.

Dumfries und Galloway

Dumfries und Galloway besteht überwiegend aus Acker- und Waldland, in das sich auch noch Hochmoore mischen. Dieses südwestliche Lowland ist kein Flachland, sondern im Gegenteil sehr hügelig, ja bergig. Es ist schön und teilweise dramatisch, wild und doch gezähmt, abgelegen und dennoch leicht zugänglich. Die Region ist mit rund 147 000 Menschen verhältnismässig dünn besiedelt und vom Tourismus noch nicht vollständig erobert. Neben einer wechselhaften Geschichte bietet sie auch noch eine sonnige Südküste mit hübschen Dörfern und Städtchen.

Die Hauptstadt der Region ist **Dumfries,** ein wichtiges lokales Zentrum mit vielen Geschäften und historischen Sehenswürdigkeiten, die vielfach mit Schottlands Nationaldichter **Robert Burns** in Verbindungen stehen. Etwas nördlich von Dumfries liegt Robert Burns' Bauernhof, die Ellisland Farm, wo er sich vor 200 Jahren im Ackerbau vesuchte. In der Franziskaner Kirche (Greyfriars Church) von Dumfries erstach **Robert the Bruce** im Disput über die Thronfolge am 10. Februar 1306 seinen Gegenspieler John Comyn der Rote. Eingebettet in das Grün von Dumfries sind noch eine ganze Anzahl kleinere Städte wie **Dalbeattie** oder **oder Castle Douglas** mit hübschen Häusern im in Galloway typischen Pastellanstrich. **Newton Stewart** ist das eigentliche Tor zum Galloway Forest Park mit Seen, Waldgebieten und felsigen Berghängen, die denen im nördlichen Hochland ähneln.

Threave Castle und der hübsche **Threave Garden** oder geschichtsträchtige Orte wie **Caerlaverock** oder **Whithorn** und das malerische **Kirkcudbright,** sowie die Klöster **Sweetheart Abbey** und **Dundrennan Abbey** sind nicht nur fotogene Objekte für die Touristen. So war **Whithorn** einst Pilgerort für Generationen schottischer Könige. Zu Zeiten der Römer gründete dort **St. Ninian** schon eine erste christliche Kirche auf britischem Boden. Die herrliche Ruine der Wasserburg von Caerlaverock Castle das trutzige **Hermitage Castle,** zu dem Mary Queen of Scots in einem Gewaltritt von Jedburgh in einem Tag hin und zurück eilte, und Threave Castle - sie alle spiegeln die bewegte Geschichte des Gebiets am **Solway Firth** wider. Wie wichtig Verteidigung in diesem ewig umkämpften Grenzgebiet zwischen Schottland und England war, wird durch diese Burgen klar. Große Teile dieser Landschaft gehören heute noch dem **Herzog von Buccleuch.** Er ist einer der 21 Adligen, die heute als Großgrundbesitzer rund 14% der Landmasse Schottlands unter sich aufteilen. Mit Landbesitz von rund 1000 km² Fläche ist er allerdings auch der größte Landbesitzer in Großbritannien. Eines seiner Schlösser ist das herrlich gelegene **Drumlanrig Castle** nördlich von Dumfries.

Gretna Green ist der durch die Ausreißerhochzeiten wohl bekannteste Ort in der Region. Nur einen Steinwurf von der Grenze zu England entfernt, ist er der erste Ort auf schottischem Boden. Der Grund für junge Menschen, in

Drumlanrig Castle

Gretna Green zu heiraten, lag in der Gesetzgebung des 18.
Jahrhunderts. In England war seit 1753 eine Eheschließung

Wandern

Die Kette der **Galloway Hills** wird vom **Merrick** überragt, der mit 843m der höchste Gipfel Südschottlands ist.
Die Landschaft bietet zahlreiche sehr gute Wandermöglichkeiten, z.B. auf dem **Southern Upland Way**. Eines
der interessanteren Teilstücke dieses Weges liegt zwischen Castle Kennedy, Bargrennan und St. John's Town
of Dalry. Dieser Wanderweg führt durch den südlicheren
Teil des Naturschutzgebiets Galloway Forest Park und am
herrlich gelegenen Loch Trool entlang.

---

nur legal, wenn die Eltern einwilligten. In Schottland dagegen konnten sogar sechzehnjährige heiraten, wenn sie vor
zwei Zeugen diese Absicht erklärten. Diese Möglichkeit wurde von Liebenden, die sonst durch Ehearrangements der Eltern gegen ihren Willen ‚verplant' wurden, sehr gern genutzt.
Später allerdings musste wenigstens einer der beiden Ehewil-
ligen vor der Hochzeit mindestens 21 Tage im Land gelebt
haben. Vom Beginn des 18. Jahrhunderts an vollzog in Gretna der Schmied die Zeremonie über dem Amboss. Einer der
letzten Schmiede traute so in 13 Jahren 5147 heiratswillige
Paare in der rauchigen Schmiede des Ortes. Auf Druck der
Kirche sind aber seit 1940 alle diese 'Ambossehen' ungültig.
Rechtmäßig kann man aber in Schottland in Anwesenheit eines Geistlichen heiraten, wo immer man möchte und so ist
Gretnas Schmiede weiterhin das Hochzeitsparadies in Großbritannien.

Ayrshire und die Inseln im Clyde

Die Clyde Inseln **Bute, Cumbrae** und **Arran** im weiten Mündungstrichter dieses Flusses sind traditionell die Naherho-
lungsgebiete der Einwohner von Glasgow und der Bevölkerung dieses Landstrichs. Dank zahlreicher Fährverbindungen
sind die Inseln sehr gut zu erreichen. Durch die vorgelagerte,
langgestreckte Halbinsel **Kintyre** werden sie vor den rauhen

Winden des Atlantiks geschützt. Dadurch genießen die landschaftlich teilweise sehr reizvollen Inseln ein mildes Klima, in dem sogar Palmen gedeihen! Das guterhaltene **Rothsay Castle** auf der Insel **Bute** erzählt von den rauhen Zeiten des frühen Mittelalters. Heute ist die friedliche Insel mit ihrem fantastischen **Mount Stuart** aus dem 19. Jahrhundert und dessen vielen Gärten eigentlich ein absolutes Muss für den jeden Besucher. Die Insel **Arran** liegt vor der Küste Ayrshires am Westufer der riesigen Clydemündung. Seit Generationen ist sie ein beliebtes Ausflugsziel, leicht mit der Fähre von **Ardrossan** aus erreichbar und ebenfalls einen Besuch wert.

Das geschichtsträchtige **Brodick Castle** und sein Country Park sind Arrans bekanntesten Attraktion. Dieses Dornröschenschloss mit seinen herrlichen Gärten und Parks gehörte einst der angesehenen Familie der Herzöge von Hamilton. Heute ist es mitsamt seinen vielen Schätzen und der opulenten Innenausstattung in der Obhut des National Trust for Scotland. Arran mit seinem großen Wildbestand ist eine Miniaturausgabe Schottlands, da sie eine klare Trennung zwischen Tief- und Hochland aufweist. Das **Heritage Museum** bietet einen faszinierenden Einblick in die geologische und soziale Geschichte Arrans. Dazu finden sich über die Insel verstreut eine Reihe **prähistorischer Stätten,** einschließlich stehender Steine und Steinkreise.

Die gewaltige Masse von **Ailsa Craig** dagegen ist ein steiler, fast eiförmiger Felsen, der in direkter Linie zu Irland unübersehbar vor der Küste aus dem Clyde herausragt. Dieser Felsen – genannt Paddys Milestone – ist ein Vogelschutzgebiet und befindet sich auch heute noch im Landbesitz der Familie Kennedy. Ailsa Craigs Granit ist so fein und hart, dass die daraus gefertigten Eisstöcke (*curling stones*) zu den feinsten in der kleinen Welt dieses Sports zählen.

Ayrshire wird von grünem, hügeligen Farmland dominiert. **Robert Burns** der schottische Nationaldichter wurde hier geboren. **Ayr** selbst ist ein traditioneller Ferienort mit einem langen Sandstrand und einem historischen Hafen. Burns Geburtshaus im nahen **Alloway,** das heutige Burns Cottage und das Museum, sind natürlich für den Besucher geöffnet.

Wiederum ganz in der Nähe davon liegt der von Burns in seiner Ballade *Tam o' Shanter* beschriebene Friedhof, wo der gleichnamige Held den berüchtigten Hexentanz beobachtete. Entdeckt und von den Hexen verfolgt – eine nur im knappen Hemd (*Cutty Sark*) – verdankte er es nur seiner treuen Mähre Meggie, die ihn unter Verlust ihres Schweifs über die nahe Brigg o' Doon entkommen ließ.

Vom Flughafen in **Prestwick**, nördlich von **Ayr,** starteten einst die Propellermaschinen über den Atlantik. Nicht weit davon liegt das Küstenstädchen **Troon** mit seinen umliegenden *Links*, den ehemalige Salzwiesen, die heute in der Golfwelt einen legendären Ruf genießen.

In **Irvine** erzählt das **Scottish Maritime Museum** die Geschichte der schottischen Seefahrt, und in der Nähe der Küstenstadt **Largs** wurden im 13. Jahrhundert die Wikinger endgültig geschlagen.

Kilmarnock, etwas mehr im Landesinneren, ist die Stadt des in der Welt meist verkauften Whiskies – Johnnie Walker. In der Stadt dort bietet sich Dean Castle aus dem 14. Jahrhundert zur Besichtigung an.

Etwas südlich von Ayr muss der Autoreisende unbedingt das Phänomen des Electric Brae erleben. Wer sich dort traut, einen kleinen Moment zu warten, dem bietet sich ein in dieser Welt seltenes Erlebnis. Auf diesem kleinen Hügel mit scheinbar abfallender Straße fährt der Wagen mit abgestelltem Motor und gelöster Handbremse bergauf! Wie das möglich ist? Die in einer Parkbucht angebrachte Erklärung bietet des Rätsels Lösung – aber an dieser Stelle soll dem Leser die Spannung nicht genommen werden! Vom *Electric Brae* geht der Blick die Küste entlang nach Süden zum auf den Klippen thronenden **Culzean Castle,** das von einem der Nachfahren der einst in diesem Land lebenden Kennedys, dem Grafen von Cassilis gebaut wurde. Das herrliche Schloss ist eines der prächtigsten Häuser des reichen Südens Schottlands.

Eindrucksvoll auf einem Felsen über dem Meer positioniert, wurde dieses Meisterwerk des großen Architekten Robert Adam mit seinem Park und dem Garten nach dem zweiten Weltkrieg eine Ehrenheimstatt General Dwight D. Eisenhowers.

Bordersregion

Die 4700 km² der Bordersregion erstrecken sich von der englischen Nordostgrenze nordwärts fast bis zum Ortsrand von Edinburgh, und von den hügeligen Tweedsmuir Hills im Westen bis zur zerklüfteten Ostküste an der Nordsee. Diese Region ist mit 109270 Einwohnern (2004) wie die westliche Nachbarregion Dumfries und Galloway (147 000 Einwohner) verhältnismäßig dünn besiedelt.

Der von Westen nach Osten quer durch das Land fließende, lachsreiche Fluß **Tweed** ist das Herz dieser Region. Er bildet auf seinen letzten Kilometern die Grenze zwischen Schottland und England. Daher stammt der Titel von Theodor Fontanes Reisebeschreibung aus dem Jahr 1860 *Jenseits des Tweed*, die auch heute noch lesenswert ist. Scheinbar völlig unberührt von den vielen historischen Ereignissen, die sich an seinen Ufern abgespielt haben, windet er sich majestätisch durch eine herrlich abwechslungsreiche Landschaft mit wildem Moorland, bewaldeten Tälern und fruchtbarem Farmland. Die Borders sind jedoch mehr als das geografi-

Culzean Castle

sches Tor nach Schottland; sie hatten im Laufe der Jahrhunderte eine extrem konfliktreiche Geschichte. Von Mittelalter bis zum 19. Jahrhundert war das Land auf beiden Seiten der

Grenze aufgeteilt in Sektionen. Diese sogenannten Marshes, wurden von jeweils einer der führenden Familien der Sektion, den *Warden*, geleitet. Sie hatten ihre eigenen Gesetze. Trotzdem oder gerade deshalb hatten beide Seiten im Laufe der Jahrhunderte eine extrem konfliktreiche Geschichte. Das bezeugen die Spuren aus der prähistorischen und römischen Zeit und auch die besondere Architektur der einsam liegenden alten Farmhäuser, die Ruinen vieler schöner Abteien, Burgen und Wehrtürme. Dieses Grenzland zwischen Schottland und England war einst berüchtigt, denn durch die zahllosen Kriege wurden die Menschen auf beiden Seiten der Grenze derartig geprägt, dass sie bis in das 17. Jahrhundert praktisch einen eigenen, unbezähmbaren Volksstamm bildeten. Die stolzen Familien der Landbesitzer der Region waren Viehdiebe und Räuber – *Reivers*. Viele der dort noch heute gepflegten Traditionen haben ihren Ursprung in dieser Zeit und bekannte Familien haben hier ihre Wurzeln, z. B. die Charltons (Bobby und Jack), Kerrs (Deborah Kerr), Pringles, Scotts (Sir Walter Scott), Grahams (Billy Graham), Burns (Robert Burns), Carlyles (Thomas Carlyle), Elliots (T.S. Elliot), Armstrongs (Neil Armstrong, der erste Mann auf dem Mond) oder Nixons und Johnsons (die ehemaligen Präsidenten der USA). Die verwegenen Abenteuer der einstigen Grenzräuber sind immer noch in Liedern, Geschichten und Balladen lebendig.

In **Hawick**, der größten Stadt der Region, herrscht noch immer ein Geist von Selbständigkeit und ein stolzes Gemeinschaftsgefühl vor. Das findet zu keiner Zeit besseren Ausdruck als bei den **Border Common Ridings**. Diese alljährlich im Frühsommer stattfindenden Veranstaltungen gehen auf die Zeit zurück, als Gemeindegrenzen vor bösen Nachbarn geschützt werden mussten. Das Land der Borders ist Pferdeland und so steht die Reitkunst immer noch im Mittelpunkt dieser Festlichkeiten. In diesem Zusammenhang und mit dem gleichen Hintergrund rühmt sich die Stadt **Selkirk**, Austragungsort der größten Reiterparade Europas zu sein. **Sir Walter Scott** war einst neben seinem Amt als Justiziar in Edinburgh, seiner Schriftstellerei und seiner Bau- und Sammelleidenschaft auch noch Friedensrichter in Selkirk. In seinen Romanen und auch in den Balladen von **James Hogg** 1770-1835), dem 'Schäfer vom Ettrick', spiegeln sich die turbulente Geschichte und die landschaftliche Schönheit des Gebiets wider. Scott, in dessen Werk die Bordersregion eine große Rolle spielt, lebte nahe Melrose in seinem herrlichen Haus **Abbotsford** mit Blick auf seinen geliebten Tweed. Dieses Landhaus steckt voller von ihm gesammelter Souvenirs und Erinnerungsstücke an große und historische Persönlichkeiten Schottlands. Das Haus mit seinem hübschen Park ist heute der Öffentlichkeit zugänglich.

Das Städtchen Melrose ist bekannt wegen seiner historische Ruine der Zisterzienser Abtei. **Theodor Fontane** schrieb über Melrose Abbey den bekannten Vers:

> ...Wenn das Rauschen des Tweed, weitab gehört,
> Wie das Summen die nächtige Stille stört, –
> Ja, dann tritt ein; bei *Mondenschein*
> Besuche Melros' und – tu' es allein.

Tagsüber ist die Abtei erst recht einen Besuch wert. Die interessante Ruine birgt eine Vielzahl archtiktonischer Details und dazu auch nocht das Herz von **Robert the Bruce**. Nach einer legendären und sehr abenteuerlichen Reise wurde es 1996 wiederentdeckt und in diesem Klostergrund endgültig begraben.

Sir Walter Scotts Grab liegt nicht weit davon in der romantischen Ruine von **Dryburgh Abbey**. Diese Abtei zählt wie Melrose zu den vier großen Abteien dieser Region, die alle, aus dem zwölften Jahrhundert stammend, das gleiche Schicksal erlitten: Sie wurden 1544 durch die Armeen des englischen Königs Henry VIII. zerstört, als dieser für seinen Sohn um die Hand von Mary Queen of Scots anhielt (*Rough Wooing*). Sie sind nur noch als Ruinen erhalten, besitzen aber gerade in diesem Zustand ihren eigenen Charme. Mönche entwickelten als erste die Handwerkskunst der Wollverarbeitung und legten damit den Grundstein zur Textilindustrie, die noch heute in dieser Region einer der wichtigsten Arbeitgeber ist.

Die Römer kamen mehrfach in die Region. Ganz in der Nähe des heutigen Melrose bauten sie eines ihrer größten Forts und nannten es Trimontium, denn es lag gleich unterhalb der markanten drei Gipfel der **Eildon Hills**.

Die Schlösser und Herrenhäuser spiegeln den durch die landwirtschaftlichen Reformen des späten 18. Jahrhunderts erlangten Reichtum der hiesigen Landbesitzer wieder. **Thirlestane Castle, Mellerstain, Floors, Paxton House** und **Manderston** und viele andere zählen deshalb nicht nur wegen ihrer Architektur, die vielfach mit der Adam-Familie im Zusammenhang steht, zu den prachtvollsten Bauten Schottlands.

Jedburgh, die historische Festungsstadt, hat nur etwas mehr als 4000 Einwohner. Wegen seiner Nähe zur englischen Grenze nimmt es unter den hübschen und interessanten Städtchen der Borders eine besondere Stellung ein. Es war früher der Gerichtsort der Borders. Die sprichwörtlich feinfühlige Justiz der Stadt stand einst unter dem Motto „erst den Mann aufhängen und dann den Fall verhandeln". Das hing sicherlich mit der nahen Grenze, der Präsenz der Engländern und den Border Reivers zusammen. Heute wird das Ortsbild vor allem durch das eindrucksvolle Bauwerk der **Jedburgh Abbey** geprägt. Es ist von allen Klöstern in den Borders das imposanteste Gebäude, auch wenn die Ruine dieses Augustinerklosters seine einstige Pracht nur noch erahnen lässt. Jedburgh Abbey wurde, wie die anderen Klöster der Region, im zwölften Jahrhundert erbaut und während der vielen kriegerischen Auseinandersetzungen zwischen Schottland und England mehrfach zerstört und danach wieder aufgebaut. Über drei Stockwerke ragen der jetzt leere Chor und das Kirchenschiff empor. Dort sind noch die romanischen und gotischen Fensterbögen, ein prachtvoll gestaltetes romanisches Portal und eine Fensterrosette im Westflügel erhalten.

Auf einem Hügel über dem Ort thront die mittelalterliche Festung, in der 1285 **Alexander III.** seine Hochzeit mit Yolande, seiner zweiten Frau feierte.

Das **Mary Queen of Scots House** ist aber weit interessanter. Es widmet sich ausschließlich der tragischen Geschichte der schottischen Königin. Das Haus, in dem sie 1566 einige Wochen lang wohnte, war das bequemste, denn es hatte Innentoiletten! Ihr Gewaltritt nach Hermitage Castle und zurück an einem Tag (16. Oktober 1566) und über 50 Meilen durch unwegsame Landschaft zum Besuch des verletzten Fürsten James Hepburn, Graf von Bothwell, hatte sie zu sehr entkräftet. Sie erkrankte nach dem Ritt schwer und lag in diesem Haus lange Zeit und kämpfte um ihr Leben. Wahrscheinlich war es zusätzlich eine schwere Stoffwechselerkrankung (Porphyrie), die ihr zu schaffen machte – eine Krankheit, die sie von ihrem Vater geerbt hatte und über ihren Sohn an einige der späteren europäischen Könige (George III.) und den Hochadel weitergab.

Jedes Jahr wird in Jedburgh, das nur zwölf Kilometer von der Grenze zu England entfernt liegt, ein alter Brauch gepflegt, der an die zahllosen Kriege zwischen den beiden Ländern erinnert – der *hand ba'*. Die *Uppies* und *Doonies*, die Bewohner der Ober- und der Unterstadt, versuchen dabei, in einem stundenlangen über die ganze Stadt hin und her wogenden Kampf einen Ball ins Tor der Gegenmannschaft zu befördern, das am jeweiligen Ortsrand liegt. Der Ball, mit dem dieses traditionelle Spiel gespielt wird, soll einst der Kopf eines Engländers gewesen sein.

Exkurs: Textilgeschichte der Borders

Seit frühester Zeit wurde in allen Teilen Schottlands in Heimarbeit gestrickt und gewebt, aber der produzierte Stoff war rauh und grau – er wurde *hodden* genannt. Im Verlauf des 12. und 13. Jahrhunderts siedelten sich im Grenzland Mönche an. Sie bauten nicht nur vier großartige Klöster, sondern brachten aus Frankreich und Flandern auch die Kenntnisse über der Gebrauch des Webstuhls mit. Es war jedoch die gesteigerte Nachfrage nach Hammelfleisch im 18. Jahrhundert, die den Anstoß für die Entwicklung des schottischen Grenzlandes zum Zentrum der Textilindustrie des Landes auslöste. Das heimische **Blackface-Schaf** mit seiner rauhen Wolle wurde durch andere Züchtungen ersetzt, besonders durch die **Cheviot-Rasse**. Dieses Cheviot Schaf liefert eine ausgezeichnete, kurze Wolle, die für feinere Stoffqualitäten benötigt wurde. Ein weiterer wichtiger Faktor war das reichlich von den Bergen herunterströmende Wasser, mit dem die Mühlräder und Maschinen angetrieben werden konnten. Wasser war auch zum Waschen, Entfetten, Walken und Färben der Ware notwendig. Während der ersten Blütezeit der Industrie - etwa von 1770 bis 1830 – wanderten aber große Bevölkerungsteile in die Städte.

Border Collies

Schafe sind seit Jahrhunderten aus den Borders und vieler anderer Regionen Schottlands nicht wegzudenken - sie haben sie kahl gefressen. Schafe werden sicherlich noch lange Teil des schottischen Landschaftsbildes sein. Ohne die Hütehunde – die **Border Collies** – ist die Schafzucht in Schottland allerdings undenkbar. Ohne sie wären die Schafe in den Hügeln im Süden oder in den Bergen des Nordens nicht zu kontrollieren. Die treuesten Freunde der Schäfer – ob zwei- oder mehrfarbig – sind seit dem Ende des 19. Jahrhunderts das erfolgreiche Ergebnis einer Züchtung aus verschiedenen Rassen, hauptsächlich aber Vorstehhund, Setter und Spaniel. In der ganzen Welt sind die gelehrigen Hunde inzwischen bekannt und, überall wo Schafe zu hüten sind, beliebt. Border Collies sind reine Energiebündel, extrem ausdauernd und flink. Sie können leicht über 150 km pro Tag zurücklegen. Entsprechend fühlen sie sich als Haus- oder gar Schosshund in der Enge der Stadt fehl am Platz und gelangweilt. Die Hunde werden von den Pfiffen der aus der Fernen nur beobachtenden Schäfer gelenkt oder agieren außer Sicht selbständig. Die Hütehunde sind darauf trainiert, die Schafe von den Hügeln zu holen, ohne sie anzufallen oder zu beißen. Aus dieer Partnerschaft zwischen Mensch und Hund ist ein sportlicher Wettbewerb entstanden, der inzwischen an den Wochenenden in einer beliebten Fernsehserie ausgetragen wird.

Die Weber von **Galashiels** gründeten 1777 eine eigene Zunft. Galashiels führte als erste Stadt die mit Wasserkraft angetriebenen Spinn- und Webstühle ein.

In **Jedburgh** machten die Weber Schluss mit der uralten Tradition, nur Garne in den Farben Grau, Blau oder Schwarz zu verarbeiten: sie spannen zwei Farben zu einem Faden zusammen und schufen so die eigentümlichen Flecken- und Tüpfelmuster im Tweed, Twill genannt.

Die Qualität der von den Cheviot-Schafen produzierten Wolle ließ dann um die Mitte des 19. Jahrhunderts nach. Damals legten Züchter mehr Wert auf Fleisch- als auf Wollqualität. Doch Firmen wie z. B. Pringle, Lyle and Tate und andere, die der Nachfrage nach feineren Wollimporten Rechnung trugen, gediehen weiterhin. Die hochwertigen Erzeugnisse dieser Webereien aus feinerer, teilweise australischer Wolle haben Weltruf. Die Wolle der schottischen Schafe wird heute, wenn es sich noch lohnt, sie zu scheren, vielfach als Füllmaterial für Polstermöbel nach Italien oder in den Fernen Osten zur Teppichherstellung exportiert. Fast 7400 Personen – mehr als ein Fünftel der arbeitenden Bevölkerung – sind im Textilgewerbe beschäftigt, das 60% der Arbeitsplätze in der Produktion bereitstellt.

In Hawick, dem Zentrum der Strickwarenindustrie, gehörten bis vor wenigen Jahren nicht weniger als 70% aller Arbeitsplätze der Wollbranche und der Textilindustrie. Leider durchlebt die Region z. Zt. aber eine wirtschaftliche Dürreperiode. Sowohl die wollverarbeitende als auch die in dieser Region in den letzten Jahren heimisch gewordenen Elektronikindustrie haben größte Schwierigkeiten. So gingen in dieser strukturschwachen Region der Borders und dem angrenzenden Dumfries und Galloway zusammen mit Kündigungen aus anderen Produktionsbetrieben insgesamt fast 4000 Arbeitsplätze verloren. Selbst die in der Welt für ihre Kaschmir- und Wollprodukte bekannte Firma Pringle ist von diesem Trend nicht verschont worden. Neues Management, modernes Design und zeitgemäßes Marketing scheinen diesem Abwärtstrend aber wirksam entgegen zu steuern.

Central Lowlands

Die Central Lowlands liegen in einer tektonischen Senke, einem Graben, die durch das Südliche Hochland (den Southern Uplands) und im Norden durch die sogenannte **Highland**

Boundary Fault begrenzt wird. Die Senke des **Central Belt** im wirtschaftlichen und beinahe geografischen Zentrum Schottlands ist keineswegs flaches Land. Sie gliedert sich in kleine Ebenen, Hügelketten und einzelnstehende Berge vulkanischen Ursprungs. Markantestes Merkmal sind die trichterförmigen Flussmündungen des **Firth of Clyde** im Westen und des **Firth of Forth** und des **Firth of Tay** im Osten, die sehr weit in das Land hineinreichen. Jahrhundertelang wurden reiche Bodenschätze (Kohle, Eisenerz, Sandstein und Ölschiefer) abgebaut. Daher ist die heutige Oberfläche zu einem erheblichen Teil durch Menschenhand kreiert. Es ist das historische Herz Schottlands und mit zahlreichen Industrieansiedlungen ist es gleichzeitig auch die am dichtesten bevölkerte Region. In diesem Graben liegen auch die beiden großen Städte **Glasgow** und **Edinburgh** mit knapp 577 670 bzw. 453670 (2004) Einwohnern.

Allgemein bietet das Tiefland mit seinen Lehmböden relativ günstige Voraussetzungen für den Ackerbau. Bestes Beispiel dafür ist die Region **Fife**. Im Norden und Süden durch die Mündungen der Flüsse Tay und Forth eingefasst, hat diese außer einigen ehemals vulkanischen Hügeln sonst fruchtbar flache Landschaft im Osten entlang der Nordsee lange sandige Strände. Es deshalb verständlich, dass in dieser Küstenregion auch die Fischereiwirtschaft angesiedelt ist.

An der Schwelle zum Hochland gelegen, war das einst stark industriell genutzte und heute größtenteils landwirtschaftlich geprägte Flachland um **Stirling** schon immer ein Dreh- und Angelpunkt der Geschichte. Stirling Castle spielte mehrfach in der schottischen Geschichte eine entscheidende Rolle. Es dominiert wie Edinburgh Castle von einem hohen Vulkankegel herab diese ehemalige Sumpflandschaft auch heute noch.

Ein anderer landschaftlicher Höhepunkt auf der Grenzlinie zum Hochland ist die **Trossachs Region** mit ihren zahlreichen bewaldeten Tälern und idyllischen Lochs.

Die Lothians

Die drei Regionen, die Schottlands Hauptstadt Edinburgh umgeben, werden als die Lothians bezeichnet. In diesen Gebieten East Lothian, Middle Lothian und West Lothian leben insgesamt 770 000 Menschen. Dort, am Südufer des Firth of Forth, wurde bis vor wenigen Jahren noch in zahlreichen Zechen Kohle gefördert und es wurden andere wichtige Mineralvorkommen abgebaut. Dazu zählte vor allem Ölschiefer (*Shale*), aus dem hier erstmals und bis in die 1960er Jahre Mineralöl gewonnen wurde. Diese Industriezweige sind größtenteils und unter meistens erheblichen Arbeitsplatzverlusten verschwunden. Der Ausgleich durch neue Beschäftigungsgebiete, wurde z.T. durch Wirtschaftsförderung erzielt. Sie bewirkte u.a. die Neuansiedlung moderner Industriebereiche, vor allem der Elektronikindustrie, die die meisten Arbeitsplätze stellt. Betriebe für Büromaschinen- und Computerherstellung, Feinmechanik sowie für Erdöl- und Erdgasförderung und -verarbeitung, chemische Betriebe und Firmen für die Produktion von Rohren und den Bau von Bohrplattformen und Raffinerieanlagen sind heute hier ansässig.

Diese Landschaft ist die Taille Schottlands, die engste Stelle zwischen Nordsee und Atlantik. Während der industriellen Revolution und der Schwerindustrieperiode Schottlands im späten 18. und beginnenden 19. Jahrhundert wurde diese Enge für den Bau des **Forth and Clyde Canals** genutzt. Über ihn konnten die Kaufleute ihre Importe aus der Neuen Welt von Glasgow zur Nordsee und gleich weiter in das Baltikum und in die Niederlande exportieren. Nicht weit von Grangemouth umgibt flaches Land die ehemalige Industriestadt **Falkirk**. Vor den Toren dieser Stadt wurde 1298 William Wallace geschlagen, aber Bonnie Prinz Charlie gewann 1746 eine andere große Schlacht. 144 000 Einwohner leben in und um Falkirk. Klar zeigt sich aber im Hintergrund schon die Linie der steil aus diesem Flachland aufragenden Berge des Hochlands.

Westlich von Edinburgh hat die Region **West Lothian** mit ihren Industrieansiedlungen einen sehr geschichtsträchtigen Hintergrund. So kann man dort neben den Überresten des römischen **Antonine Walls** auch die Ruinen stolzer Schlösser und Anwesen besichtigen. Eines davon, gleichzeitig auch das wichtigste und größte Schloss in West Lothian, ist der **Linlithgow Palace,** die Geburtsstätte von Mary Queen of Scots. Nicht weit von **Linlithgow,** am Oberlauf des sich westwärts immer weiter verjüngenden Firth of Forth, liegt der kleine Ort **Grangemouth.** In dieser größten Ölraffinerie Schottlands strömen täglich rund 1.1 Mio. Barrel Rohöl aus den Pipelines der Bohrinseln in der Nordsee zur Weiterverarbeitung. BP baut z.Zt. ihre Raffinerie und die petrochemischen Anlagen und Unternehmen zur drittgrößten Anlage dieser Art in Europa aus.

Ostwärts von Edinburgh erstreckt sich **East Lothian** bis zur Mündung des Firth of Forth in die Nordsee bei North Berwick. Das Bild dieser ebenen Landschaft wird größtenteils durch Landwirtschaft bestimmt. East Lothian ist bekannt für sein besonderes Licht und die im Sonnenschein des Frühjahrs und Sommers leuchtenden Farben. Entlang der Nordseeküste von North Berwick über **Dunbar** und bis hinunter an die Grenze zu England bei Berwick upon Tweed wechseln sich steile Klippen und kleine Buchten mit herrlichen Sandstränden ab. Zu den zahlreichen Sehenswürdigkeiten East Lothians zählt u. a. der **Bass Rock** nahe **North Berwick** mit seiner riesigen Tölpelkolonie. Dieser Felsen gab dem Vogel seinen deutschen Namen – Basstölpel. Mit ca. 80 000 Exemplaren ist es die weltgrößte Kolonie dieser Vögel. Ganz bestimmt zählen zu den Sehenswürdigkeiten in East Lothian auch die gut erhaltenen und schön gelegenen Ruinen von **Dirleton Castle** und dem geschichtsträchtigen und spektakulären **Tantallon Castle** der Douglases. In atemberaubender Lage hoch auf steilen Klippen bewachte diese Burg einst den weiten Eingang des Firth of Forth. Die Felsmasse des rund 150 m hohen **Bass Rock** liegt der Burg genau gegenüber. Während des Zweiten Weltkriegs wurden in der flachen Landschaft East Lothians zahlreiche Feldflugplätze der Royal Airforce angelegt. Einer ist erhalten worden. Er wurde als ein Ableger des Scottish National Museums in Edinburgh zu einem Flugmuseum mit vielen beeindruckenden und historischen Maschinen, darunter einer echten Concorde, ausgebaut.

Etwas weiter beginnt die Region **Midlothian**. Hier ist u.a. die Ruine des herrlichen **Crichton Castle** sehenswert. Südlich von Edinburgh liegend, sah diese Burg reichlich ‚Action' im Mittelalter, teilweise in Verbindung mit Mary Queen of Scots. **Rosslyn Chapel**, etwas weiter von Crichton Castle entfernt, aber einwesentlich friedlicherer Ort und besser erhalten, ist es absolut wert, besichtigt zu werden. Um diese Kapelle – fast die einzige, die der nachreformatorische Bildersturm nicht ihrer Pracht beraubt hat – ranken sich zahlreiche Sagen und Legenden. So wird sie mit Freimaurern, dem Templerorden und sogar mit dem heiligen Gral in Zusammenhang gebracht. Die kunstvollen Steinmetzarbeiten, mit denen die Kapelle geschmückt ist, gelten gemeinhin als die besten in ganz Schottland. Die Kapelle enthält u.a. eine herrliche gemeisselte Säule (*Apprentice Pillar*), von der gesagt wird, dass der Lehrling (*apprentice*), der sie einst schuf, von seinem neidischen Meister mit dem Hammer erschlagen wurde. Die größte Sehenswürdigkeit in Midlothian ist freilich die Hauptstadt selbst.

Edinburgh

Die Hauptstadt Schottlands ist mit knapp 453 670 Einwohnern (2004) nur die zweitgrößte Stadt des Landes. Druckereien und Brauereigewerbe zählen seit dem Mittelalter bis heute und neuerdings auch die Elektronikindustrie zu den wichtigen Industrie- und Erwerbszweigen in dieser Stadt. Dazu kommen die zahlreichen Behörden mit ihren Dienststellen, Verwaltungen, Ausbildungsstätten, Justiz, Versicherungen und Banken – ganz allgemein der Sektor des Dienstleistungsgewerbes. Dadurch wurde die Hauptstadt zu einem der bedeutendsten Dienstleistungszentren in Großbritannien. Edinburgh steht im Banken-und Versicherungswesen an vierter Stelle Europas. Großhandel und Unternehmensberatungen führen gleich nach London die Tabelle an zweiter Stelle an. Kulturell und touristisch ist die politische Hauptstadt Schottlands das unbestrittene Zentrum des Landes. Mit ihrer geometrisch angelegten Neustadt und der mittelalterlichen und frühneuzeitlichen Altstadt ist die Stadt auch heute noch ein architektonisches Juwel, die ihresgleichen sucht.

Beherrscht wird das Stadtbild durch das majestätische **Edinburgh Castle**, das auf dem zerklüfteten und steilen Rest eines erloschenen Vulkans thront. Edinburgh's Zentrum besteht aus der **New Town**, die für ihre georgianischen Wohnhäuser inmitten grüner Parkanlagen bekannt ist und der **Old Town** mit ihren alten Häusern und der fotogenen Skyline. Wie diese Altstadt an den steilen Hängen über neun Jahrhunderte mit für ihre Zeit ungewöhnlich hohen Häusern wuchs, ist so einzigartig wie die dazwischenliegenden dunklen, mittelalterlichen Gassen (*closes*) mit ihren traditionsreichen Pubs.

Die Einwanderer (Iren, Inder, Chinesen, Italiener u.v.a.), zahllose Touristen aus allen Ländern der Welt und das Studenten der drei Universitäten und vier Colleges verleihen dieser polyglotten Metropole ihr besonderes Flair. Zahlreiche urige Pubs, z.T. mit Live-Musik, Bars und erstklassige Restaurants sorgen für ein abwechslungsreiches Nachtleben.

Es ist wohl kaum möglich, sich in der Stadt zu verlaufen, denn Edinburgh ist im Kern sehr klar gegliedert. Genau von Ost nach West erstreckt sich als südliche Grenze der New Town die **Princes Street**. Einer der weisesten Entschlüsse der Stadtväter des 19. Jahrhunderts wurde in die Tat umgesetzt und ist noch heute gültig: Die klassizistischen Sandsteinbauten und die modernen Gebäude mit zahlreichen Geschäften, Kaufhäusern, Restaurants und Hotels wurden alle nur auf der Nordseite der Princes Street gebaut, um den einmaligen Blick auf die malerische Altstadtsilhouette zu erhalten.

Alt- und Neustadt werden durch eine tiefe Senke getrennt, in der heute die Bahnlinien entlangführen. Einst befand sich an dieser Stelle ein aufgestauter See, in dem im Mittelalter die Abfälle der Altstadt landeten. In ihn wurden aber auch die Hexen während der in Schottland besonders grausamen Hexenverfolgungen des 16. und 17. Jahrhunderts getaucht. Ende des 18. Jahrhunderts wurde dieses **Nor Loch** trockengelegt. Heute bieten die blumenreichen Parkanlagen der **Princes Street Gardens** im Zentrum der Stadt vor der Kulisse der Altstadt und der Burg einen wesentlich angenehmeren Aspekt und dazu eine Attraktion. So ist in diesem Park die erste und weltgrößte Blumenuhr zu sehen, die dazu auch noch richtig geht. Sie wird jährlich mit einem neuen Motiv aus bis zu 20 000 Pflanzen komponiert und besitzt sogar eine Kuckucksuhr.

Auld Reekie

Der Vergleich Edinburghs mit dem Stadtbild Athens liegt wegen der vielen neoklassischen Gebäude nahe. So ist einer der beiden Spitznamen der Stadt ‚Athen des Nordens'. Doch mit seinen vom Rauch der vielen Kamine geschwärzten Häusern hatte Edinburgh früher auch einen zweiten Spitznamen ‚Auld Reekie' - die ‚Alte Verrauchte'. Glücklicherweise ist die Stadt längst vom Kohleruß befreit. Während der 1970er Jahre sind fast alle Sandsteinfassaden systematisch gereinigt worden.

Auf der anderen Seite der Senke führen steile Gassen hinauf zum alles beherrschenden **Edinburgh Castle**. Östlich davon erstreckt sich die Altstadt mit düster engen Gassen links und rechts abfallended von der Royal Mile. Diese hohen überbauten Gassen oder Gänge führen vom groben Kopfsteinpflaster der Royal Mile zu den z.T. noch mittelalterlichen Häusern. In den angrenzenden und oft tiefverschachtelten Hinterhöfen verstecken sich zahllose Kneipen und Restaurants. Kein Wunder, dass in dieser Atmosphäre die oft recht gruseligen und aufregenden Geschichten der Stadt und des Landes auf Schritt und Tritt zu fühlen sind. Empfängliche Besucher meinen noch heute, nach Sonnenuntergang die unheimlichen Ereignisse um finstere Gestalten wie **Major Weir**, von dem nur ein Spazierstock und eine Laterne sichtbar sein sollen, oder **Deacon Brodie**, dem Vorbild von *Dr. Jekyll und Mr. Hyde*, zu spüren. Im 19. Jahrhundert haben **R.L. Stevenson**, **Robert Chambers** und andere Schriftsteller gruselige und herrlich unterhaltsame Geschichten über die Menschen und Geschehnisse im alten Edinburgh geschrieben.

Die Royal Mile war die einzige und ist immer noch die Hauptstraße der Old Town. Beginnend beim Castle, führt sie von dort, einem abfallenden Felsgrad folgend, hinunter zum Palace of Holyroodhouse. **Arthur's Seat** und der **Castle Rock** sind, ebenso wie der Felsen, auf dem Stirling Castle steht, aus Vulkanen entstanden, die vor 350 Millionen Jahren aktiv waren. Sie wurden während der Eiszeiten von Gletschern, die von West nach Ost flossen, auf ihren harten Basaltkern reduziert. Diese europaweit nur in Schottland vorkommende geologische Formation ist ein sogenannter *Crag and Tail* mit steilen Felsenklippen (*craig*) an drei Seiten und einem nach Osten auslaufenden Bergrücken (*tail*) an der vierten.

Im Tal am östlichen Ende der Royal Mile angelangt, zweigt diese Straße vor dem Palast von Holyroodhouse nach Süden ab. Am neuen Schottischen Parlament vorbei führt der Weg dann auf einer spektakulären Route durch den **Holyrood Park** rund um Arthur's Seat herum. Geologisch Interessierte erhalten dort und in der neuerdings an seinem Fuss zu sehenden Ausstellung **Dynamic Earth** einen vorzüglichen Einblick in die verschiedenen Erdzeitalter. In dem an ein modernes Zelt erinnernden Bau wird an den Edinburgher Geologen **James Hutton** (1726-97) als Vater der Geologie erinnert. Er gewann an den steil dahinter aufragenden Felsenklippen von Salisbury Craigs vor etwas mehr als 200 Jahren erste Erkenntnisse für die geologische Zeitrechnung. Mit seinem Buch *Theory of the Earth* (1788) legte er den Grundstein für diese Wissenschaft. Wanderer genießen heute den Ausblick von diesem Berg auf die Stadt und die Sehenswürdigkeiten vor dem Hintergrund des **Firth of Forth.** Erst von hier oben wird auch das geniale Konzept des spanischen Architekten Enric Miralles und das Layout des Parlamentkomplexes deutlich.

Neben den geologischen und historischen Attraktionen muss hier auch das mittlerweile fast schon 60 Jahre alte und weltbekannte **Edinburgh Internationale Festival** des klassichen Theaters und der Musik erwähnt werden. Dem haben sich andere Festivals (Fringe, Book Festival, Film Festival, Festival of Science…) zugesellt und teilweise sogar in Veranstaltungs- und Besucherzahlen überholt. So ist es kein Wunder und längst kein Geheimnis mehr, dass diese Stadt mit ihrem besonderen Flair und ihren zahllosen Attraktionen weltweit ein touristisches Muss geworden ist.

Old Town

Wahrscheinlich gab es schon im siebten Jahrhundert eine Befestigung auf dem Felsen lange, bevor Edinburgh Castle im zwölften Jahrhundert als eine der bedeutendsten schottischen Burgen entstand. Zur Hauptstadt Schottlands wurde Edinburgh erst im 15. Jahrhundert und erst zu Beginn des 16. Jahrhunderts machte sie **James IV.** mit dem **Palast von Holyroodhouse** zur Residenzstadt.

Die Besiedlung erfolgte beiderseits und entlang des Bergrückens die High Street hinunter und später sogar in die Gegend der damals unabhängigen Stadt **Canongate**. Diese wiederum hatte ihren Ursprung in der Gründung der **Holyrood Abbey** (Abtei zum Heiligen Kreuz) – daher auch der Name, der Bezug nimmt auf die geweihten Mönche (Kanoniker). Die Hauptstrasse der Stadt erstreckte sich freilich einst nur vom Burgberg über den Lawnmarket und die High Street bis zum **Netherbow Gate** hinunter. Jenseits davon war Canongate eine vollkommen separate Stadt, die ausserhalb der **Flodden Wall** – der Stadtmauer Edinburghs – lag.

Als Mary Stewart, die Tochter von James V. und spätere Mary Queen of Scots, 1542 in Linlithgow geboren wurde, hatte die Altstadt Edinburghs bereits ihre charakteristischen *lands,* die Mietshäuser. Sie mussten aus Platzmangel innerhalb der engen Stadtmauern mehrere Stockwerke hoch gebaut werden. Diese ersten Hochhäuser der Welt hatten teilweise bis zu 13 Stockwerke und waren mit der Bebauung in anderen europäischen Städten kaum zu vergleichen. Die Stadt wuchs und wuchs – in die Höhe. Edinburgh hatte sich aus Furcht vor den ewigen Angriffen der Engländer durch Mauern wie die Flodden Wall im Süden und Osten und den Begrenzungssee Nor Loch nach Norden hin in ein enges Korsett aus Verteidigungsanlagen gezwängt. Auf dem knappen Raum dazwischen blieben als einzige Lösung nur die hohen Häuser. In ihnen lebten Menschen aus allen sozialen Bereichen wie z.B. Richter und Doktoren mit Kaufleuten und Kesselflickern auf engstem Raum und unter einem Dach zusammen. Mit bald 50 000 Menschen, die von der Castle Esplanade bis hinunter zum Netherbow Gate entlang der High Street lebten, war die Altstadt einfach hoffnungslos übervölkert.

Die Müllentsorgung war einheitlich geregelt: Pünktlich um zehn Uhr morgens gingen mit dem Glockenschlag von St. Giles' die Fenster auf und mit dem Ruf: „gardy loo" (vom frz. *gardez-l'eau*) wurde aller Unrat einfach auf die Straße gekippt. Kein Wunder, das Pest und andere Seuchen über die Jahrhunderte die Bevölkerung immer wieder drastisch reduzierten. Einschneidende Veränderungen ergaben sich um das Jahr 1765, als nach der parlamentarischen Union von 1707 kein Krieg mit England mehr zu befürchten war. Damals begann mit der Gründung der **New Town** die große Auswanderung aus der ungesunden Atmosphäre der Altstadt. Wer etwas auf sich hielt, baute außerhalb der alten Stadt auf der gegenüberliegenden Seite des Nor Lochs, denn dort gab es mehr Platz und Licht – und vor allem frische Luft. Zurück blieben in der **Old Town** bis in das 20. Jahrhundert hinein nur Not und Elend. Noch 1961 konnte **Muriel Spark** in ihrem Roman *Die Blütezeit der Miss Jean Brodie*, die im Edinburgh der 1930er Jahr spielt, die Altstadt als Slum beschreiben. Seit 1996 sind beide Stadtteile nun als Weltkulturerbe geschützt.

Edinburgh Castle steckt voller Geheimnisse. Malcolm III. Canmore gründete in der Burg die große Dynastie der Canmores und Robert the Bruce ließ sie von den Engländern zurückerobern. Mary Queen of Scots gebar 1566 ihren Sohn, den künftigen König James VI., im Schutz ihrer Mauern; Cromwells Truppen nahmen die Festung 1650 ein und Bonnie Prinz Charlie versuchte 1745 vergeblich, den früheren Sitz der Stewart-Dynastie zurückzuerobern. Unter vielen anderen sind das nur wenige Beispiele für Ereignisse, die sich auf und im Schatten dieser Burg abspielten.

Ins Innere der Burganlage geht es an den Statuen der beiden größten schottischen Nationalhelden – William Wallace und **Robert the Bruce** – vorbei durch den wuchtigen Torbogen des **Gatehouse**, das allerdings aus dem Jahr 1887 stammt. Direkt oberhalb des Eingangsbereichs ragt die Mauer und Brüstung der **Half Moon Battery** aus dem 16. Jahrhundert steil in die Höhe. Sie schützte den Zugang zur Burg von der Stadtseite. Über holpriges Kopfsteinpflaster und durch einen dunklesTorbogen mit gewaltigem Fallgitter, eines von ursprünglich vier Toren, durchquert man den eigentlichen Eingang zur Burg. Einer Batterie alter Schiffskanonen säumt den weiteren Weg zu einer Terrasse, genannt **Mill's Mount Battery**. Dort steht eine moderne Kanone – die berühmte **One o'Clock Gun**. Mit einem einzigen Böller verkündet sie damit täglich um ein Uhr mittags – ausser sonntags, Karfreitag und Weihnachten – den Menschen in der Stadt die Zeit.

Steil führt die Straße den Hügel hinauf durch das **Foog's Gate** in das eigentliche Zentrum der Festungsanlage hinein. Gleich hinter dem Tor steht ein unscheinbares Gebäude auf einer rauhen Felsspitze, das älteste Kirchengebäude des Landes, die **St. Margaret's Chapel.** Sie hat seit dem frühen zwölften Jahrhundert alle schönen, dramatischen und auch viele grausame Geschehnisse an diesem Ort gesehen. Klein und aus groben Stein wurde es wahrscheinlich 1123 im romanischen Baustil von David 1. im Gedenken an seine Mutter Margaret errichtet. Heute präsentiert sich die kleine Kapelle mit schlicht weißem Inneren und einem kleinen, mit Blumen aufgelockerten Vorplatz. Als wenn sie die Stadt noch heute schützen wolle steht dort die monströse, sechs Tonnen schwere Kanone **Mons Meg,** die wahrscheinlich in der belgischen Stadt Mons hergestellt wurde. 1457 wurde dieses Belagerungsmonstrum dem Kanonenliebhaber James 11. zur Hochzeit geschenkt. Wenn es nicht regnet geht von dort der schönste Blick über ganz Edinburgh und die Umgebung bis weit in das Land. All das unterstreicht nur die dominante Position des Castles.

Der **Crown Square,** der Platz im Herzen der gesamten Anlage, ist von vier Gebäuden umgeben. Der jüngste Bau ist das beeindruckende **Scottish War Memorial** mit Erinnerungstafeln und Büchern zum Gedenken an die schottischen Gefallenen der beiden Weltkriege und anderer kriegerischer Auseinandersetzungen. Auf der Westseite des Platzes liegt das **Queen Anne Building**. Es enthält ein Café und über eine Treppe geht es von dort hinunter in die dunklen Katakombern der Burg. Sie beherbergten u.a. im 18. Jh. die Gefangenen der napoleonischen Kriege. James IV. ließ die **Great Hall** anlässlich seiner Eheschließung mit der englischen Prinzessin Margaret Tudor als Bankett- und Repräsentationshalle bauen. An der Außenmauer der Halle zum Crown Square sind das große Wappen dieses Königs und die Blumenembleme der beiden Königreiche – Distel und Rose – eingelassen. Eindrucksvoll stützen die im Stil der damaligen Zeit geschnitzten Balken das mächtige Deckengewölbe dieser Great Hall. Sie trägt immer noch das ursprüngliche Dach. In dieser Halle wurde 1648 Oliver Cromwell bewirtet. Einige Jahrhunderte später konnte sich 1992 neben anderen Staatschefs der deutsche Bundeskanzler Helmut Kohl anlässlich einer Gipfelkonferenz der europäischen Regierungsoberhäupter der gleichen Ehre erfreuen. Höhepunkt jedes Besuchs der Burg ist der **Königspalast**. In einem kleinen Zimmer brachte dort Mary Queen of Scots 1566 ihren Sohn, den späteren James VI., zur Welt.

Aus den vielen Ereignissen, die hier stattgefunden haben, sticht eines als besonders grausam hervor. Im Anschluss an ein opulentes Bankett wurde 1440 im Burgpalast dem jungen sechsten Grafen Douglas und seinem Bruder in Beisein Königs James II. der Kopf eines schwarzen Wildschweins auf einem Tablett serviert. Es war das Zeichen zu ihrer Hinrichtung: Sie wurden an Ort und Stelle erstochen. Der Grund für diesen politischer Mord war die nach Auffassung des damaligen Regenten die allzugroße Macht der Douglases. Sie hatten seit der Zeit des Robert the Bruce ihre Privilegien und Ländereien vermehrt und wollten sich nicht mehr seiner Gewalt beugen. Heute liegen im Palast, hinter dicken Panzerglasscheiben, die schottischen **Kronjuwelen**. Neben anderen Kleinodien sind das die schottische Krone – die zweitälteste Europas – das Staatsschwert und das Zepter, das König James IV. 1494 von Papst Alexander VI. bekam. Nach siebenhundertjähriger Abwesenheit liegt seit 1996 daneben aber

auch der **Stone of Destiny**, der Stein mit der größten Symbol-
bedeutung für Schottland. Der englische König Edward I.
raubte 1296 den Stein von Scone und ließ ihn in Westminster
zum Zeichen der Oberherrschaft aller künftigen englischen
Monarchen über Schottland unter den dortigen Krönungsstuhl legen.

Vor der Burg ist die breite **Esplanade** (Paradeplatz) heute
Ort friedlicher Schauspiele. Einst wurden an dieser Stelle Hexen verbrannt, doch heute findet auf der Esplanade alljährlich ein inzwischen weltberühmtes Militärschauspiel – das
Tattoo – statt.

Nur wenige Meter weiter wird **Gladstone's Land** von ei-
nigen etwas neueren Häusern eingezwängt. Dieses typische
Mietshaus aus der Mitte des 17. Jahrhunderts ist noch ein
Originalgebäude, das dem Kaufmann Thomas Gladstone, ei-
nem Vorfahren des späteren Premierministers von Königin
Victoria, gehört hat. Der National Trust for Scotland hat es
so restauriert, wie es einst war: mit bemalten Holzdecken
und -wänden. Die originalgetreu hergerichtete Küche und
Möbel und Einrichtungsgegenstände zeigen sehr gut, wie die
Menschen in dieser Stadt im 17. Jahrhundert gelebt haben.

Lady Stair's House, in einem Zwischenhof hinter Gladstone's Land gelegen, sollte in gar keinem Fall ausgelassen
werden. Selbst mit vielen Geschichten verbunden, enthält
dieses Haus heute eine Ausstellung zu den drei bedeutendsten
Schriftstellern Schottlands, **Robert Burns, Sir Walter Scott**
und **Robert Louis Stevenson.** Gezeigt werden dort im **Writers
Museum** viele nostalgische Erinnerungen wie z. B. Notizen,
Hüte, Pfeifen und Schreibwerkzeuge.

Gegenüber von Gladstone's Land geht es durch **Fishers
Close** hinunter zur Victoria Street und entlang dieser Straße
an den farbigen Häuserfassaden, Antiquitätenhändlern, Restaurants und kleinen Läden vorbei zum **Grassmarket.** Manche sagen, dieser Markplatz gleich unterhalb der Festung wä-
re mit einer Sportarena vergleichbar. Einst wurden nämlich
die Bewohner der umliegenden Häuser um ihre exzellente
Aussicht bei öffentlichen Hinrichtungen beneidet. Auf dem
Grassmarket stand zweihundert Jahre vor der französischen

Guillotine der Galgen und später auch das erste Fallbeil der Geschichte, '*The Maiden*'. Das Original befindet sich heute nur 200 Meter weiter im National Museum of Scotland. Viele Menschen wurden an dieser Stelle im Laufe der Geschichte hingerichtet. Im 17. Jahrhundert waren das besonders die Covenanters – aber mehr noch wurden Kriminelle zu allen Zeiten auf dem Grassmarket exekutiert. Dieser Ort erinnert auch an eine ganze Anzahl Anekdoten, die oft tragisch-komische und dramatische Züge tragen. So wurde 1736 nach einem Aufstand auf dem Grassmarket der Hauptmann der Stadtgarde **John Porteous** vom aufgebrachten Stadtmob nachts gelyncht. An dieser Stelle soll auch der Legende nach die des Kindesmordes angeklagte **Maggie Dickson** gehängt worden sein, die die Prozedur aber überlebte und noch 30 weitere Jahre gelebt haben soll. In zwei der zahlreichen Restaurants und Kneipen und bei nächtlichen *ghost walks* kann der schaudernde Besucher über diese Geschichten noch weitere Details erfahren. Wer das nicht mag, braucht buchstäblich nur um die Ecke zu gehen und findet in den Gassen und Straßen dieses Viertels zahlreiche herrlich vollgestopfte Antiquitätenläden und gut sortierte Boutiquen und Geschäfte.

Die von Franziskanern gegründete **Greyfriars Kirk** liegt am oberen Ende der kurzen **Candlemaker Row,** wo einst die Kerzenzieher ihre Werkstätten hatten. Nachdem St. Giles' als einzige Gemeindekirche von Edinburgh längst zu kleingeworden war, baute man 1620 dort vor den Toren der Stadt die erste nachreformatorische Kirche. Auf ihrem berühmten

Greyfriar's Bobby

Friedhof wurde 1638 das legendäre Protestschreiben des Covenant an Charles I. abgefasst und unterzeichnet. Dazu kamen der protestantische Adel und viele Vertreter des Bürgertums hier zusammen. Über 1000 Covenanters wurden im späteren 17. Jahrhundert unter fürchterlichen Bedingungen auf dem Friedhof der Greyfriars Kirk gefangen gehalten, bevor man viele von ihnen auf dem Grassmarket hinrichtete. Daneben liegt hier auch ein Großteil der historischen Persönlichkeiten des Landes und der Edinburgher High-Society begraben, darunter der Humanist George Buchanan (1506-82), sowie Sir Walter Scotts Vater und ebenfalls der bekannte schottische Architekt William Adam (1689-1748), Vater der berühmten Adam-Brüder.

Besucher aus aller Welt kommen immer wieder in diesen Stadtteil, um den wohl berühmtesten Hund der Welt zu sehen – das Denkmal von **Greyfriars Bobby**. Der kleine Hund kam 14 Jahre lang täglich auf diesen Kirchhof und bewachte treu das Grab seines Herrchens, eines Polizisten und erhielt später dafür sogar die Ehrenbürgerschaft der Stadt. Walt Disney hat darüber den bekannten, gleichnamigen Film gedreht.

Dem Denkmal gegenüber wurde am St. Andrews-Tag 1998 der moderne Erweiterungsbau des **Royal Museums of Scotland** von Elizabeth II. eröffnet. Mit seiner modernen Architektur in der in der von altehrwürdigen Gebäuden geprägten Umgebung hat der Bau sicherlich seine Kritiker. In jedem Fall ist es aber einer der bemerkenswertesten Neubauten der letzten Jahre in Großbritannien. Es bildet nicht nur in seiner Architektur einen Kontrapunkt zum Stadtbild dieser Umgebung sondern ganz besonders auch in der Präsentation seiner historischen Schätze. Ausschließlich der Geschichte Schottlands gewidmet zählt dieses Museum zu den führenden und interessantesten Museen seiner Art im Königreich. Der beeindruckende Komplex des alten Gebäudeteils mit seiner Renaissancefassade aus der viktorianischen Zeit enthält auf mehreren Stockwerke dauerhafte Ausstellungen. Ständig werden aber auch Sonderausstellungen ausgerichtet. Beide Museen sind kostenlos zu besichtigen.

Das Museum liegt direkt neben der 1583 gegründeten alten Universität. Das **Old College** an der Kreuzung von South Bridge und Chambers Street wurde 1789 von Robert Adam entworfen. Über die George IV. Bridge gelangt man hinter der **National Library of Scotland** (eine der vier größten Bibliotheken Großbritanniens) mit ihrer imposanten Fassade wieder auf die Royal Mile. Besucher sollten es nicht versäumen, bei einem Bummel auch in die Seitengassen zu schauen und durch die dunklen Durchgänge in die Höfe zu gehen.

Das größte Gebäude an der Royal Mile und eines der wichtigsten in der schottischen Geschichte ist die **High Kirk of St. Giles**. Diese Kirche, die allgemein bekannt ist als St. Giles' Cathedral, stammt ursprünglich aus dem zwölften Jahrhundert. Aus ihrer Gründerzeit der jetzigen Kirche, der normannischen Kulturepoche um 1120, sind allerdings nur noch die vier mächtigen kantigen Säulen erhalten, die den Turm mit der markanten Dornenkrone tragen. Im 14. und 15. Jahrhundert wurde die gotische Kirche mehrfach umgebaut und erhielt ihre asymmetrische Form. Vor der Reformation im Stil der damaligen Zeit prunkvoll dekoriert, wurde St. Giles' danach vieler Schätze beraubt und presbyterianisch nüchtern gestaltet. Die Kirche wurde auch später noch einige Male im Innenraum verändert. Heute ist das fast 900 Jahre alte Gebäude die Hauptkirche der Stadt. Die imposante Turmspitze prägt die charakteristische Skyline. Im Stein des Hauptportals sind historische Persönlichkeiten der schottischen Geschichte verewigt. Die vielen Details aus Architektur, Geschichte und die manchmal auch sehr rührenden weltlichen Erinnerungsstücke lohnen einen Besuch dieser Kirche. Nach den vielen Stürmen, die sie im Laufe der letzten 850 Jahre erlebt hat, ist sie heute ein fester Teil der protestantisch presbyterianischen Church of Scotland, doch sie steht allen Konfessionen offen.

Die Geschichte von St. Giles ist untrennbar mit dem Reformator **John Knox** verbunden, der das Gebäude im 16. Jahrhundert zur Ausgangsbasis der schottischen Reformation gemacht hat. Er predigte bis zu seinem Tod 1572 in dieser Kirche. Als danach **Charles I.** später die episkopale Kirche wieder einsetzen wollte, las ein Priester erstmals die verhasste neue Messe in der für Schottland neuen anglikanischen Gottesdienstordnung, anstatt in der von John Knox eingesetzten reformiert-presbyterianischen Form. Das rief den Unmut der Andächtigen hervor und die Marktfrau **Jenny Geddes** warf ihm einen Schemel an den Kopf! Charles erhob schließlich die Kirche 1633 zur Kathedrale und Edinburgh somit zum Bischofssitz. Dieses anglikanische Intermezzo dauerte freilich nur wenige Jahre.

1985 lieferte das neue **Robert-Burns-Fenster** über dem Westportal Gesprächsstoff. Burns war und ist in den Augen der Kirche und vieler ihrer Mitglieder zwar ein hervorragender Poet, doch auf Grund seines Lebenswandels nicht unbedingt ein Musterbeispiel für die Kirche. Trotzdem ist seine Poesie treffend schön von dem isländischen Künstler Leifur Breidfjord festgehalten worden. Das Fenster wurde übrigens von einer Firma im deutschen Rottweil gefertigt.

In St. Giles ist die kleine angebaute **Thistle Kapelle** besonders sehenswert. 1910 wurde sie mit reichen Verzierungen und Schnitzereien für den Gottesdienst der Knights of the Most Ancient and Most Noble Order of the Thistle erbaut. Dieser aus 16 Rittern bestehende höchste schottische Orden wird persönlich von der Monarchin angeführt. Sie schlägt in der Kapelle jeweils unter großem Prunk eine von ihr auserkorene, schottische Persönlichkeit zum neuen Ritter, wenn einer der Vorgänger verstorben ist.

1707 unterzeichnete das schottische Parlament den Unionsvertrag mit England in dem Gebäude hinter St. Giles, in dem heute die höchsten Gerichte zusammentreten. Dieser öffentliche Saal ist allein schon wegen seiner herrlichen, geschnitzten Originaldecke aus offenem Fachwerk sehenswert. Unter ihr gehen die gegnerischen Anwälte paarweise auf und ab. Sie durchschreiten den Saal gemeinsam, damit ihre Argumente nicht mitgehört werden können. Während sie dabei ihren aktuellen Fall beraten, tragen sie oft noch ihren Habit, zu dem auch die traditionelle Perücke gehört. Besucher könne sich das kleine Schauspiel gern anschauen, aber nicht fotografieren.

Über Jahrhunderte war das **Mercat Cross** (Handelskreuz) hinter St. Giles' der zentrale Treffpunkt des Stadtlebens. Von dieser Stelle aus wurden und werden auch heute noch wichtige Ereignisse der Öffentlichkeit bekanntgegeben. Früher wurden am Mercat Cross auch Fürsten (wie der Marquis von Montrose im Jahre 1650) barbarisch hingerichtet. Unter dem Handelskreuz traf sich Ende des 18. Jahrhunderts während der Zeit des der schottischen Aufklärung die geistige Elite Schottlands.

Gegenüber davon erhebt sich das Rathaus, die **City Chambers**, das auf seiner Rückseite 13 Etagen hoch ist. Gebaut zwischen 1754 und 1761 nach einem Entwurf der Adam Brüder John und Robert ursprünglich als Handelsbörse, überbrückt es unter sich drei ins Tal führende Gassen. Darunter ist die komplette **Mary King's Close**. Diese Gasse wurde, der Sage nach, von den Stadtvätern im 17. Jahrhundert an allen Ausgängen zugemauert und zwar mit allem, was noch in der Gasse lebte. Das geschah, als während der damaligen Pestepidemie in Edinburgh auch in Mary King's Close die ersten Bewohner erkrankten. So ist es kein Wunder, dass diese Gasse im Tiefgeschoss des Rathauses noch heute in dem Ruf steht, nicht geheuer zu sein. Aufmerksame Besucher erspähen die Kronleuchter im ersten Stock des Rathauses, die ein Geschenk der deutschen Partnerstadt München sind.

Die **Tron Kirk,** 100 Meter weiter die Straße hinunter, ist heute keine Kirche mehr. Wo nun dem Besucher hinter ihrer alten Fassade die Altstadt in einer Ausstellung (freier Eintritt) nähergebracht wird, stand früher eine Waage. Der Wiegebalken (Tron), an dem die Gewichte der Kaufleute geprüft wurden, war der bevorzugte Ort, um unehrliche Kaufleute zu bestrafen, indem man den Betrüger mit dem Ohr daran festnagelte. Schlitzohren gab es also auch in Edinburgh.

Gleich dahinter führt von der Royal Mile die **North Bridge** nach Norden. Sie war 1767 buchstäblich die erste Brücke, die die Old Town mit dem Gelände, auf dem dann die Neustadt entstand, verband. Nur etwas weiter die Royal Mile hinunter liegt das **Museum of Childhood**. Viele schöne Kindheitserinnerungen werden dort durch Spielzeug, Puppen und Teddybären zwischen Puppenhäusern, historischen Puppenwagen und Büchern wachgerufen. Der Eintritt ist frei, wie in den meisten Museen und Galerien der Stadt.

Schräg gegenüber liegt **John Knox' House**. Dieses wiederum grenzt direkt an **Moubray House,** das vermutlich älteste Haus der Stadt. In dem Haus hat **Daniel Defoe** (1661-1731), der übrigens ein Spion für die englische Regierung war, 1710 seine Zeitung *The Review* herausgegeben. Im John Knox House, das schon vor 1490 gebaut wurde, ist das Museum der schottischen Kirche untergebracht. Benannt wurde es nach dem berühmten Reformator, es ist aber nicht sicher, ob Knox jemals darin gewohnt hat. Die Deckenbemalungen, hölzerne Galerien und Eichenholztäfelungen des ehemaligen Wohnhauses des Goldschmieds von Mary Queen of Scots sind aber sicherlich sehenswert. Kurz hinter dem Haus ist bald das geografische Ende der mittelalterlichen Stadt erreicht.

Für viele Bewohner, die sich nicht in die ungeschützte Vorstadt der Canongate wagten, war früher an der heutigen Kreuzung der Royal Mile die Welt zu Ende. Daher rührt der Name der Eckkneipe *The World's End*. Das **Netherbow Gate,** das bis in das 18. Jahrhundert an dieser Stelle stand, war das östliche Tor zur Stadt. Über dem Tor wurden nach Hinrichtungen Köpfe oder andere Körperteile ausgestellt - zur Warnung an alle Reisende, die in die Stadt kamen. Das Tor wurde leider abgerissen, um mehr Platz für den wachsenden Verkehr zu schaffen. Seine Grundrisskonturen können allerdings noch im Kopfsteinpflaster durch die dort eingelassenen Messingblöcke nachvollzogen werden. Einen Eindruck vom Tor bekommt man durch eine verkleinerte Reliefnachbildung an der roten Fassade des Gebäudes hinter dem John Knox House.

Schräg gegenüber beginnt die Stadt Canongate, die bis 1865 vollkommen unabhängig von Edinburgh war. Canongate hatte ein eigenes Rathaus, das **Canongate Tolbooth.** In dessen Umgebung und diesem unteren Teil der Royal Mile haben die alten Gebäude aus dem 17.-19. Jahrhundert ebenfalls alle ihre eigene interessante Geschichte. Das Canongate Tolbooth mit der großen viktorianischen Uhr an der Fassade birgt in sich heute die **People's Story** – ein Museum, das die Geschichte der einfachen Leute von Edinburgh vom Ende des 18. Jahrhunderts bis zum heutigen Tag erzählt. Wenn sie in der Stadt weilt, fährt die Königin vom Palast kommend die wenigen Meter zur Andacht in die **Canongate Church.** Viele Persönlichkeiten sind auf dem kleinen Friedhof dieser

Kirche begraben. Hier ruht u.a. auch Adam Smith, dessen Philosophie durch sein Buch *Inquiry into the Nature and Causes of the Wealth of Nations* oder kurz *The Wealth of Nations* (1776) zum Grundstein der freien Marktwirtschaft wurde.

Am Ende der Royal Mile, dort, wo nun der Palast und das neue Parlament stehen, befand sich einst der dichte Wald von Drumsheugh. Nach einer Landschenkung König Davids I. wurde 1128 in diesem Tal zunächst die Abtei zum Heiligen Kreuz (**Holy Rood**) gegründet. Der Legende nach wurde David bei einem Jagdausflug in diesem Wald, von dem heute nichts mehr zu sehen ist, von einem riesigen Hirsch angegriffen, vom Pferd geworfen und bedroht. Wie durch ein Wunder erschien zwischen dem Geweih ein goldenes Kreuz (*rood*), nach dem der König gegriffen und so sein Leben gerettet haben soll. In Dankbarkeit für seine Rettung stiftete der König das Land, auf dem von Augustinermönchen dann die Abtei gebaut wurde. Sie wurde eine der prächtigsten im mittelalterlichen Schottland. Wegen ihrer ungeschützten Lage außerhalb der Stadtmauern war sie jedoch häufiges Ziel von englischen Angriffen und Plünderungen. 1501 wurde das Gästehaus der Abtei zur **königlichen Residenz** umgebaut und erweitert.

Im Alter von 18 Jahren kehrte Mary Queen of Scots nach dem Tod ihres ersten Ehemanns dorthin zurück. Die Königin residierte für die nächsten sechs Jahre in Holyrood, wo auch der Mord an David Riccio geschah. Es wird vermutet, dass sie durch den Schock des Mords in ihrem Beisein zu einer Fehlgeburt gebracht werden sollte. Doch wenn das wirklich beabsichtigt war, dann schlug der Plan fehl. Das Kind, der spätere James VI. von Schottland und James I. von England, wurde im Juni 1566 auf Edinburgh Castle geboren.

1650 brannten Cromwells Kavalleriesoldaten den Palast nieder. Mit dem Wiederaufbau wurde der Architekt Sir William Bruce von Charles II. betraut. Bruce entwarf den Palast von Holyroodhouse in der strengen Form, die wir heute sehen. Die prachtvollen **Staatsgemächer** mit den üppigen Stuckdecken und dem opulenten Mobiliar aus dem 18. Jahrhundert sind besonders sehenswert. Hinzu kommen zahlreiche flämische und französische Gobelins und die umstrittene **Porträtsammlung** von über 80 schottischen Regenten. Der holländische Maler Jakob de Wet bekam den Auftrag, die über hundert Ahnen des langnasigen Charles auf die Leinwand zu bringen. Spöttisch wird behauptet, er habe dafür ganz einfach Menschen von der Straße Modell sitzen lassen, da er ja keine Anhaltspunkte gehabt habe, wie die Vorgänger ausgesehen hätten. Heute ist der **Palace of Holyroodhouse** jedes Jahr im Juni und auch zu anderen Gelegenheiten die offizielle Adresse der britischen Monarchin und dann natürlich für die Öffentlichkeit gesperrt.

Gegenüber dem Palast verkörpert der Bau des neuen **Schottischen Parlaments** nach fast fünfjähriger Bauzeit das wiedergewonnene und erstarkte Bewusstsein Schottlands. Wegen seiner hohen Baukosten und mehr noch wegen des gewagten Kontrastes der Architektur des Spaniers Enric Miralles mit den umliegenden Gebäuden des alten Edinburghs, ist es für viele Besucher zunächst ein Schock.

Eventuell erschließt sich dem aufmerksamen Betrachter aber die geniale Idee Miralles für diesen Parlamentsbau, der auch von ausländischen Fachjournalisten treffend als grandios gepriesenen wird. Mit seinen einzelnen, sich eng aneinander schmiegenden Gebäuden schuf der Spanier ein Abbild der Altstadt mit seinen Closes and Wynds im modernen Ge-

Palace of Holyrood
House

wand dieses Parlamentskomplexes. Er wollte Volk und Land in diesem Gebäude verkörpert sehen. Das Gebäude sollte nicht nur auf dem Land stehen, sondern ein Teil des Landes sein wie der Zweig eines Baumes. So plante er viel hiesiges Gestein und noch mehr Glas im Bau in einer Gebäudeanordnung und Gartenarchitektur, die aus den Klippen der Salisbury Crags ‚herauswächst'.

New Town

Zu Beginn des 18. Jahrhunderts war der Punkt erreicht, an dem die Stadt Edinburgh, die bis dahin nur aus der jetzigen Altstadt bestand, aus allen Nähten zu platzen drohte. Entlang der Royal Mile lebten rund 50 000 Menschen ohne fließend Wasser, ohne Kanalisation und ohne sanitäre Einrichtungen. Der Bürgermeister **George Drummond** (1687-1766) hatte schon 1725 die Idee, das Gebiet unmittelbar nördlich der Senke des Nor Lochs für eine neue Stadt zu erschließen. Es dauerte aber noch über 40 Jahre bis auf diesem grünen Land die Neustadt nach einem Architekturwettbewerb in ihrer geometrischen Form gebaut wurde. Den Wettbewerb gewann **James Craig,** nach dessen Plänen die Neustadt vom **Charlotte Square** im Westen und vom **St. Andrew Square** im Osten begrenzt wird. Im Gebiet zwischen Queen Street und Princes Street siedelten sich zunächst, wenn auch erst zögernd, die wohlhabenderen Bürger an. Im Gegensatz zur geschichtsträchtigen Altstadt besteht die gesamte New Town in ihren verschiedenen Bauabschnitten großenteils aus klassizistischen Gebäuden des späten 18. und beginnenden 19. Jahrhunderts. Die gesamte georgianische Architektur und die Anlage des Charlotte Square beruhen auf dem Entwurf eines der größten Architekten Großbritanniens – des Schotten **Robert Adam** (1728-92).

Die beste Vorstellung von Lebensart und Einrichtung gutsituierter Familien des 18. Jahrhunderts wird wohl im feudalen **Georgian House** im Haus Nr. 7 Charlotte Square vermittelt. Der National Trust for Scotland hat dieses Meisterstück von Robert Adam sehr genau im Stil der damaligen Zeit und mit zeitgemäßen Originalstücken eingerichtet.

Zwei Straßen weiter nördlich liegt in **Heriot Row** das Haus Nr. 17 von **Robert Louis Stevenson.** Der weltbekannte Autor der *Schatzinsel* (1883) lebte dort zwischen 1857 und 1878 als Kind einer großen Ingenieursfamilie. Stevenson, am 3. November 1850 in Edinburgh geboren, war ein kränkliches Kind. Sein Großvater, sein Vater und sein Onkel waren die erfahrensten Leuchtturmarchitekten und -konstrukteure Schottlands. Stevenson beendete zwar sein Jurastudium an der Edinburgher Universität, entschloss sich aber doch zur Karriere als Schriftsteller. Er wurde durch den Skandal um den Stadtrat Deacon Brodie (1741-88) inspiriert, der tagsüber ein gesittetes Leben als Schlosser und Schreiner führte und nachts die Häuser der Stadt plünderte. Brodie fand sein Ende ironischerweise 1788 auf der Royal Mile an dem ersten Falltürgalgen – den er selbst erfunden und konstruiert hatte! Knapp hundert Jahre später schrieb Stevenson sein Buch über die Persönlichkeitsspaltung dieses Mannes *Der seltsame Fall des Dr. Jekyll und Mr. Hyde* (1886). In dem Roman *Kidnapped,* in dem er sich, wie in anderen seiner Bücher, mit der Geschichte des Landes auseinandersetzt, beschreibt Stevenson die unfreiwillige Reiseroute des jungen David Balfour. Mit dieser Geschichte verarbeitete er stofflich vor allem die düstere Folgezeit des Jakobiteraufstands von 1745. Robert Louis Stevenson starb am 3. Dezember 1894 auf Samoa im Pazifik.

Das neoklassische Gebäude hinter der Royal Scottish Academy beherbergt die **National Gallery of Scotland.** Der Eintritt zu Schottlands großartiger Nationalgalerie ist, wie zu fast allen Dauerausstellungen in Galerien und Museen in Schottland gratis. Das Gebäude wurde von dem Edinburgher Architekten **William Playfair** (1789-1857) im klassisch griechischen Stil erbaut. Der Grundstock für die National Gallery of Scotland bildete einst die Stiftung des Herzogs von Sutherland. Heute zeigt es Kunstschätze vom Mittelalter bis zum Impressionismus. Werke von Holbein, Raffael, Rembrandt, Tintoretto, Tizian, Canova, Gainsborough, Raeburn, Ramsay, Turner, Cezanne, van Gogh u.v.a. machen sie zu einer der führenden Galerien Europas. Die Galerie ist nicht zu ver-

wechseln mit der **National Gallery of Modern Art,** die westlich des Stadtzentrums in der Nähe von Dean Village liegt.
1999 eröffnete gegenüber die **Dean Gallery,** die fast einzig einem der größten Bildhauer unserer Zeit, dem Sohn Edinburghs, **Eduardo Paolozzi,** gewidmet ist. Beide Gallerien sind
ebenfalls sehr sehenswert und ihre Sammlungen von Arbeiten großer zeitgenössischer Künstler kann auch hier eintritts-
frei besichtigt werden. Weil der Platz bei weitem nicht aus-
reicht sind viele Werke eingelagert, auf Wanderausstellungen
in anderen Teilen Schottlands und in der Welt unterwegs
oder hängen als Leihgaben in öffentlichen Gebäuden. Nicht
nur Bilder sind in der National Gallery zu sehen, sondern
auch Skulpturen und Büsten wie z. B. die vor wenigen Jahren
heiß umkämpften Drei Grazien von Canova, die Paul Getty
zu gern in die USA entführt hätte. Gerettet durch insgesamt
acht Millionen Pfund an Spenden aus der ganzen Bevölkerung, von Firmen, wohlhabenden Gönnern wie dem Bruder
Gettys und u. a. auch von Baron Thyssen, teilen sich die National Gallery of Scotland und das Victoria and Albert Museum in London in einem joint venture ihre Ausstellung.

In unmittelbarer Nachbarschaft der National Gallery
steht das **Scott Monument**. Dieses neugotische Denkmal ist
65 Meter hoch und kann gegen ein geringes Entgelt über 287
Stufen für einen atemberaubenden Rundblick bestiegen werden. Es ist durch zahlreiche steinerne Ornamente und Skulpturen der Charaktere von Scotts Romanen verziert. Der
Turm erhebt sich über der Statue des Meisters, zu dessen Füßen sein Lieblingshund Maida liegt. Die schwarzen Spuren
der Umwelteinflüsse der Vergangenheit haben sich untrennbar und noch deutlich erkennbar tief in den weichen Sandstein hineingefressen. Entworfen wurde der Denkmalturm,
der aussieht wie die Spitze eines Kirchturms von **George Mei-
kle Kemp** (1795-1844). Das weiße Denkmal Scotts darunter
hat **Sir John Steell** (1804-91) aus einem 30t schweren Block
reinsten Carrara Marmors geschlagen. Er schuf auch das
Bronzedenkmal von **Wellington** vor dem Gebäude des **General Register Office of Scotland** (das schottische Staatsarchiv),
wo die North Bridge auf die Princes Street trifft.

Das Hotel **Balmoral** ist ein Luxushotel mit fünf Sternen und war bis in die 1970er Jahre ein Prunkhotel von British Railways. Nach Osten hin und in der Verlängerung der Princes Street wird der Blick am Balmoral vorbei automatisch auf den **Calton Hill** gelenkt, zu dessen Füßen liegt hinter hohen Mauern der **Old Calton Burying Ground**. Es ist ein düsterer Friedhof mit den Gräbern einiger der bekanntesten Persönlichkeiten Schottlands. Robert Adam schuf beispielweise eines der schönsten Grabmale dort, das Mausoleum für seinen Freund aus der Zeit der schottischen Aufklärung, den schottischen Philosophen **David Hume**.

Gleich neben dem Friedhof erhebt sich der Dreißiger-Jahre-Bau des **St. Andrew's House**, in dem staatliche Behörden ihren Sitz haben. Der größte Teil der Verwaltung ist allerdings in den Neubau des Scottish Office nach Leith gezogen oder auch in dem neuen Parlamentsgebäude untergebracht worden.

Schräg gegenüber schaut die ehemalige **Royal Highschool** auf den großen Hügel von Arthur's Seat. Einst trug der heute von Smog geschwärzte, neoklassische Bau der ehemaligen Schule auf Grund seiner Architektur mit dazu bei, dass die Stadt ihren Spitznamen 'Athen des Nordens' bekam. In seiner ersten Funktion als Schule hat der Bau allerdings längst ausgedient. Nach der ersten Volksbefragung 1979 wurde das Gebäude als Sitz für das neue Parlament auserkoren und in der festen Überzeugung umgebaut, dass es zu einer Loslösung von der britischen Zentralregierung käme. Doch daraus wurde zunächst nichts. Als sich dann die Schotten am 11. September 1997 mit überwältigender Mehrheit für die neue Volksvertretung entschieden, waren die Anforderungen der Parlamentarier, Funktionäre und der Technik derart gestiegen, dass nun ein ganz neues Parlament, gegenüber vom Palast von Holyroodhouse, gebaut wurde Wer nicht unbedingt zum Arthur's Seat hinauf marschieren möchte, hat auch vom Calton Hill einen fantastischen Ausblick auf die Stadt. Die Ruine des im 19. Jahrhundert begonnenen **Nationalen Kriegerdenkmals** sollte an die gefallenen schottischen Soldaten während der Napoleonischen Kriege erin-

nern. Doch während des Baus wurde das Geld knapp – und
so ragen von dem beabsichtigten Nachbau des Athener Par-
thenons nur zwölf einsame dorische Säulen in den Himmel.
Oder war das Denkmal in Wirklichkeit so geplant? Die Meinungen gehen darüber auseinander. Im Volksmund wird es
jedenfalls 'Disgrace of Edinburgh' (Edinburghs Schande) genannt. Wer noch höher hinaus will, bekommt, je bei gutem
Wetter, vom 30m hohen Rundturm des **Nelson Tower** einen
Panoramablick. Die unverkennbare Silhouette dieses Turms
ist von vielen Seiten der Stadt und besonders von der Princes
Street aus sichtbar. Gegenüber steht mit seiner runden Kup-
pel das ehemalige **Royal Observatory,** die königliche Stern-
warte, die nach Plänen von James Craig erbaut wurde. Foto-
grafen haben nicht nur bei Sonnenuntergang vom Calton
Hill aus herrliche Motive in Richtung Princes Street und
Castle.

Leith – der Hafen von Edinburgh

Zeitweise war es um die Hafenanlagen von Leith und das benachbarte, längst damit fest verschmolzene **Newhaven,** recht
still, denn 1983 schloss in Leith die letzte Schiffswerft. Die
schützenden Schleusenanlagen können nur noch von den
kleinen bis mittleren Handels- und Kreuzfahrtschiffen passiert werden. Die großen Passagierdampfer wie z.B. die
Queen Elizabeth II und *Queen Mary II* liegen entweder auf
Reede oder weichen nach Rosyth auf die andere Seite des
Firth of Forth aus. Das gesamte Gelände befindet sich jedoch
z. Zt. im Umbau und wird restauriert. Das **Scottish Office** –
die ministerielle Verwaltung des neuen Schottland – zog in
diese Hafenlandschaft und ließ sie wieder erblühen. Inzwischen entstand hinter diesem riesigen Regierungsgebäude der
Ocean Terminal als eines der großen Einkaufszentren der
Stadt. Direkt dahinter liegt seit 1998 das Ziel vieler Besucher
Edinburghs - die königliche Yacht *Britannia.*

Vor wenigen Jahren noch recht heruntergekommen, hat
sich die alte Hafenstadt Leith, die einst eine unabhängige
Stadt war, inzwischen stark geändert. Die Entscheidung, einen Teil des alten Hafengeländes für das Scottish Office zu

nutzen, hat Leith neue Kraft verliehen. Mit einem enormen finanziellen Aufwand wurden die alten Lagerhallen, die Häuserzeilen entlang der Flussmündung des Water of Leith und in anderen Stadtvierteln umgebaut und renoviert. Daraus ergab sich eine interessante und sehr attraktive Mischung aus z.T. Altem und Neuem. Kein Wunder also, das in diesem Teil der Stadt inzwischen die Haus- und Grundstückspreise ebenfalls enorm gestiegen sind. Es gibt Restaurants in allen Preisklassen, wobei für fast alle gilt: sie sind durchweg gut und haben ein internationales Speisenangebot. Vor allem im Hafenbereich gibt es aber immer noch reichlich vom alten Leith zu sehen und zu entdecken.

Wein und Gin

Seit dem 18. Jahrhundert ist Leith als einer der Hauptumschlagplätze von Wein und ganz besonders von Bordeaux (Claret) bekannt. Der Weinhandel wird auch heute noch durch mehrere bekannte Häuser in Leith ausgeübt. Wenig bekannt ist, dass Leith einst einen erheblichen Teil des in Großbritannien vielgetrunkenen Ingwerweins produziert und auch zur Entwicklung der Ginbrennerei beigetragen hat. Im ganzen englisch sprechenden Raum getrunken, musste Gin (Wacholderbranntwein) Mitte des letzten Jahrhunderts seine Vormachtstellung dem Whisky abtreten. Heute erlebt er allerdings eine Art Renaissance. Im engen Zusammenhang damit steht ein neuer ökologischer Wirtschaftszweig in den Borders. Dort ist die ökonomische Bedeutung des Wacholderstrauchs (juniperus communis) und seiner Beeren wiederentdeckt worden. Er wird jetzt dort vermehrt gehegt und angepflanzt.

Leith war bis zum Beginn des 20. Jhs. unabhängig, war aber immer schon der Hafen Edinburghs und die Bewohner von Leith und Edinburgh sind sich heute noch nicht besonders grün, was eine entsprechend lange Tradition hat. Einmal rebellierten die Händler von Leith. Die Kaufleute von Edinburgh leisteten weniger Abgaben, wollten das aber nicht kompensieren und auch nichts vom Geschäft mit Frankreich, England und Skandinavien abgeben. Ein wirksames Druckmittel der Leither Kaufleute war damals der Hafen ihrer

Stadt. Kurzerhand erwarben 1510 die Händler von Edinburgh das benachbarte Fischerdorf Newhaven und wickelten
ihren Warentransport nun über den dortigen Pier ab. In dem
dort entstandenen und für die damalige Zeit großen Hafen
ließ **James IV.** das größte Kriegsschiff Schottlands bauen, die
Great Michael.

Im Laufe seiner Geschichte wurde das eigenwillige Leith
mehrfach auf Befehl des englischen Königs Henry VIII. ge-
plündert und zerstört. 1554 geschah das erneut, als die Engländer, inzwischen unter Henry's Tochter **Elizabeth,** die Stadt
niederbrannten. Die Engländer unterstützten zu dieser Zeit
die schottischen Protestanten gegen die französischen Streit-
kräfte, die sich um die Mutter Maria Queen of Scots – **Marie
de Guise** – geschart und in der Stadt verschanzt hatten. In der
Mitte des 17. Jahrhunderts nahm auch Cromwells General
Monk die Stadt ein und befestigte sie. Trotzdem gab es nicht
genügend und ausreichend Waffen, um sich später gegen den
Piraten John Paul Jones (1747-92) zu schützen. Jones, ein ge-
bürtiger Schotte, wurde während des amerikanischen Frei-
heitskampfs zum Gründer der US Marine. Als Pirat und Feind
der Engländer machte er dann 1779 mit seinen französischen
Fregatten die englischen Küsten unsicher. Dabei wollte er
auch vom Firth of Forth aus die Stadt Leith erpressen. Er
drohte sie unter Beschuss zu nehmen, doch Leith wurde wie
durch ein Wunder davor bewahrt.

Der herrliche und große inzwischen über dreihundert-
jährige **Royal Botanic Garden** ist nicht nur in der Welt der
Botanik berühmt. Gegründet schon im 17. Jh. als Heilkräu-
tergarten, wurde er nach dreimaligem Umzug 1820 endgültig
nach Inverleith in diesen 32 ha großen Park verpflanzt.

Mit seinen über 1.8 Million Pflanzen ist dieser Garten eine der ganz großen Sehenswürdigkeiten Schottlands. Zusammen mit seinen anderen Dependancen in mehreren Regionen
Schottlands scheint sein Artenreichtum schier unerschöpflich
zu sein. Es ist daher wohl auch kein Wunder, dass der Botani-
sche Garten in der Fachwelt für seine wissenschaftlichen
Pflanzenbestimmungen berühmt ist. Obwohl die Gärten zunächst einmal der Wissenschaft gehören, genießen Besucher

neben freiem Eintritt eine über das ganze Jahr ständig variie-
rende Blumenpracht. Das Edinburgher Gelände schließt neuerdings wieder einen riesigen Heidegarten, einen chinesi-
schen Garten, einen alpinen Steingarten, tropische Gewächs-
häuser und eine gewaltige Rhododendronanlage, (die die
größte Sammlung ihrer Art in der Welt sein soll) ein. All das
ist umgeben von einem weitläufigen Arboretum und einem
Park, in dem auch Inverleith House, ein georgianisches Herrenhaus, das heute den passenden Rahmen für ständig wechselnde Kunstausstellungen bildet, liegt.

Stirlingshire, die Trossachs und Loch Lomond

Der zentrale Gürtel Schottlands ist geologisch gesehen ein
Graben, der im Norden und im Süden durch die beiden
Hochlandbereiche eingefasst wird. Vor rund 12 000 Jahren
ging die letzte Eiszeit, deren riesige Gletschermassen die Berge Schottlands geschliffen und gerundet haben, ihrem Ende
entgegen. Sie hinterließ in großen Teilen dieses Flachlands
und besonders um Stirling herum die Basis für Sumpf und
Moor. Bis in das 18. Jh. bildete dieses Moor zusammen mit
dem Firth of Forth einen Riegel vor dem Hochland und war
damit über Jahrhunderte für Schottland immer wieder von
strategischer Bedeutung. Erst die teilweise Trockenlegung des
Moores und landwirtschaftliche Neuerungen gepaart mit
viel tatkräftigem Unternehmertum brachten damals die jetzige brettebene Landschaftsform hervor.

Steil ragen aus dieser Ebene zwei Hügel heraus, die Reste
und Kerne von Vulkanen. Ähnlich wie in Edinburgh, thront
auf dem höchsten, das umgebende Umland beherrschend, die
mächtige Königsburg Stirling Castle. Die Stadt Stirling, heute
mit etwas über 85 000 Einwohnern die Hauptstadt der Region, hat sich darum herum entwickelt. Früher führten die wenigen Wege dieser Gegend alle durch **Stirling**. Wer den Berg
und später Stirling Castle beherrschte, kontrollierte daher
aus dieser Position heraus auch das Land. Schon die Römer
nutzten den merkwürdig steilen Felsen. Dieser ist, wie der
Burgfelsen von Edinburgh, der Basaltkern eines Vulkans, der

vor rund 340 Millionen Jahren erloschen ist und ebenso von den Gletschern geformt wurde. Wegen seiner Bedeutung als Tor zum Hochland kam es um Stirling herum immer wieder zu großen Schlachten. In Sichtweite der Burg fand bei **Bannockburn** im Jahre 1314 die berühmteste Schlacht in der Geschichte des Landes statt. Die Schotten besiegten damals unter der Führung ihres Königs **Robert I.** (Robert the Bruce) das englische Heer, das den Besatzungstruppen in der Festung zur Hilfe kommen wollte. Heute beherrscht die Burg noch immer diese Landschaft und wacht über die Altstadt von Stirling.

Nicht weit von der Stadt Stirling liegt, eingebettet zwischen den beiden Bergen **Ben A'an** (ca. 600 m) und **Ben Venue** (727 m) die Landschaft der **Trossachs**. Das rauhe Land, wie der Name übersetzt het, ist ein Teil der Grenzlinie zum Hochland. Seit über 150 Jahren ziehen die heidebedeckten Hügel und die im dichten, dunklen Wald der Trossachs verborgenen Lochs zahllose Besucher an. Wegen ihrer Unzugänglichkeit war diese Landschaft bis in die jüngere Geschichte Schottlands ein bevorzugter Schlupfwinkel für zwielichtige Gestalten und damit auch ein ideales Versteck für die von den Viehdieben, den *caterans*, gestohlenen Rinder. Außerdem war dieses Gebiet mit seinem Wildbestand ein idealer Jagdgrund für die Könige Schottlands. Später übten dann auch noch die Schwarzbrenner ihr Gewerbe in dieser geheimnisvollen und einsamen Landschaft aus.

Das alles bot **Sir Walter Scott** genügend Stoff für Balladen und Geschichten wie z. B. die Waverley Romane, *The Lady of the Lake* und *Rob Roy*. Die Bücher passten genau in die romantische Periode des 18. Jahrhunderts und erlangten durchschlagenden Erfolg. Zwar gab es schon die Berichte von Dr. Johnson und Boswell über ihre Schottlandreise, doch es war Sir Walter Scott, der den ersten richtigen Touristenboom in Schottland auslöste. Nach dem Erscheinen seiner Bücher kam es zu einem Besucheransturm. Die Leser wollten mit eigenen Augen die Schauplätze sehen, an denen Scotts meisterhaft geschriebenen Geschichten spielten.

Sagen und Legenden, die man sich früher im Volk erzählte, haben dank Scott Eingang in die Weltliteratur gefunden. Sie berichten z.b. von rätselhaften und grausamen *Kelpies* – den Ungeheuern, die zumindest in einem der Lochs der Trossachs hausen sollen. In der reichen Geschichten- und Sagenwelt Schottlands ist ein *Kelpie* (gälisch *each uisge*) ein Wasserpferd, das sich an Land in die verschiedensten Gestalten verwandeln kann, nur um den Menschen dort Unheil zu bringen. Schließlich verwandelt es sich in ein herrliches Ross, den Versuchten lockend und dazu verführend, auf seinem Rücken Platz zu nehmen, um danach in den See zu tauchen und ihn dort umzubringen. Tief in den Wäldern verborgen hütet das kleine Dörfchen **Brig o' Turk** doch tatsächlich auch noch das Geheimniss eines fahrradfressenden Baumes.

Die reisefreudige Königin **Victoria** und Prinz **Albert** haben zu ihrer Zeit diese herrliche Landschaft besucht und aus Victorias Tagebuch ist ihre Begeisterung darüber zu entnehmen.

Loch Katrine, der schönste See der Trossachs, versteckt sich inmitten der Berge. Dieses Wasserreservoir versorgt die 34 Meilen entfernt liegende Großstadt Glasgow. Als vor mehr als 100 Jahren die Gründe für mehrere Choleraepidemien in Glasgow die unhygienischen Verhältnisse der übervölkerten Arbeiterviertel und das verschmutzen Wasser des Clyde identifiziert wurden, wurde in einer einmaligen Ingenieurleistung in viktorianischer Zeit ein Aquädukt von Loch Katrine durch den harten Fels des Hochlands bis nach Glasgow gebaut. Laut Sir Walter Scott lag der von ihm beschriebene Silberstrand dieses Lochs gegenüber der Insel Ellen's Island. Sie gehörte mit zum Versteck der Vieräuber, die mit ihrer Bezeichnung *Caterans* dem See seinen Namen gaben.

Sir Walter Scott's Geschichten waren so herzergreifend und machten diese Landschaft so populär, dass der jetzt über hundert Jahre alte Dampfer, der heute noch über den See schippert, nach diesem großen Schriftsteller benannt wurde. Die **Sir Walter Scott** wurde am Clyde gebaut. Nach der Fertigstellung mußte das Schiff den Loch Lomond hinauf gefahren und dort in seine Einzelteile zerlegt werden. Die wurden auf Packeseln dann bis zum Loch Katrine gebracht und dort wieder zusammengesetzt. Heute dampft das kleine Meisterstück vor der herrlichen Kulisse der Berge, in denen Rob Roy lebte, als einziges Schiff immer noch mit seiner geheimnisvoll zischenden Originalmaschine auf dem See herum.

Rob Roy MacGregor (1671-1734), den Viehhändler und Bandit, der zum schottischen Volkshelden wurde, hat es tatsächlich gegeben. Hollywood drehte 1995 einen Film über sein Leben. Er nahm wegen eines über den Clan verhängten

---

Die Schwarzbrenner der Trossachs

Die wilde Gegend mit ihren zahllosen Verstecken und dem guten Wasser war natürlich auch ideal zum Schwarzbrennen von 'Uisge-beatha', dem 'water of life', heute besser bekannt als Whisky. Bis in die 1830er Jahre wurde dieses Gewerbe mit Leidenschaft und völlig illegal in den Wäldern der Trossachs ausgeübt und natürlich von Regierungsseite mit Nachdruck verfolgt. Der von der Aussenwelt auch heute noch so gut wie abgeschnitten liegende See **Loch Drunkie** hat seinen merkwürdigen Namen aus dieser Zeit. Damals versteckten Schwarzbrenner in ihm ihre Whiskyfässchen vor den Soldaten, die mit den Zöllnern kamen und dabei konnte es wohl geschehen, dass das eine oder andere Fässchen leck schlug. Die Forellen aus Loch Drunkie sollen noch heute einen besonders aromatischen Geschmack haben…

Todesurteils den Mädchennamen seiner Mutter – Campbell – an. Die Geschichte begann, als er dem **Herzog von Montrose**, seinem Landherrn, eine Herde von Rindern besorgen sollte und dafür einen großen Geldbetrag bekam. Das Geld sollte von einem seiner Clanmitglieder abgeholt werden, doch dieser Mann verschwand damit. MacGregor wurde deshalb von Montrose des Diebstahls bezichtigt. Der Herzog konfiszierte MacGregors Herde und zerstörte dessen Haus. Rob rächte sich und wurde zum Viehdieb, der die Herden des Fürsten raubte und diesen erpresste. Natürlich wurde er gefangen, sogar mehrfach, aber es gelang ihm jedesmal unter oft spektakulären Umständen zu entkommen. 1722 unterwarf er sich aber General Wade. MacGregor unterstützte 1715 die

Jakobiter bei Stirling und 1719 in der Schlacht in Glen Shiel tatkräftig und deshalb begnadigte Wade ihn fünf Jahre später.

Das vielbesuchte Grab Rob Roys liegt im Schatten einer romantischen kleinen Kirchenruine in dem malerischen Tal von **Balquhidder.**

Loch Lomond, im Westen der Trossachs, ist ebenfalls noch ‚Rob Roy Land'. 38 Inseln liegen in dem flächenmäßig größten See Großbritanniens. Einige dieser Inseln sind recht groß und befinden sich in Privatbesitz. Die Nordspitze des Sees liegt schon tief im Hochland. Nach Norden und Westen, an die Küste und zu den Inseln, führt der Weg durch die Landschaft von **Breadalbane,** das Land der Campbells.

Glasgow

Glasgow ist mit einer Einwohnerzahl von 577 670 (2004) in Glasgow Citund mit der Umgebung von Greater Glasgow mit zusammen rund 911 000 Menschen die größte Stadt Schottlands. Die Innenstadt mit ihren zahlreichen Sandsteingebäuden des 18. und 19. Jahrhunderts, inzwischen weitgehend vom Staub und Ruß des Industriezeitalters gereinigt, erstrahlt wieder in ihrer alten Pacht. Darüber hinaus ist Glasgow mit seinen rund 40 großartigen Galerien und Museen, 70 Parks und einem interessanten Umland attraktiv und sehenswert. Einkaufsmöglichkeiten gibt es in dieser Stadt genauso viele und gute wie in jeder anderen Großstadt. Es ist jedoch leider nicht zu übersehen, dass Glasgow in weiten Teilen von der Industrie des 19. Jahrhunderts und den städtebaulichen Auswüchsen der 1960er und 1970er Jahre geprägt wurde.

Im 19. Jahrhundert erlebte die Stadt eine einzigartige Blüte. Sie wuchs zu einer derartigen Größe und Bedeutung, dass sie nach London zur zweiten Metropole des britischen Imperiums wurde. Besonders die Schwerindustrie hat Glasgow geprägt. So wurde einst jedes dritte Schiff Großbritanniens in einer der rund 50 Werften am Clyde auf Kiel gelegt und jede fünfte Lokomotive der Welt in den Fabriken dieser Stadt gebaut. Nach dem ersten Weltkrieg begann der Niedergang mit Massenarbeitslosigkeit und in den 1960er Jahren war der Druck durch billigere Arbeitskraft in anderen Ländern nicht mehr aufzuhalten. Die Docks und Fabriken schlossen zu einem großen Teil, das Empire schrumpfte, Arbeitsplätze gingen so zahlreich verloren, dass die Arbeitslosenquote auf 35% anstieg. Häuserruinen bestimmten sehr bald das nun chaotische Stadtbild. Alt und neu prallten oft so hart aufeinander, wie sonst nirgendwo im Land.

Doch die Schaffenskraft und der Lebensmut der Menschen Glasgows sind so stark, dass sich die Stadt schon mehrfach am eigenen Schopf aus dem scheinbar ausweglosen Sumpf gezogen hat. So präsentierte sich Glasgow, passend zur Jahrtausendwende, als Stadt der Architektur in harmonischer Pracht von alt und neu. Eine wirkliche Überraschung war es, als Glasgow 1990 zur Kulturhauptstadt Europas gewählt wurde. Der frische Wind, der dadurch in der Stadt wehte, ist auch heute noch überall zu spüren. Mehr und mehr erscheinen die viktorianischen Sandsteingebäude nach diversen Sanierungsaktionen wieder im Original-Ockerton oder im Rot des warmen Buntsandsteins. Sogar in den einstigen Armenvierteln des East End (Gorbals) wird an vielen Stellen renoviert.

Die Stadt hat viele Höhen und Tiefen erlebt und sie hat einen speziellen Menschenschlag geschaffen, der dazu auch noch mehrere sehr ausgeprägte Dialekte spricht. Die Stadt ist stolz auf ihre Vergangenheit und präsentiert sich der oft voreingenommenen Welt mit vielen schönen Seiten. Die zahlreichen Grünanlagen wurden teilweise schon in der viktorianischen Zeit als Erholungsgebiete für die damals auf engstem Raum lebenden Menschen angelegt. Die grüne Bewegung ist zwar in Schottland noch nicht so ausgeprägt wie in Deutschland, doch entsteht auch in Glasgow inzwischen mehr und mehr ein Bewusstsein für ökologische Belange. Der Clyde, der Fluss, der diese Stadt formte und von ihr geformt wurde, war in der Vergangenheit stark verschmutzt, mittlerweile haben entsprechende Maßnahmen aber dazu geführt, dass man dort heute wieder Lachse fangen kann.

Die Stadt bietet ein weitaus größeres Kulturangebot, als vielleicht vermutet wird. Es gibt sehr viele **Museen** und **Galerien** deren Besichtigung zum Teil kostenfrei ist. **Theater, Ballett** und **Konzerte** werden in modernen oder schön restaurierten Häusern veranstaltet. **Rangers** und **Celtic** die beiden größten und berühmtesten Fußballvereine liefern natürlich die breiteste Unterhaltung.

In Glasgow fährt die (modernisierte) drittälteste U-Bahn der Welt - und gleichzeitig auch die einzige in Schottland. Ein Besuch in dieser lebendigen und sich ständig verändernden Stadt lohnt sich allein schon wegen der ausgezeichneten Beispiele viktorianischer Baukunst und der Vielzahl großartiger Bauten Zentrum der Stadt, zu denen ständig neue hinzukommen. Die große Universität mit ihrem neugotischen Profil von **Sir George Gilbert Scott** (1811-1878) ist da als Beispiel besonders nennens- und sehenswert. Es ist allerdings nicht das Originalgebäude der 1451 gegründeten Universität Die Verhältnisse und Slums um deren ursprünglichen Standort im Osten Glasgows herum war Mitte des 19. Jahrhunderts für den Lehrkörper wie auch die Studenten völlig untragbar geworden. Deshalb wurden die historischen Bauten abgerissen und von 1864-1870 eine neue Universität an der heutigen Stelle auf Gilmorehill hoch über dem Fluss Kelvin gebaut. Das große schmiedeeiserne Eingangstor wurde 1951 anlässlich des 500. Jubiläums gestiftet. Geschmückt ist es mit den Namen wie James II., Hunter, Kelvin, Watt u.a., die hier studiert und gelehrt haben und so auf ewig mit dieser Institution verbunden sind. Ebenso sehenswert ist das südlich davon am Clyde gelegene große Messe- und Konferenzzentrum des SECC (Scottish Exhibition & Conference Centre), wegen seiner höchst eigenwilligen Architektur Armadillo (Gürteltier) genannt. Gegenüber, am anderen Ufer des Clyde, befindet sich Glasgows neuste Attraktion mit seinen fast schon utopisch wirkenden Gebäuden und mit dem mit über 130 m höchsten Drehturm der Welt, das **Glasgow Science Centre.**

Die Stadt hat sich in den letzten 30 Jahren gewaltig gewandelt. Sie ist so vielseitig geworden, dass Glasgow 1999 sogar zur Architekturstadt Europas gewählt wurde. Mag das die kleinere Hauptstadt Edinburgh im ewigen Zwist zwischen den beiden auch schmerzen, Tatsache ist, dass die Jugend Glasgow Anfang 1998 zur coolsten Stadt im vereinten Königreich gewählt hat.

Was Edinburgh recht ist, ist Glasgow gerade einmal billig. Ist die Hauptstadt bekannt für ihre Festivals, so eifert ihr Glasgow darin erfolgreich nach. Jährlich im Januar findet in der Stadt das fünftgrößte Musikfestival der Welt statt, die **Celtic Connection**. Später im Jahr dann folgt das inzwischen über die Grenzen Schottlands bekannte Spektakel des **T in the Park**.

Nach vielen Jahrhunderten, während derer Glasgow nur als kirchliches Zentrum bekannt war, fassten sich einige sehr unternehmerische und risikofreudige Kaufleute ein Herz und begannen am Anfang des 18. Jahrhunderts Tabak aus der englischen Kolonie Virginia in Amerika zu importieren. Der Tabakhandel machte diese Stadt extrem reich, denn die cleveren Händler hielten bald das Tabakmonopol Europas in ihren Händen. Diese **Tabakbarone**, wie sie bald genannt wurden, ließen um 1750 prunkvolle Wohn- und Geschäftshäuser bauen, um ihren Wohlstand zu demonstrieren. Im Laufe der Zeit zogen dann weitere wohlhabende Kaufleute nach Glasgow. Heute ist das ehemalige Handelszentrum – die **Merchant City** – einer der Stadtteile, die mit vielen restaurierten viktorianischen Häuserfassaden, Restaurants und zahlreichen Geschäften den attraktiven Stadtkern Glasgows bilden. In den Unabhängigkeitskriegen Amerikas verloren die Tabakkaufleute alle ihre Ländereien und trotzdem wurde der von ihnen kurz zuvor begonnene **George Square** noch nach dem damaligen britischen König benannt. Das Denkmal, auf dem Georg III. thronen sollte, wurde allerdings im Nachhinein Sir Walter Scott zugedacht. Der George Square, der heutige Mittelpunkt Glasgows mit den Statuen von Königin Victoria, Prinz Albert, sowie zwölf berühmter Schotten, wird von dem prachtvollen Rathaus (City Chambers) dominiert. 1888 wurde es von Königin Viktoria eröffnet. Dieser extravagante Renaissance-Palast betont die Bedeutung und den Reichtum Glasgows als zweitwichtigste Stadt in der imperialen Zeit Großbritanniens. Seine üppige Ausstattung mit italienischem Marmor, Alabaster und Mahagoni, den neoklassischen Treppenaufgängen und der reichverzierten BJanketthalle machte dieses Rathaus zu einem der prächtigsten Gebäude des britischen Weltreichs im 19. Jahrhundert. Es können Führungen gebucht werden. Nur ein paar Schritte weiter vom Rathaus liegt das sogenannte Italian Center mit den Geschäften der bekanntesten Designer: Camice, Mondi, Gucci, Armani und anderen.

Das Wappen dieser Stadt ist ungewöhnlich. Es erzählt mit seinen eigenartigen und untypischen Symbolen die Geschichte des Gründers von Glasgow – **St. Mungo** (ca. 520 - ca. 612). Sein weltlicher Name war **Kentigern**. Es heißt, dass dieser Heilige mit der Kraft seines Gebetes mehrere Wunder vollbracht haben soll. Man sagt, er habe einen Vogel wieder zum Leben erweckt, ein erloschenes Feuer wieder entzündet und einer Sünderin mit Hilfe eines Fischs ihren Ring wiederbeschafft. Der Papst muss darüber wohl selbst sehr erstaunt gewesen sein, denn er schickte St. Mungo als Ehrerweisung eine Glocke. Deshalb sind dann all diese Gegenstände: der Vogel, das Feuerholz – das heute ein Baum ist – der Ring mit dem Fisch und die Glocke zu diesem eigentümlichen Wappen zusammengesetzt worden. St. Mungo war es wohl auch, der mit dem Bau der ersten kleinen Kirche begann. Um die folgenden Vorläufer des jetzigen Baus herum scharte sich dann eine allmählich wachsende Ansiedlung. Die **Kathedrale** von Glasgow wurde im späten 12. Jahrhundert begonnen und mit dem Kirchenschiff im 14. Jahrhundert vollendet. So legte St. Mungo gleichzeitig den Grundstein für die Stadt. Nach Bränden und Zerstörungen überstand das gotische Bauwerk äußerlich fast unbeschadet die Reformation in Schottland. Die Kirche wurde zum Glück auch durch die Kriegseinwirkungen nicht in Mitleidenschaft gezogen. Das Innere wurde während der Reformation jedoch vieler seiner damaligen Schätze beraubt. An der Wand des **Chapter House** (Kapitelhaus) sind aber noch die Namen der Bischöfe und Minister dieser Kathedrale und Kirche aufgeführt. Das Grab Mungos befindet sich in der **Laigh Church** der Unterkirche, die keine

Krypta ist. Interessant ist dort vor allem auch die Architektur des regelrechten Säulenwalds, der die wuchtigen Gewölbe und damit den ganzen oberen Kirchenbau trägt. Die Kathedrale, wurde nach der Reformation eine Gemeindekirche und ist heute Teil der presbyterianischen Church of Scotland.

Auf einem Hügel dahinter ragen die Kreuze und Monumente der **Nekropolis** in den Himmel. Auf diesem, dem Pariser Père Lachaise nachempfundenen Friedhof, schuf sich die städtische High-Society des 19. Jahrhunderts ihre Mausoleen.

Durch die zahlreichen Einwanderungswellen in seiner Geschichte ist Schottland von recht verschiedenartiger ethnischer Zusammensetzung. In Glasgow und Edinburgh leben viele, oft größere Gruppen von Einwanderern aus den Staaten des Commonwealth, vor allem aus Pakistan und Westindien. Nach dem Schrecken des Niedergangs der Tabakbarone im 18. Jahrhundert verhalf besonders die vielschichtige, polyglotte Bevölkerung Glasgows dieser Stadt zu neuer Blüte. Als ein Ausdruck der Verbundenheit der Menschen dieser verschiedenen Kulturen untereinander in ihrer Stadt, wurde deshalb 1993 im Schatten der einstigen Kathedrale das beeindruckende **St. Mungo's Museum of Religious Life and Art** eröffnet. Diese Ausstellung versucht, das Kultur- und Gedankengut der wichtigsten Weltreligionen, die in dieser Stadt vertreten sind, unter einem Dach zu präsentieren. Die ethnischen Gruppen haben alle durch Stiftungen vieler Exponate zu der Ausstellung beigetragen und lassen sie dadurch zu einem bemerkenswerten Erlebnis werden. Von den zahllosen wertvollen Objekten ist das wahrscheinlich teuerste Stück das faszinierende Gemälde Johannes am Kreuz von Salvador Dali.

Gegenüber vom St. Mungo Museum steht das kleine **Provant Lordship's House** aus dem Baujahr 1471. Es ist das älteste Haus von Glasgow und schon Mary Queen of Scots und sogar ihr Vater sollen es besucht haben.

Glasgow Green ist einer der bekanntesten der rund 70 Parks von Glasgow. Dort hängte man früher seine Wäsche auf und die Wäschepfähle stehen auch heute noch dort.

James Watt spazierte auf diesem Rasen und hatte hier seine geniale Idee für den separaten Kondensator als Grundlage für die effektivere Dampfmaschine. Später wurde der Park für Freizeitvergnügen genutzt. Golf und Fußball wurden gespielt (Rangers FC 1875) und eine Reihe von mehr oder weniger interessanten Denkmalen wurden errichtet. Der **People's Palace** mitten im Glasgow Green ist für die Besucher der Stadt ebenfalls ein Muss. Neben seinem kürzlich restaurierten viktorianischen Wintergarten mit Palmen unter viel Glas wird im Hauptgebäude jetzt die Geschichte Glasgows und der Einwohner mit ihren verschiedenen Problemkreisen wie der Arbeiter- und Frauenbewegung sehr ansprechend aufbereitet.

In unmittelbarer Nähe davon steht ein Gebäude, das dieser Stadt 1999 wohl unter anderen zu der Auszeichnung als Architekturstadt Europas verholfen hat. **Templeton's Teppichfabrik** hat für ein Industriegebäude, das es einmal war, ein wohl einzigartiges Design. Die Teppichhersteller Templeton beauftragten **William Leiper** (1839-1916), einen der seinerzeit bekanntesten Architekten, ein Gebäude von unübertroffener Architektur zu entwerfen und Leiper baute 1889 den venezianischen Dogen-Palast nach. Längst ist die Teppichfabrik daraus verschwunden und heute ist der immer noch genauso prächtige Bau Teil eines Bürohauses.

Im **Pollok Country Park** zeigt die **Burrell Collection** eine der umfassendsten, interessantesten und wertvollsten Ausstellungen Europas. Sie birgt über 8000 teilweise einzigartige Ausstellungsstücke: von antiken europäischen Kunstwerken, Möbelstücken, mittelalterlichen Glasmalereien, Teppichen bis hin zu Prachtstücken aus Ägypten und dem Orient, sowie verschiedene Gemäldesammlungen. Alle Exponate stammen aus der Privatsammlung, des reichen Reeders **Sir William Burrell** (1861-1958), die er der Stadt gestiftet hat. Die aussergewöhnliche Sammlung wurde nach den besonderen Wünschen des Stifters in einer speziell dafür gebauten Galerie eingerichtet. Die Burrell Collection wurde 1983 in einem Park im Zentrum der Stadt eröffnet, der wiederum von der alteingesessenen Familie Maxwell 1966 gestiftet worden war. Pollok House, das palastartige Landhaus der Maxwells, die achthundert Jahre lang in dieser Region lebten, liegt unweit der Burrell Collection und war Teil der Stiftung. In dem Haus werden Bilder von Goya und El Greco sowie Einrichtungsgegenstände aus dem 18. Jahrhundert aus der Privatsammlung von Sir William Stirling Maxwell (1818-78) gezeigt.

Dampferfahrten auf dem Clyde

Wunschtraum eines jeden Mannes ist aber wohl die Fahrt mit dem letzten immer noch seegängigen Schaufelraddampfer der Welt, der ‚Waverley'. Man sollte auf gar keinen Fall eine Besichtigung des Maschinenraumes versäumen. Im Frühjahr verlässt dieses herrliche Relikt sein Winterquartier am Anderston Quay. Von Juni bis August schippert der Dampfer auf seinen zahlreichen Ausflugsfahrten wieder 'doon the water'. Dieser Ausdruck wurde von den alten Glaswegians geprägt, die früher auf ihm und anderen Dampfern ihre Ausflugsfahrten den Clyde hinunter bis Dunoon machten. Heute fährt die Waverley auch noch zur Halbinsel Cowal, nach Rothesay auf der Insel Bute und weiter die Westküste hinunter.

Im weitläufigen **Kelvingrove Park**, zu Füßen der Universität, steht eines der imposantesten Gebäude Glasgows – die **Kelvingrove Art Gallery**. Dieses Haus wurde 1901 erbaut und ist mit dem angeschlossenen Naturkundemuseum und den ständig wechselnden Ausstellungen mit über einer Millionen Besuchern pro Jahr die bestbesuchte eintrittfreie Sehenswürdigkeit in Schottland. Gegenüber kommen dazu dann noch zwei z.T. viktorianische Gebäude, die aneinandergrenzen und ebenso beeindruckend sind: die **Kelvingrove Hall** und das anschließende, höchstinteressante **Museum of Transport** mit zahllosen Exponaten der hier gebauten Transportmittel – von den Lokomotiven bis zu den Schiffen (im Modell). Nicht weit davon liegt auf dem Hügel die fünfhundert Jahre alte **Glasgow University** mit dem Visitor Center und dem sich anschließenden ältesten Museum der Stadt, dem **Hunterian Museum** aus dem Jahre 1806. Gegenüber der Universität werden in der **Hunterian Art Gallery** Gemälde von Chardin, Whistler und Rembrandt und Wechselausstellungen gezeigt. Im Depot werden rund 15 000 Drucke aufbewahrt. Ein Anbau dieser Galerie zeigt die Wohnung mit dem Schatz der Originalmöbelstücke von einem der berühmtesten Söhne der Stadt – **Charles Rennie Mackintosh.**

Zu Füßen des Hügels und in der Nähe des Flusses Kelvin steht das Denkmal von **William Thomson,** Lord Kelvin (1824-1907). Thomson, der als Thermodynamiker u.a. den absoluten Temperatur-Nullpunkt festlegte und eine Vielzahl von Pioniertaten in der Elektrophysik vollbrachte, war einer der herausragenden Wissenschaftler dieser Universität.

Exkurs: Charles Rennie Mackintosh – Architektur im schottischen Jugendstil

Charles Rennie Mackintosh (1868-1928) war eines von elf Kindern eines Polizeisuperintendenten aus Glasgow. Im Alter von 28 Jahren entwarf Mackintosh die Kunsthochschule **The Glasgow School of Art,** an die er aufgenommen worden war, auf revolutionäre Weise neu. Nach seinen Entwürfen wurde diese Kunsthochschule so gebaut, wie sie auch heute noch zu sehen ist und genutzt wird. Sein architektonisches Meisterwerk legte den Grundstein für die neuen Ideen in Architektur und Design des späten 19. und beginnenden 20. Jahrhunderts.

Mackintosh und seine Frau **Margaret Macdonald,** deren Schwester **Francis** und ihr Mann **Herbert MacNair** wurden später berühmt als The Glasgow Four. Das ‚Kleeblatt' beeinflusste mit dem Glasgow-Stil die gesamte europäische Stilrichtung des Art Nouveau. Im restlichen Großbritannien gab es nichts Gleichwertiges.

Mackintoshs Entwürfe für verschiedene kommerzielle und öffentliche Bauten riefen teilweise erhebliche Kritik hervo. 1896 konnte Mackintosh einen weiteren großen Erfolg feiern. **Kate Cranston,** die Gönnerin und Besitzerin eines kleinen Teehaus-Imperiums in Glasgow, beauftragte ihn mit der Gestaltung ihrer Teehäuser in der Buchanan Street und an anderen Orten der Stadt. Mackintosh und seine Frau schufen dafür das gesamte Interieur bis hin zu Teekannen, Serviettenhaltern und Zuckerlöffeln und kreierten so ein kompaktes und komplettes Kunstwerk.

In Helensburgh, nicht weit von Glasgow, baute er für den Verleger William Blackie eines der beeindruckendsten Privathäuser der Epoche. Außen- und Innarchitektur von **Hillhouse** sind bis ins kleinste Detail genau aufeinander abgestimmt. Heute steht es unter der Obhut des National Trust for Scotland, ist aber der Öffentlichkeit zugänglich.

In Deutschland beteiligte sich Mackintosh an einem Wettbewerb des Darmstädter Verlegers Alexander Koch. Seine erfolgreichen Pläne (Ehrenpreis) für das **Haus eines Kunstfreundes** wurden erst 1997 mit dem Bau des gleichnamigen Hauses in Glasgow in die Tat umgesetzt.

Zu Beginn des 20. Jahrhunderts verstand Mackintosh es, das Traditionelle der schottischen Architektur gekonnt mit neuen Elementen zu verbinden. Beides gelang ihm so meisterhaft, dass seine Zeitgenossen, die Wiener Sezessionisten Gustav Klimt, Hermann Muthesius, Otto Wagner, Ludwig Baumann ihn in Deutschland und Österreich enthusiastisch feierten. Auch heute noch gilt, was Muthesius seinerzeit über Macintosh sagte: „In jeder Aufzählung kreativer Genies der modernen Architektur muss Charles Rennie Mackintosh zur Spitze gezählt werden".

Obwohl weitere Aufträge wie **The Willow Tea Room, Scotland Street School, Ruchill Church Hall** und **Martyr's Public School** folgten, wurde zunehmend offensichtlicher, dass das damalige Verständnis weder in Glasgow noch in Schottland reif genug für Mackintoshs extravagantes Design und sein Konzept von Architektur als Gesamtkunstwerk war. Dazu kam eine ständig zunehmende Missgunst in der Branche und besonders in seiner Geschäftspartnerschaft mit dem Architekturbüro **Honeyman and Keppie.** 1914 verließ Makkintosh mit seiner Frau Glasgow enttäuscht und frustriert.

Der einsetzende Erste Weltkrieg brachte dann das Ende dieser Kunstrichtung. Mit seiner Frau versuchte Macintosh zwischen 1923 und 1927 noch eine neue Karriere als Maler in Südfrankreich aufzubauen. Er schuf dort einige bemerkenswerte Aquarelle, die heute neben anderen namhaften

Künstlern des 20. Jahrhunderts in den Galerien der Welt hängen – seinerzeit erzielten sie aber nicht die gewünschte Aufmerksamkeit. Verarmt und an Zungenkrebs erkrankt, starb Mackintosh am 11. Dezember 1928 in London. Seinetwegen wurde die Stadt Glasgow zur Pilgerstätte für Kunst- und Architekturenthusiasten aus der ganzen Welt.

Die Ostküste und das Herz Schottlands

Das fruchtbare Land des zentralen Landesteils zieht sich in einem nach Nordosten allmählich schmaler werdenden Streifen die Küste hinauf bis kurz vor Aberdeen. Das ist auch das bestimmende Bild der Region von **Fife**, wo Äcker und Felder das weite flache Land überziehen. Einige durch Eis und Erosion gerundete Hügel, wie die **Lomond Hills** ragen als vulkanische Überreste längst vergangener Zeiten allerdings daraus hervor

Wie Perlen einer Kette liegen die malerischen Fischerdörfer des **East Neuk of Fife** (*neuk* ist das schottische Wort für Ecke) aufgereiht am Ostausgang des Firth of Forth. Weiter nordwärts liegen Felsbuchten und rote Sandsteinklippen an der Küste von **Angus**. In der Naturlandschaft des Hochlandes von **Perthshire** laden die Seen und Täler zu Ausflügen und zum Erholen und Erforschen ein. Eines der auffälligsten Merkmale im Nordwesten dieser Landschaft ist aber die Linie der Berge, die den eigentlichen Beginn des Hochlands markieren.

Perth und **Dundee** sind beides geschichtsträchtige Städte eingebettet in diese abwechslungsreiche Landschaft wie die Dörfer und Kleinstädte **Pitlochry**, **Dunkeld** und **Aberfeldy**, die teilweise ebenfalls eine bewegte geschichtliche Vergangenheit haben.

Dunfermline war der Sitz der frühen keltischen Könige in Schottland. Die Abtei und der königliche Palast sind heute noch erhalten. Bei Restaurierungsarbeiten wurden in der mächtigen romanischen Kathedrale die sterblichen Überreste von Robert the Bruce gefunden, der wie viele andere Könige Schottlands, ein Wohltäter der Abtei in Dunfermline war. Die alten, Mauern von **Abbot House,** das in der Nähe der Abtei liegt, bergen ein kleines Museum, das die Besucher auf eine Reise durch 2000 Jahre schottischer Geschichte schickt. Aufschlussreich erklärt dort im oberen Stockwerk die von dem zeitgenössischen Romanautor und Maler Alisdair Gray (1934) als Deckengemälde gestaltete Zeittafel die Geschichte des schottischen Königshauses. Dunfermline hat von einem Mann sehr profitiert, der 1835 dort als Sohn eines armen Webers geboren wurde – **Andrew Carnegie** (1835-1919). Carnegie begann als Tellerwäscher in seiner neuen Heimat Amerika und machte u.a. mit Handel von Stahlaktien, Eisenindustrieanlagen, Eisenbahnen etc. ein gewaltiges Vermögen. Doch das befriedigte ihn nicht. Er verkaufte den größten Teil seiner Anlagen und wurde zum Wohltäter. Nie vergaß dieser reichste Mann der Welt seine alte Heimatstadt. Mit der Maßgabe Parks anzulegen, Schwimmbäder zu bauen und Bibliotheken einzurichten beschenkte er sie und viele andere Städte und Gemeinden in Schottland großzügig mit Millionen von Dollars. Die Stiftung mit seinem Namen unterstützt noch heute Projekte von allgemeiner und wissenschaftlicher Bedeutung. Wie auch in anderen Teilen des Central Belt, spielt die Elektronik in der Umgebung der Stadt ebenfalls eine große wirtschaftliche Rolle.

Ganz in der Nähe von Dunfermline liegt der Ort **Culross.** Mit seiner besonders gut erhaltenen Architektur des 17. und 18. Jahrhunderts, den engen Gassen und dem Kopfsteinpflaster ist es eines der malerischsten Städtchen der schottischen Lowlands.

Eines der größten Aquarien Grßbritanniens, **Deep Sea World,** der große Publikumsmagnet in Fife, liegt östlich von Dunfermline unmittelbar im Schatten der Forth Railway Bridge. Dort geht der Besucher in einem über 100 m langen Plexiglastunnel trockenen Fußes durch das Wasser und begegnet hautnah Haien und anderen furchterregenden Bewohnern der Meere.

Der Küstenstrasse am Firth of Forth folgend und auf dem Weg nach St. Andrews, kommt der Reisende durch eine Kette kleiner zauberhafter Fischerdörfer. Diese Landschaft am Nordausgang des Forth trägt den merkwürdigen Namen ‚East Neuk von Fife'. Deutlich treten hier die alten Verbindungen Schottlands zu Europa zutage, zeigen doch die älteren Häuser ganz deutlich holländische Einflüsse. Dachpfannen und bunte Fassaden waren im Schottland der Vergangenheit nicht üblich und sind fast nur in diesem Teil des Landes zu finden. Einst wurden Dachziegel in den kleinen Schiffen, die in die Niederlande pendelten, von dort als Ballast zurückgebracht. Dörfchen, wie beispielsweise **Pittenweem** oder auch **Crail** bekunden mit ihren kleinen Häfen und hübschen Häuschen ihre traditionellen Beziehungen zum Kontinent.

Largo, ein anderes Fischerdörfchen am Firth of Forth, hat ebenfalls eine lange Seefahrertradition. Largo ist der Geburtsort von **Alexander Selkirk** (1676-1721). Er wurde auf der Insel Juan Fernandez vor der chilenischen Küste ausgesetzt wurde, lebte dort allein zwischen 1704 und 1709 und

---

Wie das Kreuz in die Flagge kam

Die Nationalflagge Schottlands zeigt ein weißes Andreaskreuz auf leuchtendem Blau. **St. Andreas** war ein Apostel und ein Bruder des heiligen Petrus. Er verbreitete das Christentum in Kleinasien und der Legende nach wurde er 69 n. Chr. auf der Insel Patras an einem diagonalen Kreuz hingerichtet denn er erachtete sich nicht für würdig genug, auf gleiche Weise wie Jesus Christus gekreuzigt zu werden. Ein kleiner Teil seiner Gebeine soll der hl. **Regulus** der Legende nach auf ein Geheiß Gottes vor den Römern in Sicherheit nach Schottland gebracht haben. Bereits im elften Jahrhundert galt St. Andrew als unumstrittener Schutzheiliger des Landes und seit dem 14. Jahrhundert wird ein weißes Andreaskreuz auf dunklem Grund in schottischen Bannern geführt. Die Legende will aber schon einen piktischen Ursprung des Motivs kennen. Das Blau setzte sich jedoch erst im 17. Jahrhundert durch.

---

inspirierte mit seinen Abenteuern Daniel Defoe 1719 zu dessen Robinson Crusoe. Im nahegelegenen Anstruther dokumentiert das Scottish Fisheries Museum den niemals endenden Kampf mit der See. Klippen und goldene Sandstrände wechseln sich immer wieder zwischen diesen Dörfern und entlang der Küste ab. Überall auf dem flachen Land stehen die niedrigen Häuser, mit den Giebeln in die Hauptrichtung des Windes gebaut, um ihm möglichst wenig Angriffsfläche zu bieten. Der Wind weht hier fast ständig und beugt auch die Kronen der wenigen Bäume.

St. Andrews war im Mittelalter die kirchliche Hauptstadt Schottlands und St. Andrews University ist die älteste Universität des Landes. Als sie 1412 gegründet wurde, war sie nach Oxford und Cambridge in England erst die dritte Universität in Großbritannien.

Gesegnet ist dieser Ort jedoch mit dem wohl berühmtesten Golfplatz der Welt, dem **Old Course**. Dadurch ist das Städtchen wahrscheinlich noch besser als die Heimat des Golfspiels bekannt. Fest steht aber, dass für die meisten Golfer St. Andrews das Mekka der Golfwelt ist. Über dieses Spiel und seine Ursprünge sind schon ganze Bibliotheken gefüllt worden. Das **British Golf Museum** zeigt eine Vielzahl von Aspekten des Sports und der Spieler von gestern und heute. Der Ursprung der Stadt und auch ihr Name hat einen kirchengeschichtlichen Hintergrund. Reliquien des Heiligen Andreas kamen im frühen achten Jahrundet hierher. Um sie herum entstand die seinerzeit größte Kathedrale Schottlands, die leider heute nur noch ene beeindruckende Ruine ist. Diese Ruine und der ehemalige Bischofsitz **St. Andrews Castle** mit seiner unheimlichen unterirdischen Architektur zählen für die meisten Besucher zu den Hauptattarktionen der Stadt. Ein Bummel empfiehlt sich durch diese alte und doch sehr jung gebliebene Stadt, über Kopfsteinpflaster und durch enge Gassen, vorbei an einer ganzen Anzahl kleiner, manchmal recht teurer Geschäfte und am **St. Andrews Sea Life Center** vorbei bis hinunter zum Golfplatz am 16 km langen Strand.

Angus und Dundee

Mit ca. 141 870 Einwohnern (2004) ist **Dundee** die viertgrößte Stadt Schottlands. Ihre Wurzeln liegen in prähistorischer Zeit, doch wuchs sie erst richtig im elften Jahrhundert und wurde später durch ihre strategisch wichtige Position am breiten Mündungstrichter des Tay bedeutungsvoll. Vom **Dundee Law,** der höchsten Erhebung in der Mitte der Stadt, reicht der Blick über Dundee, die Masten der Discovery und über den Tay hinüber nach Fife. Die Straßen- und die Eisenbahnbrücke, die sich über den Fluss spannen, verbinden die Stadt mit der Region Fife. Das Vorgängerbauwerk der Eisenbahnbrücke wurde nach seinem tragischen Einsturz am 28. Dezember 1879 durch Theodor Fontanes Gedicht *Die Brükke am Tay* auch in Deutschland bekannt.

Die **Discovery,** wurde in Dundee speziell für die Polarexpedition von Kapitän **Robert Falcon Scott** (1868-1912) gebaut. Sie stand bei seinem verhängnisvollen Versuch, den Südpol zu erobern, unter seinem Kommando. Heute liegt das Schiff permanent im Hafen der Stadt an dem dafür speziell erbauten Discovery Point und kann natürlich besichtigt werden. In dieser Hafenstadt mit ihren maritimen Traditionen gibt es aber auch eine reiche Auswahl an Geschäften, Pubs und Restaurants sowie das älteste, leider mastlose, aber immer noch seetüchtige britische Kriegsschiff **Unicorn,** Baujahr 1824. Darüber hinaus bietet Dundee viel Industriegeschichte, denn die Stadt war Jahrhunderte lang ein Zentrum der Herstellung von Jute, Waltran und Zeitungen. Die Jutefabrikation wurde erst mit Schließung der letzten Weberei im Dezember 1998 eingestellt.

Die Region **Angus,** nördlich von Dundee, ist teilweise von einer felsigen Küste gesäumt. Dort gibt es verborgene Buchten und um **Montrose, Lunan Bay** und **St. Cyrus** herum herrliche Sandstrände. In dieser Gegend sollen sich auch allerhand schaurige Schmugglergeschichten ereignet haben.

Arbroath ist immer noch ein wichtiger Fischereihafen. Bekannt ist das Städtchen nicht nur wegen seiner nach ihm benannten Bücklinge. In der Abtei von Arbroath, die heute leider auch nur noch eine Ruine ist, wurde 1320 mit der **Deklaration von Arbroath** Geschichte geschrieben. Sie war das erste Manifest in der Weltgeschichte, durch das ein Volk als eine Volksgemeinschaft eine Willenserklärung abgab, indem es seine gemeinsame nationale Identität bekundete.

Nicht weit von Montrose ist das **House of Dun** mit seiner prunkvollen Innenausstattung ebenso sehenswert wie der formal angelegte Garten von **Edzell Castle** nicht weit davon.

Das größte Schloss in dieser Region ist **Glamis Castle** (sprich Glams) und ist heute noch der Sitz des Grafen von Strathmore und Kinghorn. Die Geschichte dieses Schlosses und der einstigen Burg ist durch das Drama Macbeth weltbekannt. Glamis spielte darüber hinaus noch öfter in der schottischen Geschichte eine Rolle, es ist z.B. auch das Geburtshaus der verstorbenen Königinmutter und ihrer Tochter, Prinzessin Margaret.

Glamis Castle

Perthshire

Im Zentrum von Perthshire, das oft als schönste Region Schottlands gepriesen wird, liegt mit knapp 44 000 (2001) Einwohnern eine der ältesten Städte des Landes: **Perth.** 1828 schrieb Sir Walter Scott in seinem Roman *The Fair Maid of Perth*: „Wenn ein intelligenter Besucher gebeten würde, die abwechslungsreichste aller schottischen Provinzen zu beschreiben, würde er wahrscheinlich die Grafschaft Perth nennen".

Perth, bzw das Umland war schon vor und auch während des Mittelalters ein geschichtlich ereignisreiches aber auch ein kulturelles Zentrum des Landes. Die **Römer** hatten an dieser Stelle am Tay ein wichtiges Fort. Später errichteten die Pikten in unmittelbarer Nähe ihre Hauptstadt - das alte Dörfchen Scone. 843 n. Chr. vereinte Kenneth MacAlpin in Scone die Scoten und Pikten auf sehr drastische Weise, indem er die piktischen Häuptlinge einfach köpfen ließ. Kenneth und über 20 schottische Könige wurden in den folgenden Jahrhunderten auf dem für Schottland sehr bedeutsamen **Coronation Stone** gekrönt. Der **Stone of Scone** – später bekannt als **Stone of Destiny** – war für die Schotten so symbolträchtig, dass der englische König Edward 1. ihn 1296 raubte, nach Westminster brachte und unter den Krönungsthron legte. Alle folgenden Könige Englands saßen somit auch über Schottland auf dem Thron auch wenn es nur symbolisch war. Der Stein blieb dort für die nächsten 700 Jahre. Anlässlich der Wiederkehr dieses geschichtsträchtigen Datums wurde der Stein den Schotten im November 1996 von der Königin zurückgegeben und liegt jetzt in Edinburgh Castle neben den Kronjuwelen.

Heute ist Perth in erster Linie Handelszentrum. Bedingt durch die günstige Lage am früher schiffbaren Tay handelte die Stadt schon im Mittelalter mit Exportwaren wie Häuten, Fellen und Wollprodukten – und natürlich später auch mit Whisky. Diese Waren gingen hauptsächlich in die baltischen Länder und die Niederlande.

König James 1. wurde am 21. Februar 1437 im dortigen **Dominikanerkloster** im Rahmen einer Verschwörung ermordet. Ein anderes folgenschweres Jahr war 1559, als John Knox in einer glühenden Rede die Befreiung der Kirchen vom Götzendienst der alten Kirche forderte. Daraufhin fielen einige Klosteranlagen des Ortes blinder Zerstörungswut zum Opfer. Knox läutete von diesem Zeitpunkt an die Reformation in Schottland ein. Die Stadt trug auch das Ihre zur blutigen Landesgeschichte während des 17. und 18. Jahrhunderts bei. In dieser Zeit hielten sich Männer wie **Montrose** und natürlich auch Bonnie Prinz Charlie hier auf. Zwar sind noch reichlich Spuren dieser geschichtsträchtigen Vergangenheit zu erkennen, doch der Besucher muss genau hinsehen, denn sie gehen inzwischen leider im Stadtbild unter.

Dafür haben die Stadtväter von Perth die Straßen und Plätze mit zahlreichen Blumenarrangements aufgewertet, was 1993 immerhin mit dem Sieg des Wettbewerbs 'Britain in Bloom' honoriert wurde. Daneben hat Perth viele Sehenswürdigkeiten zu bieten – beispielsweise den ganz bezaubernden **Branklyn Garden** (National Trust for Scotland) und **The Fair Maid's House**. Dieses Haus wird von Sir Walter Scott in seinem im 14. Jahrhundert spielenden Roman *The Fair Maid of Perth* vor dem Hintergrund wütender Clankämpfe zusammen mit der rührenden Liebesgeschichte der Catherine Glover beschrieben. Das alte Steinhaus ist, unweit der Charlotte Street gelegen, ein Fotomotiv. Dasselbe gilt für die mitten in der Stadt liegende alte Getreidemühle **Lower City Mill,** die auch heute noch durch ein großes Wasserrad angetrieben wird.

Das ehemalige Wohnschloss des Grafen von Kinnoull - **Balhousie Castle** – beherbergt heute das **Black Watch Regimental Museum.** Die Ausstellung über das weltbekannte Highlandregiment, das General Wade 1739 gründete, um den Frieden in den Highlands zu erhalten, zeigt Standarten, Fotos, jede Menge Erinnerungsstücke und Uniformen. Dazu gehört selbstverständlich auch der inzwischen auf der ganzen Welt gern getragene dunkelblau-grüne Regierungstartan.

In unmittelbarer Nachbarschaft von Perth liegt der **Palast von Scone,** der seit dem 16. Jahrhundert von den Murrays, der Familie des Grafen von Mansfield, bewohnt wird. Dieser Palast mit seiner üppigen Ausstattung kann ebenfalls besichtigt werden. Auf seinem Grund und in seinen Mauern hat sich aber derart viel schottische Geschichte abgespielt, dass der Besucher davon leicht überwältigt wird. Der Park ist eine Augenweide allein schon durch den überaus sehenswerten Kiefernhain. In ihm steht auch der berühmte erste Baum seiner Art in Europa, der nach dem 1798 in Scone geborenen David Douglas benannt wurde. Er war der Botaniker, der auf seinen Reisen neben ca. 50 anderen Bäumen auch die nach ihm benannte **Douglasie** fand. 1834 schickte er von einer Expedition den Samen nach Hause, der dann von einem der früheren Grafen mit diesem beeindruckenden Ergebnis in der Anlage ausgesät wurde.

Westlich und gleich außerhalb von Perth steht die Ruine einer großen Burg. **Huntingtower** ist eine Anlage aus dem 15. Jahrhunderts, die einst den machtgierigen und heimtückischen Ruthvens gehörte. Die Burg ist mit einer unterhaltsamen Anekdote aus einer höchst dramatischen Familiengeschichte behaftet. Danach soll die Tochter des Hauses einst in heller Panik über die zu frühe Rückkehr ihrer Eltern aus dem Fenster eines Zimmers, in dem ein Besucher nächtigte, zum gegenüberliegenden Turm über einen dreieinhalb Meter breiten Abgrund gesprungen sein.

Weiter westlich führt die Straße am Schlösschen von Methven Castle vorbei und fast parallel der Hochlandbruchlinie entlang wird **Crieff** erreicht. Vor den Toren des Städtchens produziert die **Glenturret Whisky Distillery** einen exzellenten Whisky. Sie nimmt für sich in Anspruch, die älteste Brennerei in Schottland zu sein. **Drummond Castle,** südöstlich von Crieff, ist heute noch bewohnt und bekannt für seine herrlichen Gärten. Nur wenige Kilometer weiter liegt eines der bekanntesten, besten und exklusivsten Hotels der Welt – das **Gleneagles Hotel.**

Nördlich von Perth passiert die Straße den kleinen Ort **Luncarty.** Der Legende nach sollen hier einst die Scoti von Disteln vor einem nächtlichen Überraschungsangriff der Wikinger geschützt worden sein. Als die nichtsahnenden Nordmänner nackten Fußes in ein Distelfeld gerieten, sollen ihre Schmerzensrufe die Scoten geweckt haben. In Dankbarkeit für ihren Sieg machten sie diese Stachelpflanze zu ihrer Nationalblume und fügten sie als Symbol in ihr Wappen ein.

Weiter nordwärts rücken Tannenwäldern und Felsen eng an die Straße, die sich zusammen mit dem Tay durch die Berge der Grenzlinie zum Hochland zwängt. Tief verborgen in diesen Wäldern thront dramatisch auf einem Felsüberhang und malerisch unter riesigen Lerchen die **Hermitage** über den rauschenden Fällen des Flusses Braan. Dieser kleiner Pavillon wurde von den Herzögen von Atholl im 18. Jahrhundert gebaut und liegt in der Nähe von Dunkeld, von der Fernstraße nur einen Spaziergang weit entfernt.

Dunkeld, am Tay gelegen, hat einen hübsch restaurierten Stadtkern. Friedvoll wie der schmucke Ort heute ist, steckt er doch voller Geschichte. Zeitweise ruhten, durch Kenneth MacAlpin hierhergebracht, die Gebeine Columbas in Dunkeld. Daraus resultiert die wichtige Kathedrale, die sich ganz malerisch unter den Bäumen am Ufer des Tay verbirgt. Heute ist sie die Gemeindekirche. Crinan, der Abt von Dunkeld Abbey wurde von Macbeth umgebracht. Schließlich fand in der Kathedrale der berüchtige **Wolf von Badenoch** am Ende seines ausschweifenden Lebens seine letzte Ruhestätte, nachdem er mit seinen wilden Hochländern Ende des 14. Jahrhunderts die Stadt Elgin und deren herrliche Kathedrale gebrandschatzt, Fehden geführt und Viehräuber mit seinem Einfluss gedeckt hatte. Am Ende dieser langen Reihe von Ereignissen tobte 1689 in den Gassen des Städtchens eine der grimmigsten Schlachten der schottischen Geschichte – die **Schlacht von Dunkeld.**

Über **Aberfeldy,** westlich von Dunkeld gelegen, schrieb schon Robert Burns 1787 und verewigte das Städtchen in seinen bekannten *Birkes of Aberfeldy* (Birken von Aberfeldy).

Im geografischen Zentrum Schottlands gelegen verdankt **Pitlochry** – der Namen ist piktischen Ursprungs – seine Popularität vor allem seinem guten Ruf als Luftkurort seit viktorianischer Zeit. Das hübsche, knapp 3000 Seelen zählende Städchen platzt in den Sommermonaten aus allen Nähten. Es ist es ein günstiger Ausgangspunkt für die umliegenden Wanderregionen, z. B. am Loch Tummel, Loch Rannoch und Loch Tay. Zu den wichtigsten Sehenswürdigkeiten Pitlochrys zählt der Staudamm, in den eine **Lachstreppe,** (*Salmon Ladder*) eingebaut wurde. Diese Treppe wird von kraftvollen Wassermassen überspült und mit etwas Glück lassen sich die Fische in dem klaren Wasser oder vielleicht auch in dem aquariumähnlichen 'Durchlauferhitzer' erspähen. Das **Theater** ist bekannt für seine hervorragenden Inszenierungen. Gleich zwei Whiskybrennereien können in Pitlochry besichtigt werden. Die **Bell's Blair Atholl Distillery** bringt es jährlich immerhin auf eine Produktion von fast zwei Millionen Litern. **Edradour** mit ihrer faszinierenden Geschichte, die auch in die Prohibitionsjahre Amerikas hineinspielt, liegt etwas ausserhalb und tief in den Hügeln versteckt. Sie nimmt für sich in Anspruch, die kleinste Brennerei zu sein, gleichwohl kann sich das Produkt sehen lassen.

Etwas nördlich von Pitlochry führt die Straße weiter durch den einst berüchtigten Pass von **Killiecrankie.** Das Besucherzentrum des National Trust for Scotland erklärt sehr gut die historische Bedeutung und den Verlauf der Schlacht, die hier 1689 stattfand. Es war die erste Schlacht der berüchtigten Jakobiteraufstände. Damals kämpften hauptsächlich die Gefolgsleute James VII., die an dieser Stelle erfolgreich ein Kontingent von Regierungssoldaten überfielen. Herrliche Spazierwege führen heute in die bewaldete Schlucht zum Fluss hinunter.

Blair Castle

Hochland

Die **Highlands** sind für viele Touristen der Inbegriff von Schottland, sie machen fast zwei Drittel der Fläche aus. Die Landschaft ist oft von bizarrer, eindringlicher Schönheit, ein Eindruck, der je nach Wetter durch die klare Luft und die Lichtverhältnisse noch verstärkt wird. Hinzu kommen die stark variierenden Landschaftsformen, die regionalen Eigentümlichkeiten und eine spezielle Flora und Fauna. Weltweit werden unter dem Begriff 'Highlands' leider meist nur die nackten, besonders eigentümlichen Landschaften der **Hoch-landmoore** wie Rannoch Moor und der Flows in Sutherland verstanden. Dabei wird aber die Vielzahl der anderen Land-schaften zu Unrecht vergessen, wie der Besucher sehr bald feststellt. Besonders zählen dazu die **Bergketten** der Cuillin auf der Insel Skye und die Cairngorms, die **Kiefernwälder** im Glen Affric und entlang des Spey, die **Felsmassen** von Torri-don, und die **Küsten** und **Berge** in Wester Ross.

Entlang der Nordsee zieht sich eine nach Norden bis Aberdeen schmaler werdende, teils flache, teils hügelige, aber meist fruchtbare Ebene die Ostküste hinauf. Sie weitet sich dann hinter Aberdeen aus, einem riesigen Dreieck gleich, das aufgeteilt wird in die Distrikte Aberdeen-, Banff-und Morayshire. Entlang ihrer malerischen Nordseeküste weist diese grüne Landschaft eine Anzahl unendlich lang er-scheinender Sandstrände, steilabfallende Klippen, eine große Zahl oft am Fuße dieser steilen Felsen gelegener bunter **Fi-scherdörfer** und über das Hinterland verstreut eine Hand-voll historischer Burgen auf. Sie ist immer noch ein touristi-sches Geheimnis.

Aberdeen ist die drittgrößte Stadt Schottlands. Ihre Ur-sprünge der Stadt reichen weit in die frühmittelalterliche Ge-schichte des Landes zurück. Die traditionellen Wirtschafts-zweige des Schiffbaus und der Fischerei werden seit den 1970er Jahren von der Erdölgewinnung ersetzt, durch die die Stadt sichtlich reich wurde. Neben ihrer Funktion als Haupt-arbeitgeber ist Aberdeen auch Drehscheibe für die Verkehrs-verbindungen der Region.

Im Hinterland dieser Stadt erheben sich die massiven **Grampian Mountains** und die **Cairngorms.** Diese Bergketten werden von den Flusstälern des königlichen **Dee** und des **Spey** zerschnitten. Das Tal des Dee reicht im Westen bis nach Braemar und das des Spey streift ebenfalls im Westen bei Aviemore das Wander- und Skizentrum der Cairngorm Mountains. Mit den höchsten Berge Großbritanniens – **Ben Nevis** (1343 m) und **Ben Macdui** (1307 m) – sind sie Teil der sich vom Südwesten nach Nordosten ziehenden Gebirgskette der Grampians. Geologen bezeichnen die Grampians ein pa-

läozoisches Rumpfgebirge aus altem Sandstein und Magma-
gestein, deren Gipfel hier wie in den rötlichen Granitbergen
der Cairngorms durch Gletscher abgerundet wurden. Zahlreiche durch diese Gletscherabschürfungen entstandene Pla-
teauflächen mit U-förmigen Tälern sind charkteristisch für
die gesamte Bergregion. Nach Osten und Nordosten hin gehen die Grampian Mountains in ein hügeliges Küstentiefland
über (*Howe of the Mearns*), das auf Grund seines Geschiebe-
lehms (*boulder clay*) sehr fruchtbar ist. Die flache, buchten-
arme Nordostküste hat keine vorgelagerten Inseln.

Jenseits der Grampians und etwas nordwestlich davon
liegen **Inverness** und der **Great Glen** (gälisch *Glen Mor*). Beginnend am Fuß des Ben Nevis, zerschneidet dieses riesige,
geologisch interessante Große Tal bis Inverness Schottlands
Hochland in zwei Hälften. Mit den von hohen Bergen einge-
fassten Seenkette von **Loch Ness, Loch Oich, Loch Lochy**
und **Loch Linnhe** war dieses Tal jahrhundertelang ein natürlicher Verkehrsweg. Er ermöglichte es den Menschen, auf einer verhältnismäßig bequemeren Art und Weise vom Atlantik
zur Nordsee zu gelangen und nicht über das unwegsame und
gebirgige Hochland reisen oder gar durch den Pentland Firth
im Norden segeln zu müssen. Der große Ingenieur **Thomas
Telford** verband in der ersten Hälfte des 19. Jahrhunderts
mit dem **Caledonian Canal** die Seen untereinander. Er schuf
damit eine künstliche Wasserstraße zwischen Atlantik und
Nordsee – dem Firth of Lorn im Südwesten und dem Moray
Firth im Nordosten. Längst hat der Kanal aber seine wirtschaftliche Bedeutung als Wasserweg verloren. Parallel zu
ihm verläuft die für Gewerbe und Industrie in dieser strukturschwachen Region wichtigste Straße, die A82. Die Stufen-
schleusen des Caledonian Canal, das Schlachtfeld von **Culloden** und die romantisch am **Loch Ness** gelegene Ruine des historischen **Urquhart Castles** sind neben **Nessie** die Hauptse-
henswürdigkeiten dieser Region. **Glen Urquhart, Strath
Glass** oder aber der alte kaledonische Kiefernwald von **Glen
Affric** sind Landschaften voller Naturschönheiten mit rauschenden Wasserfällen, alten Kiefernbeständen, Rot- und
Rehwild, Adler, Wildkatze, Auerhahn und Moorhuhn und

oft nur als fantastisch zu bezeichnenden Szenerien. Vieles davon kann von der schmalen Straße aus gesehen werden, doch erst dem Wanderer erschließt sich die ganze Schönheit und das besonders im Frühjahr oder erst recht in der vollen Pracht der Herbstfarben. Ein ‚Glen' ist im gälischen Sprachgebrauch ein Einschnitt zwischen den Bergen oder ein enges Tal während ein ‚Strath' ein weites und meistens sehr fruchtbares Tal ist.

Südwestlich und westlich vom Great Glen beginnen die verhältnismäßig dünn besiedelten, aber landschaftlich sehr schönen Küstenlandschaften **Appin, Lorne, Argyll, Cowal, Knapdale** und **Kintyre**. Bedingt durch den Golfstrom ist das Klima mild an der Westküste aber es regnet viel, doch dadurch ist das Land entsprechend grün und bietet herrliche Panoramen.

Tief in das Land reichende Buchten wurden durch den ständigen Ansturm des Atlantiks geformt. Davor liegt die Inselkette der Hebriden mit zahlreichen Steilküsten und einer Vielzahl traumhafter Sandstrände. Entlang der Westküste bestehen von den Fährhäfen **Oban, Mallaig** und **Kyle of Lochalsh** gute Verbindungen zu den **Inneren Hebriden**. Teilweise können auch die **Äusseren Hebriden** von hier erreicht werden.

Nördlich des Great Glen erstrecken sich die urwüchsigen und nur sehr dünn besiedelten Regionen von **Caithness**, der Grafschaft **Sutherland** und **Wester Ross** weiter zwischen Nordsee und Atlantik. Das nordwestliche Hochland besteht überwiegend aus Granit, Gneis, Schist und devonischem Sandstein. Aufgrund der im Vergleich zu den Grampians höheren Niederschläge war die Eisschicht dort dicker. Die auffälligsten Merkmale dieser Landschaft sind daher eine Fülle von Mooren, kleinen Seen (*lochans*), Fjorden und langgestreckten Binnenseen, die während der Eiszeiten geformt wurden. Ackerbau ist in dem Gebiet kaum möglich. Durch das harte Gestein ist die Bodenkrume sehr dünn und aus klimatischen Gründen meistens sauer.

Weiter nördlich und jenseits von **Ullapool** liegen heute zwischen Gestein und Mooren karge Weideflächen für Schafe, wo Bauern vor den Clearances des 18. und 19. Jahrhunderts sogar Felder bestellten. In dieser wilden Felslandschaft stößt der Reisende auf verstreut an der Küste liegende kleine Fischerorte, die oft nur mit dem Pkw oder gar nur zu Fuß, nicht aber mit dem Reisebus zu erreichen sind. Die äußere Nordwestküste hat nichts von der Betriebsamkeit der touristischen Zentren. Bizarre Landschaften, Einsamkeit, Möglichkeiten zur Beobachtung von Vögeln, Meeressäugern, Angeln oder Bergwandern – vielleicht auf den knapp 1000 m hohen **Ben More Assynt,** den **Suilven** oder andere – bieten u.a. jedoch genügend touristische Möglichkeiten.

Von **Durness** bis hinüber nach **Thurso** windet sich an der atemberaubenden Steilküste entlang, vorbei an einsamen Sandbuchten mit weißen Stränden, durch riesige Flächenmoore und winzige Ortschaften eine einzige Straße. Natur gibt es hier wie an der Westküste in Hülle und Fülle zu bestaunen. Tausende von Seevögeln nisten in den schmalen Felsnischen an den Klippen bei **Dunnet Head** und den bizarren Felsformationen bei **Duncansby Head** und die **Orkney Inseln** sind schon zum Greifen nah!

Grampians und Aberdeenshire

Zu den Besonderheiten des Nordostens zählen die zahlreichen Schlösser und Herrenhäuser und eine tief in der Geschichte verwurzelte Verbindung zu Ackerbau, Viehzucht, Fischerei und – zur Whiskybrennerei. Diese nordöstliche Region ist für viele Besucher nicht gerade das Urbild Schottlands, denn zum Meer hin verflachen die Berge der Grampians und verwandeln sich in eine meist grüne und sehr fruchtbare Landschaft. An der Küste entlang zieht sich eine Kette von steilen Klippen, Buchten, langen Stränden, Häfen und kleinen Fischerdörfern. Die Bevölkerungszahl Grampians beträgt 526 000 (2001).

Dieser Teil der Nordostküste wird seit dem 13. Jahrhundert von einer der interessantesten Burgen in Schottland bewacht. Unweit von Stonehaven bilden die Ruinen von **Dunnottar Castle,** dramatisch auf einer Klippe liegend, ein unwiderstehliches Fotomotiv. Sie bildeten deshalb auch den Hintergrund für mehrere Filme, u. a. *Hamlet* mit Mel Gibson. Seit ihrer Zerstörung durch William Wallace im 13. Jahrhundert taucht die Festung immer wieder in der schottischen Geschichte auf, so bei der Einkerkerung von über hundert Covenanters, bei mehrfacher Belagerung und während der Jakobiteraufstände. Die Belagerung durch Cromwells Truppen war eine der interessanten Episoden, weil zu dem Zeitpunkt in der Burg die schottischen Königsinsignien (Schwert, Zepter und Krone) vor dessen Zugriff versteckt werden sollten. Cromwell wollte diese Insignien unbedingt nach London entführen, daher ließ er die Burg durch General Monk belagern. Doch Dank einer List fielen diese Kostbarkeiten nicht in seine Hände, sondern konnten hinausgeschmuggelt werden. Die Frau des Burggouverneurs und ihre Freundin, die die Festung während der Belagerung besuchen durften, versteckten sie unter ihren Röcken. Die beiden vergruben den Staatsschatz unter der Kanzel der nahen Kirche von **Kinneff,** wo er für die nächsten 10 Jahre versteckt blieb.

Aberdeen

Die mit etwa 203 450 Einwohnern (2004) drittgrößte Stadt Schottlands war im frühen Mittelalter aufgrund seiner geografischen Lage und der fehlenden Verkehrsverbindungen einer der isoliertesten Orte des Landes. Es entwickelte sich selbständig und isoliert vom Rest Schottlands. **Aberdon** als wichtiger Handels- und Fischereihafen hatte seine eigenen Schiffahrtsverbindungen zum Kontinent. Deshalb waren die Kaufleute und die Menschen der Stadt schon im 13. Jahrhundert einflussreich, mächtig und eigenwillig aber weitsichtig genug, **Robert I.** in seinem Kampf um die Krone und gegen seine Widersacher, die Comyns zu unterstützen. Aberdeen hat später durch Vergünstigungen und Zuwendungen des Königs sehr profitiert. Eines der vielen Reichtümer aus dieser Zeit ist ein Jagdgebiet, das ein Geschenk von Robert an die Stadt war und seither in deren Besitz ist. Das Losungswort im damaligen Kampf „Bon Accord" ist heute noch das Motto der Stadt.

Als Bischof **Elphinstone** 1494 den Grundstein für die Universität in Old Aberdeen legen ließ, verbanden sich bald die Wissenschaften mit dem Handel und untermauerten den Ruf der Stadt und ihren Wohlstand. Der Hafen wurde ausgebaut und die **Schiffbauindustrie** weiter ausgebildet. Die großen Segelschiffe, die berühmten Klipper, die in Aberdeen gebaut wurden, zählten wegen ihres besonders gearbeiteten Bugs zu den besten und schnellsten der Welt. Die **Thermopylae,** einer der berühmtesten Segler, stand im ständigen Wettkampf mit der auf dem Clyde gebauten *Cutty Sark,* ihrer großen Rivalin. Sie fuhren von England mit Kurs auf China, den Fernen Orient und Australien. Von dort brachten sie nach berühmten Segelrennen Tee, Gewürze und später Wolle zurück nach London. In einer Rekordfahrt von China im Jahre 1869 erreichte die *Thermopylae* England in nur 91 Tagen und stellte 1870 sogar einen Geschwindigkeitsrekord von 330 nautischen Meilen an einem einzigen Tag auf. Aberdeens Schiffswerften konnten sich vor Aufträgen kaum retten – nicht zuletzt, weil **Thomas Blake Glover** (1838-1911) in Nagasaki die japanische Marine gegründet hatte und einen Großteil der Schiffe in Aberdeen bauen ließ. Glover wurde in Fraserburgh geboren, ging nach Japan, half dort, den Kaiser wieder zu inthronisieren, wurde zum Mitbegründer der Weltfirma Mitsubishi und es heißt, seine Frau Tsura inspirierte Giacomo Puccini zu seiner berühmten Oper *Madame Butterfly.* Glover ist in Japan noch heute sehr bekannt. Sein Haus wird jährlich von Millionen Menschen besucht.

Der Schiffsbauboom hielt bis Mitte des letzten Jahrhunderts an, näherte sich dann aber seinem Ende. Zum Glück wurde in der Nordsee bald Öl gefunden! 1969 wurde das erste Ölfeld, Montrose, erschlossen. Inzwischen werden in der Nordsee über 50 Ölfelder angezapft und von dort bringen 1878 km Hauptleitungen nicht weit von Aberdeen das flüssige Gold an Land. Die wichtigsten Ölhäfen in Schottland sind Sullom Voe auf Shetland, Flotta auf Orkney, Nigg am Cromarty Firth und Cruden Bay in Grampian, von wo eine andere Pipeline nach Grangemouth am Firth of Forth führt. Der Boom ist seit den 1970er Jahren ungebrochen.

Edinburgh mit seiner berühmten Burg, der Altstadt und der Neustadt, von Calton Hill aus gesehen.

Mit seinem vielfach preisgekrönten Design verbindet das umstrittene Parlamentsgebäude in Edinburgh mit einem gelungenen Schwung den geologisch-historischen Hintergrund von Arthur's Seat, den königlichen Palast von Holyroodhouse und die Altstadt.

Die bedrückende Einsamkeit des Rannoch Moor wird nur noch
von der grandiosen Landschaft des anschließenden
Glen Coe übertroffen.

Vor diesem beeindruckenden Hintergrund ereignete sich im
Glen Coe Ende des 17. Jahrhunderts die wohl dramatischste
Begebenheit in der Geschichte Schottlands, das Massaker
von Glen Coe.

Portree, die kleine Hauptstadt Skyes mit ihrer bunten
Häuserzeile am Hafen, im Hintergrund die Berge der Cuillins.

Schottland, das Land unter dem Regenbogen – hier bei Kyle of
Lochalsh vor der Insel Skye.

An der Westküste und nur vom Meer her zugänglich, ist die Halbinsel Knoydart fast unbewohnt und die letzte Wildnis in Grossbritannien.

Culloden – der Ort der letzten entscheidenden Schlacht zwischen den Schotten und Engländern und ein Begriff, der noch immer für starke Emotionen in schottischen Herzen sorgt.

Mit 1343 m ist Ben Nevis der höchste Berg Großbritanniens und nur selten in voller Grösse und ohne seine weiße Wolkenhaube zu sehen.

Eilean Donan Castle – Die Geschichte der Burg reicht von den Wikingern bis zu James Bond und Hollywood's „Highlander".

Legendenumwoben und geschmückt mit fantastischen Steinmetzarbeiten wie der Apprentice-Säule, wurde der Bau von Rosslyn Chapel 1440 begonnen. Es soll Verbindungen zum Templerorden geben, und die Kirche ist einer der Schlüsselorte im Buch „Das Sakrileg" von Dan Brown.

Vor der historischen Kirche von Kildalton auf der Hebriden-Insel Islay liegt eine der Grabplatten der Herren der Inseln – der „Lord of the Isles".

Wie in einer modernen Bildergeschichte hinterließen die Ureinwohner der Pikten auf dem gewaltigen Sueno Stone die Darstellung einer Schlacht.

Die Fähre von Oban zur Insel Mull passiert Lismor Lighthouse, das heute, wie alle anderen Leuchttürme an der Küste Schottlands, unbemannt und computergesteuert ist.

Glenfinnan – in der Einsamkeit dieser Berge begann im August
1745 der letzte Aufstand der Jakobiter.

Bei Balnakeil an der äußeren Nordwestspitze des Landes liegen
diese herrlichen Strände.

Loch Garry liegt in einer der einsamsten Regionen der Grampian Berge.

Die einsamen, schneeweißen Strände von Morar an der Westküste mit den Inseln der Inneren Hebriden, Eigg, Rum und Canna im Hintergrund.

Loch Eriboll – tief in die Nordküste schneidend bewahrt diese
Bucht die Geheimnisse untergegangener Schiffe.

Wahr oder unwahr – an die Existenz dieses Tieres zu glauben
bleibt dem Betrachter vorbehalten.

Mit das augenfälligste Merkmal des Hochlands sind die
(neugierigen) Schafe.

Die Brücke in Carrbridge ist nur eine der zahlreichen
fotogenen Ruinen.

Dunrobin Castle, das Märchenschloß der Herzöge
von Sutherland.

Für Schottland einzigartig sind die formalen Gärten, die Sir
Alexander Seton 1675 bei Pitmedden anlegte.

Viele der im 18. Jahrhundert aus dem Hochland Vertriebenen
wurden gezwungen, im jetzt idyllisch wirkenden Pennan,
eingezwängt zwischen hohen Felsen und tobendem Meer, ein
karges Leben zu fristen.

Ein typisches Merkmal einer schottischen Whisky-Distillerie sind
die Pagodentürme der Mälzerei.

1390 mutwillig vom „Wolf von Badenoch" zerstört, galt die Kathedrale von Elgin zuvor als eine der schönsten Kirchen des Landes.

An der Hafeneinfahrt Aberdeens ist das alte Fischerdorf Footdee, liebevoll und kurz „Fittie" genannt, besonders in den Wintermonaten der Unbill des Meeres ausgesetzt.

Mit seiner blutigen Geschichte und dramatischen Position hoch
über der Nordsee machte die Ruine von Dunnottar Castle
Filmgeschichte.

Der Bass Rock am Eingang des Firth of Forth ist der Brutplatz
und Namensgeber für 100 000 Basstölpel.

Culross am Firth of Forth ist eines der besterhaltensten
Städtchen aus dem Mittelalter.

Erstmals fuhren am 21 Januar 1890 Züge über die einzigartige
Forth Bridge. Sie gilt heute immer noch als technische
Meisterleistung am Ende 19. Jahrhunderts.

Das augenfälligste an Aberdeens Architektur ist der allgegenwärtige Granit. Fast alle privaten Häuser, Geschäftshäuser und öffentliche Gebäude aber auch Straßen und Bürgersteige wurden aus dem Material gebaut, das der Stadt den Namen „Granit City" gab. Jahrhundertelang wurde dieses Gestein aus dem riesigen, seit den 1970er Jahren stillgelegten Rubislaw Steinbruch gewonnen. Das Grau der Häuserfronten kann bei schlechtem Wetter schon sehr aufs Gemüt schlagen, glücklicherweise verändern aber Sonnenstrahlen die Stadt, sie glänzt und scheint dann ganz aus Silber gebaut zu sein. Aberdeens zweiter Name ist daraus entstanden – 'The Silver City'. Aberdeen schafft es jedoch, das Grau seines Stadtbildes sehr attraktiv zu kompensieren. Überall blühen Rosen, nicht nur in den Parks der Stadt, sondern an jedem möglichen Fleckchen (sogar zwischen den Fahrbahnen der städtischen Umgehungsstraße!) sind Blumen zu finden, was angesichts der nördlichen Lage Aberdeens unglaublich ist. Die Stadt hat Charakter und viel Sehenswertes zu bieten wie z. B. den **Duthie Park** mit seinem riesigen Rosenhügel, auf dem 200 000 Stöcke stehen sollen.

Zu den besonderen Sehenswürdigkeiten zählt mit Sicherheit das moderne **Maritime Museum** (Meeresmuseum) im ältesten Gebäude der Stadt. In diesem großartigen Museum wird die Geschichte der Seefahrt sehr anschaulich präsentiert. Dazu gehören Schiffsmodelle aus vielen Epochen sowie Fotos und Informationstafeln und schließlich uralte Navigationsgeräte. In dem Haus wird sogar ein Teilstück eines richtigen Bohrturms ausgestellt. Ein Bummel durch die mittelalterliche und bis 1891 vollkommen unabhängige Stadt **Old Aberdeen** im Kern Aberdeens versetzt den Besucher zurück in die Zeit der Stadtgründung.

Zwei Gebäude ragen mit ihren Dächern auf beiden Seiten der stark befahrenen Straße St. Machars Drive daraus hervor. Auf der Nordseite liegt die **St. Machar's Cathedral** und südlich davon das **King's College**. Die einstige Kathedrale, die leider nicht mehr in ihrer imposanten Größe erhalten ist, ist heute die Gemeindekirche der Church of Scotland. Der ursprüngliche Bau war ein Kirchlein, das von **St. Machar,** einem Mönch im Gefolge St. Columbas, im Anschluss an die Missionierung der Ureinwohner gebaut worden war. Im elften Jahrhundert wurde die Kirche dann neu gebaut und in den Status einer Kathedrale erhoben. Daraus erwuchs einer der prächtigsten Sakralbauten, die jemals aus Granit geschaffen wurden. Im 15. und 16. Jahrhundert unternahmen die damaligen Bischöfe Leighton, Elphinstone und Dunbar den weiteren Ausbau. Unter Cromwell stürzte dann Mitte des 17. Jahrhunderts der Hauptturm mit dem Chor ein. Größter Schatz und das Schmuckstück der St. Machar Cathedral ist zweifellos die einzigartige Holzdecke, die mit ihren Wappen der Adligen, Kirchenfürsten und der europäischen Königshäuser aus der Zeit des 16. Jahrhunderts gerettet werden konnte. 1520 wurde sie von dem weitsichtigen Bischof Dunbar, der an eine geeinte Kirche in Europa glaubte, in Anlehnung an den Psalm 47, Vers 10 errichtet: „Die Fürsten unter den Völkern sind versammelt zu einem Volk des Gottes Abrahams, denn Gottes sind die Schilde auf Erden". Etwas südlich von der Kathedrale und jenseits der Straße liegt das **King's College.** 1495 wurde dieses College als dritte Universität Schottlands durch Bischof Elphinstone, einem Freund Königs James IV., gegründet und nach ihm benannt. Elphinstones Denkmal steht als Bronzesarkophag am Eingangsweg und stammt nicht aus seiner eigenen Zeit, sondern wurde 1927 in Italien gefertigt.

Gegenüber des College sind der merkwürdige Eingang und die zwei minarettähnlichen Türme zum Haus der **Powis Familie** zu sehen. Sie sind u.a. der unübersehbare Beweis für die Beziehungen dieser Familie zum Fernen Orient und den weltweiten Handel, der von Aberdeen betrieben wurde.

Nach dem Besuch von Old Aberdeen führt der Weg am Meer entlang und die Promenade mit ihren Vergnügungsanlagen hinunter. Ein Gang durch das pittoreske **Fitti**, das einstige Wohnviertel der Fischer am Hafen, sollte dabei in keinem Fall ausgelassen werden. Vom Hafen in der Mündung des Dee mit seiner riesigen Fischauktionshalle und seinen Silos und Einrichtungen für die Ölbohrinseln legen auch die Fähren nach Shetland ab. Nicht weit vom Hafen entfernt liegt in der Umgebung der **Union Street** Aberdeens Geschäftszentrum mit mehreren großen Kaufhäusern.

Eines der größten Gebäude in Aberdeen ist das **Marishal College**. Es wurde 1593 von **George Keith**, Earl Marishal of Scotland, ein Jahrhundert nach der Gründung der ersten Universität als protestantisches Gegenstück zum katholischen King's College gebaut. Das Gebäude im neugotischen Baustil wurde zur Zeit der Fertigstellung als eindrucksvollster weißer Granitbau der Welt gefeiert. Heute ist es, nach dem spanischem El Escorial, der zweitgrößte Granitbau der Welt.

Die Ölmetropole

Zweifellos verdankt Aberdeen seinen heutigen Wohlstand dem Nordseeöl. Während England und Schottland sich nach den ersten Erdölfunden noch um die Besitzrechte rauften, ergriffen die Aberdonians bereits die Initiative. Für die Arbeiter und Ingenieure entstanden neue Siedlungen und bald hatte sich auch die Einwohnerzahl verdoppelt. Heute haben fast alle bekannten Firmen der Ölwelt in dieser Stadt ihre Büros, Techniker und Geschäftsstellen. Außerdem erhielt Aberdeen mit dem Ölboom den geschäftigsten Hubschrauberlandeplatz der Welt. Von dort werden die Bohrinseln versorgt und deren Besatzungen transportiert. Aberdeen hat die niedrigste Arbeitslosenrate Großbritanniens und das alles ohne rauchende Schornsteine oder großer Schwerindustrieansiedlungen! Die Kehrseite der Medaille wird jedoch vor allem von den Besuchern der Stadt verspürt. Hotelpreise, vor allem unter der Woche, wenn die Manager der großen Ölgesellschaften geschäftlich in der Stadt sind, liegen deutlich über denen in anderen schottischen Städten – und da sind sie auch schon nicht niedrig.

Fast gegenüber des Marishal College versteckt sich **Provost Skene's House** zwischen den modernen Glasfassaden und grauen Granitblöcken der umgebenden Hochhäuser. Es wurde erstmals 1545 urkundlich erwähnt und war der Wohnsitz der prominentesten Bürger der Stadt. Bürgermeister **Sir George Skene** ließ in diesem Haus, das kostenlos zu besichtigen ist, im 17. Jahrhundert die herrlichen Deckendekore und Täfelungen mit religiösen Motiven anbringen. Das Haus sollte, wie die ehemals umliegenden Häuser, die der

Moderne weichen mussten, ebenfalls abgerissen werden. Glücklicherweise erfuhr aber die Königinmutter davon. Sie rettete dieses mittelalterliche Kleinod vor der Zerstörung. Das Museum darin konnte 1993 eröffnet werden.

Aberdeens Mutterkirche, die **St. Nicholas Kirk,** ist nicht weit entfernt davon. Das Kirchenschiff mit den Rundbogengewölben auf schlanken Stützsäulen stammt aus dem zwölften Jahrhundert und wurde bereits mehrfach renoviert. Bemerkenswert sind auch die Wandteppiche mit biblischen Szenen und die Glasfenster. Eines davon wurde dieser Kirche im Gedenken an die Verunglückten des Piper Alpha Desasters gestiftet (dem Brand auf einer Ölbohrinsel 1988 vor der schottischen Küste, bei dem 167 Menschen umkamen). Der Kirchturm von St. Nicholas hat ein Glockenspiel mit 48 Glocken.

In der **Aberdeen Art Gallery** ist eine eindrucksvolle Sammlung von viktorianischen und impressionistischen Gemälden und Skulpturen schottischer und englischer Künstler ausgestellt.

Abschließend zu dieser Stadt noch etwas, was die Aberdonians (Bewohner von Aberdeen) auszeichnet: Fremde werden mit viel Freundlichkeit und Wärme empfangen. Man spricht unter sich auch eine eigene und für Aussenstehende kaum verständliche Sprache, Doric.

Der Royal Dee

Aberdeen ist im Nordosten das Tor zur Royal Deeside, dem Flusstal des **Dee,** das durch **Königin Victoria** und **Prinzgemahl Albert** berühmt gemacht wurde. In der Mitte des 19. Jahrhunderts errichteten sie ihre Sommerresidenz in **Balmoral Castle.** Seither ist es das Privatschloß der Königsfamilie, die diese Tradition fortsetzt und in dieser großartigen Landschaft inmitten alter Kiefernwälder und herrlicher Birkenbestände zu einem großen Teil ihren Sommerurlaub verbringt.

Für die Freunde von Burgen und Ruinen gibt es im ganzen Flusstal und in der Umgebung einige hübsche Städtchen sowie Schlösser und Herrenhäuser, die z.T. vollständig erhalten sind und entweder noch privat bewohnt oder unter der Obhut des National Trust for Scotland oder Historic Scotland stehen. Einige der interessantesten und sehenswertesten Exemplare liegen auf der Route entlang des Dee, wie etwa **Drum Castle** und **Crathes Castle** mit ihren außergewöhnlichen Gärten. Die Geschichte dieser beiden Burgen reicht zurück bis zur Zeit von Robert the Bruce. Die anderen Burgen **Corgarff, Craigievar, Fraser** und **Braemar Castle** liegen auf dem weiteren Weg nach Westen oder nur wenige Meilen davon. Zu den interessanten und geschichtsträchtigsten Ruinen der Region zählen **Dunnottar** und **Kildrummy**.

· Lachse angeln – ein kostspieliges Vergnügen

Angler wissen, dass der Dee zu den besten Lachsflüssen zählt und auch einer der teuersten ist. Zur Begriffserkärung: ein Beat ist ein Stück Flussufer, oft in Privatbesitz, von wo geangelt wird. Nur um einmal zu zeigen wie teuer Angeln sein kann: Die besten Uferplätze kosteten 1996 in der Jahreslizenz 6000 Pfund. Anfang 1997 wurde ein 2 km langes Uferteilstück am Dee, der Tilbouries Beat, inklusive eines kleinen Häuschens und einer Fischerhütte für 585 000 Pfund angeboten. Dieser Preis ist wahrscheinlich auch erzielt worden, obwohl auf diesem Flussabschnitt in der Nähe von Banchory im ganzen Jahr 1996 nur 22 Lachse angebissen hatten! Das ist kein Einzelfall. Ähnliches passierte am **Spey** auf der nordwestlichen Seite der Berge. Der Fluss zählt unter Lachsanglern ebenfalls zu den Spitzenflüssen in Schottland. 1998 war dort der 1.65 Meilen lange Kincardine Beat für 600 000 Pfund auf dem Markt, obwohl dort die jährliche Fangquote für Lachse im Durchschnitt nur bei 75 Stück lag. Der Tay, Schottlands längster Fluss und einer der lachsreichsten, ist übrigens auch nicht billiger. Dort kostet eine Rute pro Woche an Stellen wie Ballathie House rund 1000 Pfund. Die Lachs- und Forellenfischerei hat für Schottland einen sehr hohen Stellen- und Marktwert. Dieser Zweig der Sportindustrie schafft 5000 Arbeitsplätze und sorgt für einen Jahresumsatz von 100 Mio. Pfund.

Doch das wohl interessanteste und größte Anwesen liegt im westlichen Abschnitt von Deeside zwischen Ballater und Braemar: Balmoral, das private Urlaubsdomizil der königlichen Familie. In seiner unmittelbaren Nähe liegt die **Royal**

Lochnagar Distillery. Die Whiskygenießer kommen deshalb am Dee in mehr als einem Sinne auf ihre Kosten.

Das bekannte **Braemar Highland Gathering** geht in jedem Jahr am ersten Samstag des September über die Bühne. Wer zu dem Zeitpunkt noch in der Region ist, sollte dieses fröhliche und farbenprächtige Spektakel unbedingt miterleben. Der Fluss Dee entspringt hoch in den Bergen der Cairngorms und windet sich durch eine Landschaft, die im Osten ein wesentlich trockeneres Klima aufweist als jenseits und westlich der Berge. An seinem Ende angelangt, mündet der Fluss nicht weit von einem zweiten Fluss, dem **Don,** in die Nordsee. Dabei schlossen sie beide einst zwischen sich die Stadt Aberdon ein. Heute ist diese historische Stadt in Aberdeen aufgegangen, das sich längst über die Ufer der beiden Flüsse ausgedehnt hat.

Nicht nur die klare und trockene Luft in der Gebirgssenke zwischen den rund 600 m hohen und flach auslaufenden Hügelketten lässt viele Besucher jährlich nach **Ballater** kommen. In den Sommermonaten wirken die zahlreichen Geschäfte im Ortszentrum – darunter einige Hoflieferanten der Königlichen Familie – wie Magneten auf die Touristen. Der kleine Bahnhof des Orts war einst die Endstation für den königlichen Zug aus London. Von Ballater aus fuhren die königliche Familie und ihre zahlreichen Besucher mit der Kutsche weiter zum **Balmoral Castle.** Unter den Gästen waren der russische Zar, der deutsche Kaiser, der Schah von Persien und andere Persönlichkeiten. Leider ist die Bahn längst verschwunden und aus dem hübschen Holzbahnhof wurde ein kleines Geschäftszentrum gemacht.

Als Nichte des deutschen Kaisers Wilhelm IV. kam Königin Victoria 1838, ein Jahr nach dessen Tod, auf den Thron. Durch ihren anderen Onkel, Leopold von Belgien, war sie trotz ihrer Jugend gut auf die Aufgabe vorbereitet worden. 1840 heiratete sie Prinz Albert von Sachsen-Coburg-Gotha. Die Beziehung zwischen Victoria und Prinz Albert (1819-1861) war ebenfalls durch Leopold angebahnt worden. Sehr bald verband die beiden große Zuneigung und Alberts weitsichtige Ratschläge waren für die Königin von außerordentlicher Bedeutung und beeinflussten oft die Politik ebenso wie soziale und kulturelle Bereiche. Beide waren von der Luft, dem trockeneren Wetter und der Gebirgsszenerie am Dee derart begeistert, dass sie alles daransetzten, das gesamte Besitztum und das Schlösschen besitzen zu können. 1848 erwarben sie es schließlich für 31 500 Pfund. Albert entwarf ein neues Schloss und ließ es in hellem Granit bauen. Das alte Gebäude, das im 14. Jahrhundert einen Vorgänger namens Bouchmoral hatte, wurde abgerissen. 1855 zog die königliche Familie in ihr Märchenschloss Balmoral, das mit seinen Zinnen und zahlreichen Türmchen geziert war. Dort und auch auf der Isle of Wight, fern von allem, waren Königin Victoria und Prinz Albert glücklich. Sie hatten vier Söhne und fünf Töchter, von denen die meisten in die europäischen Königs- und Fürstenhäuser einheirateten. Beide liebten die Jagd und streiften oft in Begleitung ihres *ghillie* (schottisch für Wildhüter) John Brown durch das Land. Prinz Albert starb, erst 42 Jahre alt, am 14. Dezember 1861 in Windsor an Typhus und hinterließ eine untröstliche Victoria. Briefe und Erzählungen berichten von den einsamen Fahrten der Königin an die Orte ihrer Erinnerung. Bis sie sich schließlich aus ihrer schier unendlichen Trauer lösen konnte, vergingen viele Jahre. Sie schaffte das unter anderem mit der Ermutigung ihres Freundes John Brown. Das besondere Verhältnis der beiden ist in dem bewegenden Film *Mrs. Brown* nachgezeichnet worden.

Fast 40 Jahre lang kehrte die Königin, tiefschwarz gekleidet, immer wieder zurück nach Balmoral. In ihren letzten Jahren war sie oft dort und kam dabei vor allem zu ihrer kleinen Hütte an dem nahen **Loch Muick**. Spötter behaupten, sie habe sich dort immer wieder aufgewärmt, denn ihre offiziellen Gäste soll sie stets in den eiskalten Räumen des Balmoral Castle empfangen haben. Seit der Zeit Königin Victorias ist dieser Privatbesitz der Windsors jedes Jahr im August und September und oft auch zu anderen Zeiten des Jahres das Ziel einzelner Mitglieder und der ganzen königlichen Familie.

Der Park hat heute einen umfangreichen Baumbestand, der das Schloss inzwischen gegen Einblicke von außen abschirmt. Er kann zu bestimmten Zeiten und nur wenn die königliche Familie nicht anwesend ist, zusammen mit dem Ballsaal des Schlosses, den Stallungen und verschiedenen Ausstellungen besichtigt werden.

Wer die königliche Familie bei ihrem Urlaubsaufenthalt trotzdem einmal erleben möchte, kann das hin und wieder sonntags im August oder September direkt oberhalb Hauptstraße an der Auffahrt zur **Crathie Church** tun. Es ist Tradition, dass die Königin in dieser Kirche mit der Gemeinde den Gottesdienst besucht. In der der schlichten Dorfkirche wurden 1992 Prinzessin Anne und Timothy Laurence getraut.

Östlich von Crathie zweigt eine Straße in das nordwestliche Hochland ab und führt hinüber an den Spey. Wer dagegen weiter fährt erreicht das südwestlich gelegene Braemar und schließlich Perth. In beiden Richtungen geht die Fahrt hoch hinaus durch die Wintersportgebiete dieser Region.

Braemar Castle, im 17. Jahrhundert gebaut, liegt südöstlich von Balmoral in einem kleinen Wäldchen versteckt am Dee. Mit ihren bastionsartigen Sternmauern, den Schießscharten und dem massiven Turm erweckt die Burg den Eindruck einer Festung. Früher diente das Castle den hiesigen Landbesitzern, den Farquharsons, als Jagdschloss und Residenz. Mitte des 18. Jahrhunderts hausten die Hannoveraner Regierungssoldaten als Zöllner im Kampf gegen die Whiskyschmuggler und Schwarzbrenner darin. Heute wohnt Captain Farquharson mit seiner Familie immer noch in einem prächtigen, schlossähnlichen Landhaus wenige hundert Meter weiter am anderen Ufer des Dee.

Umringt von Bergen liegt das Dörfchen **Braemar,** eingebettet in eine herrliche, wildreiche Landschaft. Dieser Vierhundert-Seelen Ort existiert schon seit dem frühen Mittelalter und ist bestens bekannt für die Traditionen des Hochlandsports. Hier hat Robert Louis Stevenson einen der berühmtesten Abenteuerromane der Weltliteratur geschrieben, seine *Schatzinsel* (1883). Vor der heutigen Ortseinfahrt rief 1715 der **Graf von Mar** zum **Jakobiteraufstand** auf. Das Ge-

biet war einst im Besitz dieser Grafen (daher der Name Brae
Mar). Schon im 11. Jahrhundert hatten Malcolm Canmore
an dieser Stelle eine Burg und Robert the Bruce ein Jagdschloss, von dem noch die Überreste gegenüber des Parkplat-
zes zu sehen sind. Was das Tattoo für Edinburgh ist, ist das
Highland Gathering für Braemar. Tausende von Zuschauern
und Touristen kommen dazu jedes Jahr in den kleinen Ort.
Die Königin und Teile ihrer Familie, die zu dem Zeitpunkt
auf dem nicht weit entfernt liegenden Balmoral ihren Jahres-
urlaub verbringen, besuchen traditionell am Nachmittag für
rund zwei Stunden das Schauspiel. Es steht noch nicht fest,
wer oder was der größere Besuchermagnet ist – die Spiele
oder die Royal Family – vielleicht ist es eine Kombination
aus beidem.

Kurz hinter Braemar windet sich die Straße hinauf in die
Grampian Mountains, zum Skigebiet von **Glenshee,** danach
hinunter durch eine herrliche Landschaft nach **Blairgowrie,**
um schließlich bei **Perth** auf den Tay zu treffen. Auf dieser
Strecke kann in den Bergen häufig Rotwild gesichtet werden.

Die nicht weit vom Balmoral abzweigende A939 führt
von Deeside nach **Tomintoul.** Zu dem höchstgelegenen Dorf
im Hochland windet sich die Straße über eine Buckelbrücke
und durch eine wilde, einsame Heidelandschaft in das nordwestliche Hochland hinauf. Aus diesen Bergen kommt teilweise das Wasser, die Basis zur Whiskyherstellung. In den Tälern des Spey wird fast überall Whisky gebrannt - im Gegensatz zu früher ist das heute legal. Im 18. Jahrhundert rückten
die Regierungstruppen von **Corgarff Castle** am Fuß der steil
hinaufführenden Straße immer wieder in das schwer zugängliche Hochland aus, um den illegalen Brennern das Handwerk zu legen.

Die wenigen kleinen Ortschaften der Region werden
durch den gut ausgeschilderten **Whisky Trail** verbunden. Es
ist ein Rundkurs mit rund 100 Kilometer Länge, der Wissbe-
gierige durch das westliche Grampian und am Spey entlang
führt. In fast jedem Dorf dieser Region gibt es eine oder gar
mehrere oft weltberühmte Brennereien. Das Gute ist: fast alle können besichtigt werden. Dabei gibt es für den Besucher

meist einen *wee drum* (schottisch für einen kleinen Schluck) zu kosten.

Dufftown ist heute eines der bekanntesten Zentren der schottischen Maltwhiskyherstellung. Unweit des historischen Castles von **Balvenie** wird der Glenfiddich gebrannt. Dieser kleine Ort wurde 1817 vom Grafen von Fife, **James Duff**, gegründet und nach der dortigen Burg benannt. Damit wollte er vor allem die hohe Arbeitslosenzahl nach den Napoleonischen Kriegen verringern. Die Straßen im Ort sind streng symmetrisch angeordnet. So treffen sich die vier Hauptstrassen beim auffälligsten Gebäude des Ortes, dem **Block Tower**, der 1839 fertiggestellt wurde. An dieser Stelle befand sich einst das Stadtgefängnis, später war das Rathaus dort untergebracht. Die Glocke im Glockenturm hat einen sehr merkwürdigen Namen. Sie stammt aus **Banff** und ist bekannt als 'die Glocke, die MacPherson hängte'. MacPherson war ein berüchtigter Räuber, der im Jahre 1700 in Banff zum Tode durch den Strang verurteilt wurde. Er hatte nach Robin-Hood-Manier die Armen mit dem beschenkt, was er zuvor von den Reichen geraubt hatte. Die Bewohner des Ortes reichten ein Gnadengesuch ein. Während das Begnadigungsschreiben aber noch unterwegs war, stellte Lord Braco, Sheriff von Banff und Erzfeind MacPhersons, die Uhr um eine Stunde vor. Damit erreichte er, dass die Glocke früher schlug und MacPherson noch vor Eintreffen des Begnadigungsschreibens gehängt wurde. Zur Erinnerung an diesen Vorfall wurde die Glocke später von Banff nach Dufftown überführt.

Kurz hinter Dufftown führt der *Whisky Trail* vorbei an der **Speyside Cooperage**. In dieser Böttcherei wird noch das Handwerk der Fassherstellung für die Whiskyindustrie ausgeübt und dem Interessierten auch vorgeführt. Die aus Jerez und Kentucky importierten Sherry- und Bourbonfässer werden manuell geprüft, repariert und wieder zusammengesetzt, bevor sie an die Brennereien zur Lagerung gehen.

Exkurs: Dem Whisky auf der Spur

Die Geschichte des Whiskys reicht ins 15. Jahrhundert zurück. Eine Unzahl von schauerlichen Begebenheiten und Heldengeschichten werden heute noch aus der Zeit der Schwarzbrenner im 17. und 18. Jahrhundert erzählt.

Die vielen Brennereien im Tiefland, im Hochland und auf den Inseln produzieren alljährlich einen einzigartigen goldenen Strom, der während seiner Herstellung zunächst aber noch so farblos wie Wasser ist. Jeder fertige Maltwhisky unterscheidet sich dann aber allein schon in der Farbe, die von dunkelbraun bis hellbernstein reichen kann. Genauso stark variieren alle *Malts* im Geschmack von streng und scharf über vollmundig bis ganz mild und weich. Dabei entfalten sie eine Aromapalette von rauchig und kräftig bis fast blumig. So unterschiedlich sie auch sind, so haben sie doch eines gemein: Sie brennen nicht in der Kehle, sondern rufen allenfalls eine angenehme Wärme hervor und zur Entfaltung des Aromas werden sie höchstens mit einigen wenigen Tropfen klaren, stillen Bergwassers getrunken – niemals aber mit Soda, Cola oder Eis! Das sollte man höchstens mit den aus Malt- und Korn Whisky gemischten und geschmacklich abgestimmten (*blended*) Whiskies tun. Doch Vorsicht, Whisky steigt zu Kopf. Man achte deshalb darauf, dass man nicht zuviel Wasser ins Glas gibt...

Die Methode des Whiskybrennens hat sich nie verändert – allenfalls verfeinert. Sie geschieht immer noch nach uraltem Brauch und mit Wissen und Können des Brennmeisters, der für das Destillat lediglich drei Zutaten verwendet: **Gerste**, reines weiches **Wasser** aus dem Hochland und **Hefe**. Eine kurze Erklärung: **Hefe** ist ein einzelliger Pilzorganismus. Das komplexe Enzymsystem der Brauhefe wandelt Glukose in Alkohol und Kohlensäure um. Die Gerste wird in Wasser eingeweicht und dann zum Keimen auf dem Malzboden ausgebreitet, bis grüne Triebe zu sprießen beginnen. Während der **Keimung** entstehen Enzyme, die die in den Gerstenkörnern enthaltene Stärke in Zucker umwandeln. Zu diesem Zeitpunkt wird die Keimung durch heißen Torffeuerrauch abgebrochen – die **Darre** – die dem späteren Whisky seinen unverwechselbaren und torfrauchigen Geschmack verleiht.

Das Malz wird zu Schrot (*grist*) gemahlen und in einem Maischebottich mit heißem Wasser übergossen oder eingemaischt und der darin enthaltene Zucker herausgewaschen. Diese heiße zuckrige Lösung ist die Würze (*ward*), die abgekühlt und in großen Bottiche (*washbacks*) mit Hefe versetzt wird. In den Bottichen erzeugt die Hefe durch die Aufspaltung des Zuckers (Gärung) eine schwach alkoholische Flüssigkeit (*wash*), Kohlensäure und viel Schaum. Danach wird diese in riesigen kupfernen Destillierbirnen (*pot stills*) zweimal gebrannt. Die erste **Destillation** ergibt eine Flüssigkeit, die *low wines* genannt wird. Diese wird dann in der zweiten Brennbirne, dem *spirit still*, nochmals gebrannt, um schließlich den 'Geist' heraus zu destillieren. In dieser Phase hängt viel vom Brennmeister ab, dessen Erfahrung und Fertigkeit die traditionelle Eigenart und Geschmacksfärbung des Malzwhiskys seiner Brennerei mitbestimmen.

Nur der mittlere Lauf, genannt der *middle cut*, der zweiten Destillation wird zur **Reifung** verwendet. Dazu wird das Destillat ausschließlich abgefüllt in gebrauchte Eichenholzfässer, die entweder aus Jerez oder aus Kentucky importiert und sorgfältig von erfahrenen Böttchern (Küfern) wieder aufgearbeitet und repariert werden. Wasserklar wird die frischgebrannte Spirituose des Mittellaufs von ca. 72 Volumenprozent auf etwas über 60% verdünnt in diese Eichenfässer abgefüllt. In Lagerhäusern reift sie gut gelüftet mindestens drei Jahre, bevor das Produkt sich schottischer Whisky nennen darf. Meistens ruht er noch etliche Jahre länger. Während dieser Reifung verliert die Spirituose die Schärfe ihrer Fuselöle und nimmt den typisch reifen Geschmack des vollen, reinen Malzwhiskys und die Farbe aus den Fässern an. In den Fässern verliert sie allerdings pro Jahr auch ca. 2% an Volumen – ein Vorgang, der in Schottland romantisch *Angels Share* (Anteil der Engel) genannt wird. Engel wissen schließlich wohl auch, was gut ist. Nach der Reife wird der Whisky dann durch weitere Beimischung von weichem, entmineralisiertem Quellwasser auf die gewünschte Stärke zwischen

normalerweise 40 und 43 und mehr Volumenprozent gebracht je nach Exportland, bevor er abgefüllt wird.

Das Wort Whisky wird im Schottischen ohne 'e' geschrieben. Der **schottische Whisky** unterscheidet sich nicht nur dadurch vom **irischen Whiskey,** sondern auch durch seinen eigenen, oftmals rauchigen Geschmack. Der Irische Whiskey
hingegen, zu dessen berühmtesten Whiskeysorten Namen
wie Old Bushmills, Paddys und Jamieson zählen, zeichnet
sich durch einen weichen, rauchlosen Geschmack aus. **Ame-
rican whiskey** (*bourbon*) wird auf Roggenbasis hergestellt.
Für die verschieden Whiskysorten ist die Aufschrift auf dem
Etikett ausschlaggebend. *Single malt* bedeutet, dass es ausschließlich ungemischten Malz-Whisky, aus einer einzigen
Brennerei ist. *Malt* kann dagegen aus mehreren Malts verschiedener Brennereien gemischt sein. Gegebenenfalls
stammt er aus einem Jahrgang und in der Regel wurde er
acht und mehr Jahre in einem Eichenholzfass gelagert. *Grain
whisky*, das Destillat aus verschiedenen Getreiden, ist Grundlage für das Massenprodukt *blended whisky* – gemischter
Whisky. Diese bekannteste Art schottischen Whiskies ist eine
Mischung, die zu einem geringeren Teil aus Malt und einem
größeren Anteil aus Korn besteht. Auch in Australien, Japan
und Neuseeland werden charakteristische und manchmal
recht gute Whiskysorten auf Getreidebasis hergestellt. Doch
es ist fast unmöglich, den Geschmack und die Qualität von
schottischem Whisky anderswo als in Schottland zu produzieren. Als 'Scotch' darf sich nur bezeichnen, was in Schottland gebrannt und danach mindestens drei Jahre in Eichen-
holzfässern in Schottland gelagert wurde. Es wird behauptet,
dass es rund 2000 verschiedene Marken (*blends* und *malts*)
gibt. Das ist nicht bewiesen, aber die Verkaufstendenz ist stei-
gend. Im Jahre 2001 wurde erstmals die Rekordmarke von
über 1 Mrd. Flaschen Whisky exportiert und die größte
Sammlung dieser Köstlichkeit wird nicht in Schottland, sondern in einer Bar am Gardasee gefunden.

Speyside

Diese sehr spezielle Landschaft zieht sich, wie auch das Great Glen, als eine von zwei Diagonalen quer durch das zentrale Hochland. Der Spey ist der bekannteste Hochlandfluss. Er entspringt in den **Monadhliath Mountains** (sprich: Monalia), wo er im Frühjahr das Schmelzwasser des Schnees aufnimmt. Dadurch tritt er fast regelmäßig in der Ebene bei Kingussie über die Ufer. Er mündet, nachdem er sich durch das Hochland gewunden hat, schließlich in den Moray Firth und dann in die Nordsee. Das Wasser dieses Flusses, dessen Mineralstoffgehalt und andere günstige Gegebenheiten, ließ die zahlreichen Whiskybrennereien entlang des Speyufers entstehen. Die Lachse wissen das ebenfalls zu schätzen (das Wasser – vielleicht nicht so sehr den Whisky). Sie ziehen im Frühjahr und im September den Fluss hinauf. Das sind auch die Hauptfangzeiten, in denen dann versucht wird, an jeder Flussbiegung für teures Geld eine dieser Delikatessen zu fangen. Die Lizenzen werden vom Landbesitzer verkauft und von seinem Wildhüter (*ghillie*) kontrolliert.

Bedrohte Natur in den Cairngorms

Die Cairngorms sind eine von den Eiszeiten geformte Hochebene aus Granitgestein mit einem eigenen Klima, das im Winter nicht anders als arktisch genannt werden kann. Dementsprechend gedeihen dort auch nur arktische Fauna und Flora. Rentiere, die dreihundert Jahre nach ihrem Verschwinden in dieser Tundralandschaft wieder eingeführt wurden, haben sich mittlerweile gut eingelebt. Die Region bietet so viel Naturschönheiten und Szenerie, dass sie in fast jeder Jahreszeit viel zu stark besucht wird. Leider wird dadurch auch viel von dem kargen Boden und dem dünnen Pflanzenteppich durch Wanderer zerstört. Deshalb wurde eine Zahnradbahn gebaut, die die Besucher auf die Berge bringt. Seit 2003 genießt die Region auch den Status eines Nationalparks.

Speyside gilt allgemein als besonders reizvoll, die Landschaft aber vor allem in der glühenden Farbenpracht des Herbstes zu genießen, wird immer noch als Geheimtipp gehandelt. Bekannt ist neben dem Whisky aus dieser Region die

Bäckerei **Walkers,** die am Ortsrand von Aberlour die weltberühmte Köstlichkeit aus Mürbeteig, das *Shortbread*, herstellt. Flussaufwärts und westlich von **Grantown on Spey** bietet das Dörfchen **Carrbridge** nicht nur das interessante und unterhaltsame Landmark Visitor Center, sondern auch ein bekanntes Fotomotiv, die bizarre, 1717 gebaute Bogenbrücke über den rauschenden Fluss Dulnain.

Eisenbahnenthusiasten können bei einer Fahrt zwischen Aviemore und Boat of Garten eine Rückkehr in die Tage der Dampfeisenbahn miterleben. In der Sommersaison ziehen die Dampflokomotiven der **Strathspey Steam Railway** zischend, qualmend und schnaubend noch immer ihre Waggons durch das Tal des Spey. Nicht weit davon im **Loch Garten Nature Reserve** können Natur- und Vogelliebhaber das Familienleben nistender Fischadler von einem wohlausgestatteten Beobachtungsstand aus verfolgen.

Aviemore war bis in die 1960er Jahre ein verschlafenes Hochlandnest. Heute ist es ein Touristenzentrum mit komplett mit Hotelkomplexen, einem Sportzentrum, Einkaufszentren und touristischen Unterhaltungsbetrieben. Dank der Initiative eines österreichischen Skilehrers und anderen Skibegeisterter der Region wurde das Städtchen in den 1960er Jahren mehr oder weniger aus dem Boden gestampft. Im Schatten der Berge der nahegelegenen **Cairngorms,** auf denen eines der großen Skigebiete mit einigen der bekanntesten Skipisten Schottlands liegt, wurde ein großer Tourismuskomplex geschaffen, der ganzjährig für Urlauber, Bergwanderer und Wintersportler sorgt.

Das **Rothiemurchus Visitor Center** am Fuße der Cairngorms informiert umfassend über den umliegenden herrlichen Eichenwald, das Seengebiet, die Flora und Fauna und die gesunde Luft der Region.

Weiter den Fluß Spey hinauf liegt das einstige Land der MacPhersons, und so gibt es im Ort **Newtonmore** auch ein **Clan MacPherson Museum.** Die knapp 1200 Einwohner von Newtonmore und dem Nachbarstädtchen Kingussie sind fast alle *Shinty*-Fans, das ist eine Abart des Hockeyspiels. Kingussie gewann schon mehrfach die Meisterschaft in diesem harten Spiel. *Shinty*, gälisch *Camanachd* genannt, ist der Lokalsport im Hochland und das Lokalderby mit dem Erzrivalen Newtonmore ist eines der wichtigsten Ereignisse im regionalen Kalender.

Unübersehbar erheben sich gegenüber **Kingussie** auf einem Grashügel die Ruinen der **Ruthven Barracks**. Diese Kasernen wurden von den Engländern 1719 als Garnison gegen die Clans des Hochlands erbaut. Sie wurden aber von den aufständischen Jakobitern 1746 zurückerobert und vor der Schlacht bei Culloden als Sammellager verwendet. Die dachlosen Ruinen sind ein Teil der ereignisreichen Geschichte des Landes und werden somit von Historic Scotland gepflegt. Das **Highland Folk Museum** in Kingussie zeigt eine Sammlung von Gegenständen wie Geschirr, Kleidungsstücke und Gartengeräte aus dem Alltagsleben der Menschen vergangener Zeiten. Ein heidegedecktes **Black House** ist im Freien nachgebaut. Das einfache schwarze Haus ist ein aus einfachen Mitteln hergestellter, wohldurchdachter Bau, der früher überall im Hochland und auf den Inseln im Westen zu finden war.

Von Kingussie aus ist die A86 eine der ganz wenigen Straßen, die eine Querverbindung von der Nord-Süd-Achse Inverness-Perth nach Westen in das Great Glen bildet. Die hügelige, einsame Landschaft am Fuß der Monadhliath Mountains ist in vieler Hinsicht sehenswert und interessant. Diese Landschaft ist ein ideales Wandergebiet und präsentiert mit der Ruhe und Schönheit, die sie besonders in ihrem westlichen Teil vor der majestätischen Bergkulisse von Lochaber ausstrahlt, das in der ganzen Welt berühmte Bild der schottischen Highlands. Andere interessante Aspekte dieses Gebiets sind neben der Geschichte der zahllosen Clankriege die geologischen Beschaffenheiten. So findet der Interessierte im Glen Roy an den steilen Talhängen sogenannte ‚Parallel Roads' als Stufen, die während der Schmelzperiode der letzten Eiszeit entstanden. Entlang Loch Laggan liegt ein Großteil des ehemaligen Landes der Keppoch Macdonalds (oder MacDonnels). Das 1852 errichtete Denkmal der sieben Köpfe am Loch Oich im Great Glen, dass an einen fürchterlichen, für diese Zeit nicht gerade untypischen Vorfall im Jahr 1663 erinnert, ist ein Ausdruck der oftmals brutalen Vorgänge und der Feudaljustiz der Clans im Hochland des Mittelalters.

Das große Tal – The Great Glen

Jenseits der Monadhliath Mountains und weiter westlich vom Fluß Spey liegt dieses riesige Tal – das Great Glen. Über Jahrmillionen schob sich das nordwestlichen Ufer am südöstlichen Ufer entlang und durchschnitt so das Land vom Atlantik bis zur Nordsee diagonal in zwei Teile. Dann kam das Eis und die Gletscher taten ihr Übriges, sie schliffen Die Landmasse aus und schmolzen schließlich. Die Kette der durch sie gefüllten Seen und die verhältnismäßig geringen Erhebungen machten das Tal schon seit prähistorischer Zeit zu einem natürlichen Verkehrsweg. Heute verläuft durch das enge Tal die Hauptverkehrsstraße zwischen Fort William im Südwesten und Inverness im Nordosten. Sie führt entlang an einer Kette von fünf Seen - **Loch Linnhe, Loch Lochy, Loch Oich, Loch Ness** und **Loch Dochfour.** Eine der vielen meisterhaften Leistungen des großen Ingenieurs **Thomas Telford** (1757-1834) ist der **Caledonian Canal,** der diese Seen mit dem Atlantik und der Nordsee verbindet. Es war der erste schiffbare Kanal für hochseetüchtige Schiffe in Großbritannien.

Dieser Kanal wurde erstmals von **James Watt** konzipiert, der auch den Verlauf durch das Tal berechnete. Die Kosten waren jedoch für die Regierung in London zu hoch. Zum Beginn des 19. Jahrhunderts bildeten die jungen Männer des Hochlands mit ihrer Kampfkraft einen wesentlichen Bestandteil der ständig expandieren Armee des britischen Empires. Durch die Clearances drohte aber dieses Rückgrat der britischen Armee so geschwächt zu werden, dass der Report Telfords, der den Mangel an Arbeitsplätzen als eigentliche Wurzel des Übels erkannte, die Regierung stark beeinflusste. Dazu kam, dass die Napoleonische Flotte die britischen Schiffe zwang, den gefährlichen Weg durch den Pentland Firth zu nehmen, um vom Atlantik in die Nordsee zu gelangen. Obwohl das gesamte Tal mehr als 96 km lang ist, mußte ein nur 35,4 km langer Kanal gebaut werden. Trotzdem betrug die Bauzeit zwischen 1803 und 1822 fast 20 Jahre. Die Höhenunterschiede zwischen den Seen und später zum Meer mussten mit 28 Schleusen überwunden werden. Das war nur eine der vielen großen Schwierigkeiten. Die z.T. stufenförmig hintereinander angeordneten Schleusen sind heute immer noch in Betrieb.

Loch Dochfour ist von Inverness aus der erste und auch der kleinste der Seen dieses großen Tals. **Dochfour House,** ein Herrenhaus im Besitz der Baillie Familie, inmitten herrlicher Rhododendrengärten gelegen, überschaut dieses kleine Gewässer. Gleich danach schließt sich dann **Loch Ness** an, der mit einer Länge von rund 39 km größte der fünf Seen. Ungefähr 250 Meter tief und mit einer durchschnittlichen Breite von eineinhalb Kilometern, ist dies der wasserreichste See und einer der tiefsten in Großbritannien.

Fort Augustus, im Zentrum des **Great Glen,** ist ein kleines Städtchen mit geschichtlichem Hintergrund. An dieser Stelle wurde zu Beginn des 18. Jahrhunderts – genauso wie weiter südlich in Fort William – ein Fort gegen die Jakobiter des Hochlands gebaut. Mitten im Ort verbinden die fünf treppenartigen Schleusen des Caledonian Canals die beiden unterschiedlichen Niveaus von Loch Oich und Loch Ness.

Am Ostufer der 50 km langen Meeresbucht von Loch Linnhe liegt **Fort William** als das südliche Tor zum Great Glen. Diese strategische Position nutzte im achten Jahrhundert schon der Piktenkönig Achaius der bei Inverlochy schon eine Burg hatte und angeblich Kontakte mit Karl dem Großen gehabt haben soll. 1655 wurde durch Cromwells General Monk dann am nordöstlichen Ende vom Loch Linnhe eine Befestigungsanlage gebaut. Doch erst zur Regierungszeit von William III. und Mary wurde 1690 an dieser wichtigen Stelle eine größere und besser befestigte Sicherung gegen die Jakobiter gebaut. Benannt wurde sie zunächst nach der Königin Mary, Maryburgh. Nach ihrem Tod erhielt das Fort dann den Namen ihres Mannes. Die Stadt ist ein Bergsteigertreffpunkt, denn neben vielen anderen Bergen liegt der 1343 m hohe **Ben Nevis,** der höchste Berg Großbritanniens, nicht weit von Fort William. Dieser runde Basaltbuckel ist der

Restkern eines durch die Erosion über viele Millionen Jahre abgetragenen Vulkankegels. Die Kuppe des Berges ist meistens in Wolken gehüllt, so dass es fast ein Glücksfall ist, wenn der Berg einmal klar zu sehen ist. Fort William bietet beinahe alles, was Touristen benötigen – eine Auswahl an Geschäften, Restaurants und Unterkunftsmöglichkeiten.

Das etwas altertümlich wirkende West Highland Museum liegt im Zentrum der Stadt. Es zeigt eine Reihe von historischen und regional bedeutenden Ausstellungsstücken, die sich u. a. auch auf das Leben von Bonnie Prinz Charlie beziehen.

Nur einige Autominuten von der Stadt entfernt führt eine Seilbahn auf die Hänge von Aonach Mor in das Skigebiet von Nevis Range. Östlich davon finden sich im Landesinneren die bekannten Skigebiete der Cairngorm- und Monadhliath Mountains.

Auf der östlichen Seite des Loch Linnhe liegt das wilde Gebiet **Lochaber**. Einen Vorgeschmack darauf liefert ein Abstecher von **Fort William** in das nahegelegene **Glen Nevis**. Mit seinen Kiefernwäldern, rauschenden Bächen und Wasserfällen ist es eines der spektakulärsten Täler des Landes. So ist es nicht verwunderlich, dass diese zerklüfteten Landschaften schon mehrfach stimmungsvolle Drehorte für Hollywood Filme wie z. B. *Highlander, Rob Roy* und *Braveheart* waren.

Nicht weit von Fort William führen zwei Routen nach Südwesten und Südosten aus dem Großen Tal hinaus. Dabei liegen am anderen Ufer im Westen die herrlichen, aber fast menschenleeren Landschaften von **Moidart, Sunart** und die Halbinsel **Ardnamurchan.** Die südwestliche Route windet sich größtenteils an den Ufern des riesigen Meeresarms von Loch Linnhe entlang die Küste hinunter. Die Küstenstraße führt hier in Richtung Oban. Wer ihr folgt, genießt die grüne Landschaft von **Appin** und plötzlich liegt dann rechts, nicht zu übersehen auf einer Insel direkt vor der Küste, das **Castle Stalker.**

Im 13. Jahrhundert war diese Burg im Meer einer der Stützpunkte der MacDougals, bevor es im darauffolgenden Jahrhundert durch Heirat an die Stewarts überging. Heute ist es in Privatbesitz. Ein weiterer Abzweig führt nach Port Appin, dem Fährhafen zur Garteninsel **Lismore**. Die Hauptstraße überquert die Brücke über Loch Creran und wenig später bei Connel die dramatischen Meereskatarakte der **Falls of Lora**. Sie sind eine von nur drei Formationen dieser Art in der Welt, und am Ausfluss von **Lochs Etive** sehr deutlich bei Gezeitenwechseln in beiden Richtungen zu sehen. 18 Meilen tief erstreckt sich dieser Salzwasserarm des Atlantiks ins Inland. An seinen Ufern liegen zahlreiche historische Stätten, wie das 1230 von Vallescaulier-Mönchen, einem Zweig des Karthäuserordens, gegründete **Ardchattan Priory**. Es war der Verhandlungsort von Robert the Bruce und hat in der Folgezeit einen Großteil der Landesgeschichte miterlebt. Schließlich wurde bei **Taynault** in der Bonawe-Eisenschmelze von 1753 bis ca. 1870 mit der Holzkohle aus den einst umliegenden Eichenwäldern Eisen geschmolzen. Das Erz dazu kam aus dem englischen Cumberland. Bevor Oban erreicht wird, liegt rechter Hand zwischen den Bäumen veborgen ein weiteres, historisches Castle – **Dunstaffnage**.

Eindrucksvoll plötzlich taucht nach einer Kurve Oban (15 000 Einwohner) auf. Von hier geht auch ein grandioser Blick auf die hohen Berge der im Hintergrund liegenden Inseln. Oban wurde vor 200 Jahren gegründet, heute ist sie die größte Stadt in Argyll und die logistische Drehscheibe der Region und der südlichen Hebriden. Im Sommer quillt sie allerdings von Touristen über. Geschützt durch die vorgelagerte Insel Kerrera war die Bucht immer schon einer der wichtigsten Häfen der schottischen Westküste. Von hier legen die Fähren zu den Inseln Mull, Barra, South Uist, Coll, Tiree, Colonsay und Lismore ab. Gekrönt wird die Stadt durch ein Granitmonument, das sich der reiche Bankier John Stewart MacCaig 1897, damit Arbeit schaffend, für £5000 bauen ließ.

Doch eine der eindrucksvollsten Routen in Schottland folgt von Fort William aus südlich zunächst ebenfalls Loch Linnhe. Eine moderne Eisenbrücke führt heute über den Zusammenfluss von Loch Leven und Loch Linnhe an der Stelle, an der einst eine Fähre die einzige Verbindung über diese Enge war. Dort am südlichen Brückenende erinnert ein weißer Stein an einen sinnlosen Mord zwischen verfeindeten Clans. Es war in der Zeit nach der Schlacht von Culloden als 1752 an dieser Stelle **James Stewart** gehängt wurde. Er büßte damit für den Mord an **Colin Campbell** für den er schuldig befunden worden war, obwohl er nachweislich zu diesem Zeitpunkt gar nicht in der Gegend aufhielt. Richter wie Geschworene waren ausnahmslos Campbells. James Stewart, obwohl offensichtlich unschuldig, hatte keine Chance und konnte seinem Schicksal nicht entgehen. Damit allen Reisenden die Macht der Campbellschen Justiz deutlich klar wurde, übergaben die Campbells den Leichnam James Stewards nicht seinen Angehörigen, sondern ließen ihn zehn Jahre am Galgen neben diesem Fähranleger hängen. Robert Louis Stevenson verarbeitete diese wahre Geschichte in seinem Roman *Catriona*.

Loch Leven, der Salzwassersee, zweigt von Loch Linnhe unter der Brücke von **Ballachulish** ab. Er erstreckt sich, von hohen Bergen eingerahmt, bis tief ins Inland hinein. Die gleichen Berge zwängen zwischen sich und Loch Leven den Ort Ballachulish ein. Er wurde nicht nur durch die herrliche Landschaft bekannt, sondern vor allem durch seine Schieferbrüche, die allerdings um 1950 geschlossen wurden. Ballachulisch-Schiefer deckte einst die Dächer Schottlands.

Gleich hinter Ballachulish liegen vor dem kleinen Ort **Glencoe** einige Inseln im stillen Wasser von **Loch Leven**. Auf der größten, **Eilean Munde,** die nach einem Mönch im vierten Jahrhundert benannt wurde, liegen die sterblichen Überreste der Mitglieder des Clans MacDonald of Glencoe, die nach dem Massaker dort ihre letzte Ruhe fanden. Das beklemmende Gefühl, das diese atemberaubende Berglandschaft des **Glen Coe** hervorruft, wird nur noch von der grausamen Geschichte, die sich 1692 hier abgespielt hat, übertroffen. Südlich von Glen Coe bilden bald die 1020 m hohen Felsen des **Buachaille Etive Mor** ('Der große Wächter/Schäfer von Etive') und andere Berge mit ähnlich schwierigen Namen die traumhafte Kulisse zur Einfahrt auf das menschenleere und kahle Hochmoorgebiet von **Rannoch Moor.** Neben hydrophilen Pflanzen wächst auf dem sauren Torfboden dieser Landschaft und in den Hochmooren fast nur Heide. Moore nehmen in der Grampian Region eine Fläche von über 8000 km⬛ ein, das sind etwa 11% der Gesamtfläche Schottlands. Die einzige Straße durch diese Traumlandschaft wird begleitet vom **West Highland Way,** der 90 Meilen lang ist. Dieser vielbegangene Wanderweg von Fort William nach Glasgow war einst einer der Nachschubwege, die **General Wade** im 18. Jahrhundert für die Regierung bauen ließ, um das Hochland zugänglich zu machen.

Crianlarich liegt zu Füßen der beiden Berge **Ben More** (1171 m) und **Stobinian** (1165 m). Der Weg ist jetzt nicht mehr weit bis zum malerischen und vielbesungenen **Loch Lomond.** Beginnend bei Ardlui im Norden, wo er nur wenige hundert Meter breit ist, weitet sich der See nach Süden hin jedoch allmählich und endet bei Balloch. Acht Kilometer breit an seiner breitesten Stelle, an einigen Stellen 190 m tief und mit einer Länge von 34 km, ist er mit 72 km⬛ der flächenmäßig größte See Großbritanniens. In seiner Länge liegt er gerade auf der Trennlinie zwischen Hochland und Tiefland. Die Schmelzwasser der letzten Eiszeit ließen die erodierten Bergspitzen der Hochlandbruchlinie als Inseln im See zurück, von denen ein Großteil in Privatbesitz ist.

Der See ist sehr fischreich, es soll dort fast 20 verschiedene Fischarten geben, u. a. den *Char* (Sailing) und auch den sonst seltenen *Powan*, einen Süßwasserhering. An dem See liegen einer der landschaftlich schönsten Golfplätze Schottlands mit inzwischen internationalem Ruf und ein ebenso situiertes Hotel der Spitzenklasse. Nicht weit davon finden Interessierte in einem ehrwürdigen Herrenhaus eine der besten und inzwischen international bekannten Jugendherbergen Schottlands .Loch Lomond ist nur einen Katzensprung weit von Glasgow entfernt, und praktisch der Haussee der Glaswegians.

Die Nordostküste

Landwirtschaft bestimmt das Bild der flachen Landschaft nördlich von Aberdeen. Der fruchtbare Boden bildete bereits im Mittelalter die Basis für Reichtum und Macht der Fürsten und Bischöfe. Bekanntestes Beispiel dafür war der schon mehrfach erwähnte Macbeth. In dem kleinen Fischerhafen **Buckie** wird in einem Besucherzentrum (The Buckie Drifter) die Geschichte des örtlichen Heringsfanges erklärt. Die *Drifters* waren ein spezieller Typ von Fischerbooten, die in dieser Region gebaut und eingesetzt wurden.

In **Banff,** weiter ostwärts, trägt **Duff House** zum Kulturangebot dieser Gegend bei. Das großartige Haus ist erst vor wenigen Jahren restauriert worden und zeigt als Aussenstelle der Edinburgher National Gallery of Scotland wechselnde Ausstellungen bedeutender Kunstwerke aus dem 17. bis 19. Jahrhundert. Zwischen Banff und Fraserburgh sind einige winzige Ortschaften wie **Pennan** und **Crovie** auf einem extrem schmalen Stück Küste unter steilen Klippen zwischen Felsen und Brandung eingezwängt. Das bisschen Land ist so schmal, dass die kleinen Häuschen mit dem Frontgiebel zum Meer und in den Wind gebaut sind und mit dem rückwärtigen Ende am Felsen kleben. Diese ehemaligen kleinen Fischerdörfer entstanden während der Clearances. Ihre Lage ist manchmal so pittoresk – z. B. in Pennan – dass sie schon Kulisse für Hollywoodfilme (*Local Hero,* mit Burt Lancaster) waren. Besucher fragen sich heute, wie Menschen ihr Leben an solchen Orten fristen konnten. Nach dem schweren Sturm von 1953, nach dem viele Bewohner die Dörfer verlassen hatten, sind die wenigen Häuser von den neuen Besitzern zum Teil zu Urlaubsdomizilen restauriert worden. Steile und enge Straßen machen es unmöglich mit dem Bus dort hinunter zu gelangen.

Das meist flache Land jenseits der Klippen hat an dem Rest der Küste und besonders an der Ostküste eine Reihe langer, einsamer Sandstrände aufzuweisen. In **Fraserburghs Kinnaird Head** zeigt **Scotland's Lighthouse Museum** eine Sammlung über faszinierende Leuchtturmtechnik und deren Geschichte in einer speziell dafür angelegten Umgebung. Das Museum erinnert ist nicht nur an die Seefahrertraditionen dieser Gegend, es ist auch Teil des aktiven Leuchtfeuers von **Kinnaird Head** mit einem Leuchtturm, den Robert Stevenson, der Großvater von Robert Louis Stevenson, 1820 auf einer Burg aus dem 15. Jahrhundert errichtete. Einer der wichtigsten Bestandteile der Ausstellung ist die dort erzählte Geschichte der Ingenieursfamilie Stevenson. Diese Familie, deren berühmtester Sohn allerdings etwas aus der Art schlug und Schriftsteller wurde, hat die Tradition des Leuchtturmbaus über mehrere Generationen mit vielen weltweit angewendeten Innovationen und Patenten fortgesetzt.

Landeinwärts liegt **Fyvie Castle,** nur eine von mehreren bedeutenden Burgen in dieser Region. Diese historische Festung mit ihren charakteristischen fünf Türmen, die siebenhundert Jahre schottischer Geschichte dokumentiert, ist voll eingerichtet und enthält zahllose Kunstschätze. Die alte Burg wurde schon im 13. Jahrhundert von Thomas the Rhymer verflucht, weil ihm jemand aus der Familie Forbes-Leith das Tor vor der Nase zugeschlagen hatte. In seinem Zorn darüber prophezeite er, dass, bis zu dem Tag, an dem drei weinende Steine gefunden werden würden, kein erstgeborener Sohn der Familie die Burg erben würde. Die Steine wurden nie gefunden und keiner der erstgeborenen Söhne der Forbes-Leiths hat jemals diese Burg geerbt. Die Burgen und Schlösser dieser Gegend sind vielgestaltig und zu den interessantesten und besten führt der **Castle Trail.**

Die hügelige Landschaft ist jedoch nicht nur für Burgen der mittelalterlichen Landesgeschichte bekannt. Viele Relikte aus prähistorischer Zeit zeugen überall von der reichen, vorchristlichen Kultur, die den Archäologen allerdings noch immer Rätsel aufgibt. So ist eines dieser Rätsel in der Nähe von **Inverurie** zu sehen. Dort errichteten die frühen Bewohner Steinkreise, wie z.B. **East Aquhorthies,** die zwar denen im benachbarten Moraydistrikt ähneln, allerdings z.T. aus liegenden, anstatt stehenden Steinen bestehen.

Elgin, der alte Bischofssitz, wurde einst wegen seiner aus dem frühen 13. Jahrhundert stammenden Kathedrale berühmt, die die prächtigste des gesamten Königreichs und der Stolz des Landes war. In einem Racheakt brannte allerdings **Wolf von Badenoch,** Sohn von **Robert II.** und somit ein Stewart, diese Kirche und die Stadt nieder. Das war im 14. Jahrhundert. Danach erreichte die Kathedrale trotz ihres Wiederaufbaus nie wieder ihre einstige Schönheit. Sie wurde vom Bildersturm nach der Reformation weiter zerstört und heute ist leider nur noch eine von Historic Scotland wohlgepflegte Ruine übrig. Deren wieder hergestelltes Domkapitel, das eine ganz hervorragende Akustik bietet, lässt etwas von dem einst großartigen Kirchenbau erahnen. Elgin ist die zweitgrößte Stadt im Nordosten Schottlands. Sehr informativ zeigt das Elgin Museum die Geschichte der Stadt, deren Spuren man vielerorts begegnet.

Findhorn Comunity

Eileen Caddy gründete mit ihrem Mann Peter Dorothy MacLean die Findhorn Community. Sie haben sich, wie sie sagten, alle drei von einer inneren Stimme leiten lassen, die sie dorthin geführt hat. Der Garten 'antwortete' den experimentierenden Laien in einer Art Telepathie, die als Kommunikation mit den Naturgeistern in die Findhorn-Annalen einging. In dem kargen Dünensand gediehen die Kohlköpfe und andere Pflanzen zu wahrhaft gigantischen Ausmaßen, die als die Wunder von Findhorn den Ruhm dieser Gruppe begründeten. Agrarexperten hatten keine wissenschaftliche Erklärung für diese strotzende Fülle, die dem kargen Boden bei diesem Klima abgerungen wurde. So z.B. ließ die Erbsenpflanze Dorothy präzise wissen, wie sie gesetzt (weiter auseinander), gegossen (weniger) und gedüngt (organisch) werden wollte. Genauso erging es den Kohlköpfen, die bis zu 20 kg schwer wurden. Heute ist das alles nicht mehr so, das Gemüse hat wieder Normalmaß angenommen. Findhorn ist heute mit seinen fast 350 ständigen Bewohnern eine spirituelle Gemeinschaft und ein Workshop für Erd- und Landschaftsheilung. Dazu kommen andere Experten wie Praktiker auf dem Gebiet der Architektur (zur nachhaltigen Entwicklung des Öko-Dorfs), Designer, Energie-Fachleute, Baubiologen etc.

In **Hopeman** am Moray Firth nördlich von Elgin wurden Spuren von Sauriern gefunden. Diese Funde zeugen davon, dass Schottland im Laufe der verschiedenen Erdzeitalter in den letzten 250 Millionen Jahre, auch auf der Höhe des Äquators lag und auch den Wüstengürtel durchquerte. Solche Saurierfossilien werden in vielen Gegenden Schottlands gefunden.

In **Fochabers,** östlich von Elgin, produziert **Baxters** Marmeladen- und Konservenprodukte, die weltweit anerkannt zu den wohlschmeckensten zählen.

Forres, die Blumenstadt, 17 km östlich von Elgin, schmückt sich im Sommer in ihren Parks und Gärten mit einer ganzen Zahl lustiger und farbenprächtiger **Blumenskulpturen.** Gleich am Ortseingang der Stadt steht der wohl berühmteste und größte Stein der Pikten: der **Sueno's Stone.**

Kunstvoll sind aus diesem sechs Meter hohen Stein Figuren, Reiter, Fabelwesen und keltische Ornamentik herausgearbeitet. Offensichtlich erzählt er die Geschichte einer Schlacht, die möglicherweise in der Nähe stattfand. Deren Verlauf und Geschichte sowie die Details auf dem Stein sind bis heute immer noch nicht von den Wissenschaftlern entschlüsselt werden.

Shakespeare's *Macbeth* spielt in Forres. Banquo wurde hier ermordet und in der Nähe traf Macbeth auf die drei Hexen die ihm sein Schicksal prophezeiten. Der Palast von Forres ist allerdings längst verschwunden. Wahrscheinlich stand er auf dem Hügel, auf dem heute ein Kriegerdenkmal seinen Platz hat. Nicht weit von Forres wurde 1962 an der Flussmündung des Findhorn in den Moray Firth die Findhorn Comunity gegründet eine inzwischen schon berühmte Gemeinschaft.

16 km westlich von Findhorn liegt die Stadt **Nairn,** ebenfalls am **Moray Firth.** Sie erhielt 1190 ihr Stadtrecht von König William dem Löwen. Die Region ist bekannt für ihr mildes Klima und die geringen Niederschläge. Grund dafür ist ein schwacher Ausläufer des Golfstroms, der an der Nordostküste herunterkommt und von der Morayküste abgelenkt wird. Dadurch leben dort sogar Delfine vor der Küste, die man von dort oder von Booten aus beobachten kann. In unmittelbarer Nähe Nairns liegen einige herrliche Strände und berühmte **Golfplätze.** Die einst berüchtigten Wanderdünen der **Culbin Sands,** östlich von Nairn, sind inzwischen glücklicherweise durch Aufforstung gezähmt. Sie bilden das größte

Dünensystem in Großbritannien. Der Sand dieser bis zu 40 Meter hohen Dünen zerstörte in einer einzigen stürmischen Nacht 1694 das gesamte Landgut von Culbin. Durch fortdauernde Anpflanzungen von Buschwerk und Kiefern während der letzten 80 Jahre konnte die Dünenwanderung inzwischen aber aufgehalten werden. **Brodie Castle** in der Nähe ist in der Obhut des National Trust for Scotland. Die Familie Brodie lebt seit 1160 in der Burg, doch dies ist der Nachbau der Burg mit Anbauten aus dem 16. Jahrhundert. Nicht weit von der Stadt Nairn produziert **Royal Brackla,** eine der beiden einzigen mit dem königlichen Prädikat ausgestatteten Destillerien Schottlands, einen ganz exzellenten Whisky.

Das von dort nur gerade einen Kilometer entfernt liegende romantische **Cawdor Castle** wurde größtenteils 1454 von William Calder gebaut. Doch als Sir John Campbell 1499 die letzte Erbin, Muriel Calder, entführte und später heiratete, kam die Burg in die Hände dieses heute größten Clans Schottlands, der Campbells. Sie ist noch immer bewohnt. Natürlich gibt es dort, wie auf viele Burgen, neben einem Geist auch eine fantastische Entstehungsgeschichte. Im 14. Jahrhundert wollte der alte Calder eine Burg bauen, er wußte nur nicht, wo. Da half ihm ein Traum. Der hiess ihn einen Esel mit seiner Schatzkiste voll Gold zu beladen und das Tier einen Tag lang frei umher ziehen zu lassen. Wo sich der Esel dann am Abend zur Ruhe lege, sollte er seine Burg bauen, damit sie bis in alle Ewigkeit Bestand habe. Da der Esel sich aber abends unter einen Baum legte, musste die Burg um ihn herum gebaut werden. Der Baum steht heute immer noch im Keller.

Bei **Culloden,** nur wenige Kilometer weiter, wurde auf der Ebene von Drumossie Moor 1746 die letzte Schlacht auf dem Boden des britischen Festlands geschlagen. Knapp einen Kilometer südlich von diesem Schlachtfeld liegen im Schatten eines grandiosen viktorianischen Viadukts, das die Eisenbahn auf 29 Bögen in einer eleganten Krümmung über das Tal des Nairn führt eine Ansammlung von Steinkreisgräbern,

Old Leanach Cottage, Culloden

die **Clava Cairns.** Sie stammen wahrscheinlich aus der Bronzezeit zwischen 2000 bis 1700 v. Chr. Die Kultur der Begräbnisrituale sowie auch die Bedeutung der Kreise, der Steinhügel und auch der sogenannten *cupmarks* (kleine Vertiefungen, die in das oft harte Gestein gearbeitet wurden) sind allesamt bis heute ungeklärt. Was diese Steingräber aber einzigartig auf den britischen Inseln macht, ist der Kreis aus Monolithen um jeden dieser Hügel (aus losem Gestein herum).

Slein mit Cupmarks

Zwei der drei Gräber, von denen es einst acht im diesem Tal gab, haben, mit einem Gang versehen, begehbare Grabkammern. In ihnen wurden bei den ersten Ausgrabungen 1828 angebrannte Knochenreste von Menschen und Tieren gefunden. Das dritte Grab hat keine Passage und das deutet darauf hin, dass es im Gegensatz zu den anderen beiden nur einmal belegt wurde. Die Gänge in diesen beiden Gräbern weisen genau in die Richtung der untergehenden Sonne am Tag der Wintersonnenwende. Das lässt klar erkennen, dass diese frühen Bewohner astronomische Kenntnisse gehabt haben müssen.

Nur wenige Kilometer von hier liegt am Mory Firth das riesige von William Adam und seinem Sohn Robert gebaute **Fort George.** Im Nachgang zu den dramatischen Tagen des letzten Jakobiteraufstandes wurde der Bau der gewaltigen Anlage 1748 begonnen und 20 Jahre später fertiggestellt. Es bewacht seither den Zugang zum Hochland. Die historische Anlage kann besichtigt werden, obwohl sie immer noch als Kaserne eines schottischen Regiments genutzt wird.

Inverness

Am Ende des **Great Glen** und an der Mündung des Flusses Ness, von den Pikten strategisch richtig positioniert, wurde dieser Ort schon in Schriften aus dem sechsten Jahrhundert als deren Königssitz erwähnt. Heute ist sie mit etwa 41.000 Einwohnern (2001) die regionale Hauptstadt und auch das Verwaltungszentrum der Highlands. Von seiner langen Geschichte ist leider heute nicht mehr viel zu sehen. Die Stadt ist

Flora Macdonald-
Denkmal

daher insgesamt für die Touristen vielleicht etwas weniger attraktiv. Moderne Bauten, die Industrie und das Verkehrsgedränge machen sie nicht unbedingt anziehender, doch die pulsierende Hauptstadt des Hochlands ist als logistische, soziale und kulturelle Drehscheibe für die gesamte Region von großer Bedeutung.

Inverness Castle ist der beste Ausgangspunkt für einen Rundgang durch die Stadt. Die jetzige Burg wurde zwischen 1834 und 1846 nahe der Stelle erbaut, wo die Truppen von Bonnie Prinz Charlie 1746 in ihrem Kampf um die Herrschaft der Stewarts über Großbritannien die alte Festung zerstört hatten. Heute ist die Burg das Gerichts- und Verwaltungsgebäude. Bonnie Prinz Charlie irrte nach der Schlacht von Culloden während seiner fünfmonatigen Flucht kreuz und quer durch das Hochland und über die Inseln und konnte erst im September 1746 nach Frankreich entkommen. Vor dem Castle erinnert das überlebensgroße Denkmal der *Flora*

Macdonald, die es ihm ermöglichte auf die Insel Skye zu entkommen, an eine der Episoden dieser Flucht.

Im Gegensatz zum Burg ist das Rathaus aus dem 19. Jahrhundert mit seiner viktorianisch-neugotischen Prachtfassade aber für Besucher zugänglich. Die Buntglasfenster und die beiden Wappentafeln aus dem 17. Jahrhundert erinnern an seine Geschichte. Das Rathaus war 1921 Schauplatz der ersten Sitzung des britischen Kabinetts ausserhalb Londons. *Winston Churchill* stimmte damals als Staatssekretär für die britischen Kolonien in der Irlandfrage ab. In alter Zeit diente der **Clach-na Cuddain,** der einst auf dem Marktplatz stand heute aber vor dem Rathaus den Waschfrauen als Rastplatz, um die schweren Wasserkübel abzustellen und ein Schwätzchen zu halten. Der Legende nach basiert das Schicksal der Stadt auf dem Stein und daher darf er nicht mehr von dieser Stelle entfernt werden.

Das **Inverness Museum and Art Gallery** zeigt u.a. Gegenstände aus der Geschichte des Hochlands. Die Schwerpunkte dort liegen auf Archäologie, Geologie, Natur- und Sozialgeschichte.

Eines der Wahrzeichen der Region ist aber die moderne **Kessock Bridge,** die die Ufer des Inverness Firth miteinander verbindet. Sie wurde 1982 mit EWG-Unterstützung über das nordöstliche Ende des **Great Glens** gebaut, bei dessen Überquerung sich nach Osten der Blick in den Moray Firth öffnet.

Die **Black Isle,** auf der anderen Seite des Inverness Firth ist in Wirklichkeit eine grüne, bewaldete Halbinsel. Das alte Gerichtsgebäude in der Regionalhauptstadt **Cromarty** erzählt die Geschichte dieser freien Stadt, die einst den Osten des Riesengebiets der *Mackenzies* markierte. 1802 wurde der Steinmetz **Hugh Miller** in **Cromarty** geboren. Er studierte als Autodidakt Geologie und Paläontologie und schrieb viele Bücher über dieses Sujet. Sein bescheidenes Haus ist heute eines der zahlreichen Kulturdenkmale, die vom National Trust for Scotland erhalten werden.

Weiter im Westen besitzt das hübsche Städtchen **Strathpeffer** mit seinen zahlreichen Häusern aus dem 19. Jahrhundert und den schmucken Vorgärten immer noch den Flair eines viktorianischen Kurorts. **Dingwall,** gleich nebenan, war der Geburtsort von Macbeth.

Die attraktive Kleinstadt **Tain,** etwas weiter die Küste hinauf, hat einen guten Teil der Geschichte von Robert the Bruce miterlebt. Tain war im Mittelalter ein berühmter Wallfahrtsort, zu dem z.B. James VI. mehrfach pilgerte. Die nähere Erkundung lohnt sich also, zumal gleich ausserhalb des Städtchens ein weltbekannter, feiner und weicher Whisky in der Brennerei von **Glenmorangie** produziert wird.

Jenseits der modernen Brücke über den Dornoch Firth wird liegt **Dornoch.** Die seit dem Mittelalter freie Stadt ist bekannt für ihre historische **Kathedrale.** Der geschichtliche Hintergrund des Ortes stand im Mittelalter immer wieder mit den Herren dieser Region im Zusammenhang. So kämpften hier die Murrays, Sinclairs und MacKays um die Macht, wobei der Ort und auch die Kathedrale immer wieder in Mitleidenschaft gezogen wurden. Der Bischof **Gilbert de Moravia** begann die Kathedrale im Jahre 1224 an der Stelle, an der im sechsten Jahrhundert eine kleine Kapelle des Heiligen Barr stand. Moravias Kirche sah viel schottische Geschichte. 1570 wurde sie zu einem großen Teil im Verlauf einer Clan-Fehde zerstört, aber im 17. und 18. Jahrhundert restauriert. Das geschah mit der besonderen Unterstützung durch die Herzogin von Sutherland und dem amerikanischen Stahlmagnaten Andrew Carnegie. Er hatte sein Schloss Skibo Castle in der Nähe und stiftete einige der bemerkenswerten Buntglasfenster. Entlang der Straßen und um die Kathedrale sind ganz besonders im Sommer die alten Steinhäuser mit ihren farbenprächtigen Vorgärten eine Augenweide. **Royal Dornoch,** der exzellente Golfplatz, für den diese Stadt in der Welt der Golfer bekannt ist, liegt unmittelbar am Meer. Das Prädikat 'Royal' bekam der Platz, auf dem schon im frühen 17. Jahrhundert Golf gespielt wurde, durch König Edward VII.

Jenseits des Ortes führt die Straße auf einem von Thomas Telford entworfenen Damm durch das interessante Watt- und Vogelschutzgebiet von **Loch Fleet.** Durch den Damm wurde 1816 neues Land gewonnen, denn es hält die Flut auf, die sich einst tief ins Inland ergoss. Telford entwikkelte Tore, die aber dem Fluss die Mündung ins Meer und den Lachsen den Weg flussaufwärts erlauben.

Im nahen **Golspie** hatten die einst größten Landbesitzer Europas, die Herzöge von Sutherland, ihr Machtzentrum. Entsprechend errichteten sie in der Nähe des Ortes ihr Stammschloss **Dunrobin Castle**. Aus der mittelalterlichen, 1275 erbauten Burg machte der Architekt Sir Charles Barry im 19. Jahrhundert ein Märchenschloss mit 189 Zimmern. Von den Gemächern aus kann der Besucher über die geometrisch angelegten Gärten einen Blick aufs Meer werfen. Dunrobin ist von Wald und Parks umgeben und in einem Museum ist heute alles ausgestellt, was von diesen Fürsten gejagt und gesammelt wurde. Unübersehbar beherrscht ein gewaltiges, sehr umstrittenes Denkmal des ersten Herzogs von Sutherland vom 394 m hohen **Beinn a'Bragaidh** aus die gesamte umliegende Region. Die Meinung von Sutherlands Bevölkerung zu diesem Denkmal ist zwiegespalten. Der extrem reiche englische Marquis von Stafford liess nämlich zu Beginn des 19. Jahrhunderts seine Verwalter die Vertreibung der Kleinbauern von seinen Ländereien mit oftmals brutalen Mitteln durchführen. Durch diese Vertreibung eines beträchtlichen Teils der seit dem 18. Jahrhundert ständig wachsenden Hochlandbevölkerung sorgte er andererseits aber auch für eine Überlebenschance der wenigen verbleibenden Landbewohner. Hier wie anderswo reichte das wenige, durch Erbschaften immer weiter aufgeteilte und verkleinerte Land zu diesem Zeitpunkt bei weitem nicht mehr aus, um die darauf lebenden Menschen zu ernähren. Dieser Marquis von Stafford, George Granville Leveson-Gower, damals einer der reichsten Männer Europas, wurde durch seine Heirat mit Elizabeth Gräfin von Sutherland und wegen seiner Verdienste in der Reorganisation des Hochlands von William IV. zum späteren ersten Herzog von Sutherland erhoben.

Gerade einmal zwei Kilometer weiter nördlich und noch in Sichtweite von Dunrobin liegt eine Ruine aus der Frühgeschichte Schottlands. An dem Rest des *Brochs* von **Carn Liath**, einem Wehrturm, wird sehr gut sichtbar, wie die vorchristlichen Bewohner des heutigen Schottlands begannen, sich zu verteidigen. Zehn bis zwölf Meter hohe fensterlose Rundtürme mit Hohlwänden, die *Brochs*, sind für den Norden Schottlands und die Inseln ganz typische Verteidigungsanlagen der späten Eisenzeit. Leider gibt es nur noch rund fünfhundert wenig vollständige Ruinen davon. Links und rechts der Straße liegen zunächst die Überreste einiger weiterer Exemplare. Die Region ist voller prähistorischer Hinterlassenschaften und noch etwas weiter finden sich nördlich von Lybster hochinteressante Hügelgräber aus der Bronzezeit.

Brora ist ein Städtchen mit einem eindeutig nordischen Ursprungsnamen. Brora war einst ein Industriezentrum inmitten einer meist landwirtschaftlich genutzten Gegend, denn hier wurde schon seit dem 16. Jahrhundert Kohle abgebaut. Allerdings wurde die Mine in den 1970er Jahren stillgelegt. Kohle war die Basis für andere Industrien wie Ziegeleien und Salzgewinnung in riesigen Pfannen. Brora ist bekannt für seine Golfplätze, die Links, die in unmittelbarer Nähe des Meeres liegen. Die örtliche Clynelish Brennerei wurde 1819 vom Herzog von Sutherland gegründet. Sie stellen immer noch einen vollmundigen Whisky her, von dem allerdings viel in die Produktion von Blended Whisky geht.

Der Norden – Caithness und Sutherland

Nördlich von Brora wird das Land langsam kahler und kurz hinter Helmsdale liegt die Grenze zur nördlichsten Grafschaft auf dem britischen Festland. Die meist flache aber sehr abwechslungsreiche Landschaft von **Caithness** ist allerdings mit nur knapp 30 000 Menschen, von denen wiederum 65 % in den beiden größten Städten Wick und Thurso leben, sehr spärlich besiedelt. Geologisch ist vielleicht interessant, dass die horizontal gelagerten Schiefer- und roten Sandsteinschichten, die hier dominieren, von einem flachen prähistorischem Süßwassersee gebildet wurden, der sich von Inverness über die Orkney- und Shetland-Inseln bis nach Norwegen streckte. Er war voller Fische, davon zeugen viele Fossilien, die in diesem Gestein an mehreren Stellen in Caithness gefunden werden können.

Ord of Caithness

Einer der mächtigsten Fürsten des späten 15. und beginnenden 16. Jahrhunderts, William Sinclair, dritter Jarl (Prinz) von Orkney und Shetland, marschierte mit 300 Gefolgsmännern an einem Montag von seinem **Castle Knockinnon** über den **Ord of Caithness** in Richtung Süden. Er folgte dem Ruf seines Königs James IV. und fiel mit ihm und seinen Getreuen in der Schlacht von Flodden. Seither halten die Sinclairs die Tradition aufrecht, niemals an einem Montag den Ord zu überqueren.

Helmsdale war einer der Schauplätze der berüchtigten Clearances. Vor etwas über zweihundert Jahren erkannten die Landbesitzer, dass Schafzucht wesentlich einträglicher war und so wurden die Kleinbauern aus den Tälern im Norden der Region vertrieben, um Weidefläche für Schafe zu schaffen. Das Städtchen war im 19. Jahrhundert einer der Hauptumschlagplätze für die Heringsfischerei. Im **Strath of Kildonan** nordwestlich von Helmsdale wurde später in dem Flüsschen Kildonan Gold gefunden. Enthusiasten können neuerdings sogar wieder gegen ein geringes Entgelt ganz stilgerecht mit der Schürfpfanne dieses Edelmetall aus dem Flussgrund herauswaschen.

Bald windet sich jetzt die Küstenstraße am Rand der steilen Klippen entlang den ehemals berüchtigten *Ord* hinauf.

Das Städtchen **Ousdale** litt mit dem nahen **Badbea** ebenfalls unter den Clearances. Wer gern Historisches sucht, stößt eventuell in Richtung Meer und unter Farn verborgen auf die Überreste eines Brochs, von denen in der Umgebung noch andere zu finden sind.

Dieses Gebiet ist das Land des Clan Gunn und der Geburtsort des Schriftstellers **Neil Gunn** (1891-1973). Bewegend beschreibt er in seinen Büchern, besonders in *The Silver Darlings* (1941), wie und unter welch harten Bedingungen die Menschen in der Zeit der 1920er und 1930er Jahre entlang dieser Küste lebten. Das Heimatmuseum in **Dunbeath** ist sehenswert es ist genauso wie das nahe **Laidhay Croft Museum** eine von zahlreichen anderen Stätten, die das Leben in dieser Region in vergangenen Zeiten porträtiert. Das Hafenstädtchen hatte einst einen beträchtlichen Anteil am Heringsboom. Allein 76 Boote operierten von hier in den 1840er Jahren. Die Hauptstraße folgt der steilen und zerklüfteten Küste über Berg und Tal und ermöglicht viele herrliche Ausblicke auf das Meer. Dem Besucher bieten sich zahlreiche Gelegenheiten zur Erkundung des eindrucksvollen Küstenverlaufs. Besonders im Herbst verlockt die Farbenprachts der Birkenwäldchen zum Wandern und Erkunden der vielen von ihren Flüssen aus dem Sandstein gewaschenen Täler.

Zum Hafen in **Latheronwheel** führt ein kleiner Weg über eine der vielen und inzwischen schon historischen Brücken, die Telford in ganz Großbritannien gebaut hat. Der in den Schottischen Borders als Sohn eines Schäfers geborene **Thomas Telford** (1757-1834) wird zu den größten Ingenieuren aller Zeiten gezählt. Telford zeichnet verantwortlich für den Bau des Caledonian Canal, für über 1000 Meilen Straßen, 1200 Brücken, mehrere Häfen und Docks. Er liess Gegenden in den englischen Fens trockenlegen und gewann u.a. mit seinem Einfluss staatliche Unterstützung für die von ihm entworfenen einfachen Kirchengebäude, vor allem im Hochland.

Gleich nach **Lybster** geht es auf einer schmalen Straße nordwärts zu rätselhaften prähistorischen Stätten. Die geometrischen Formationen der Steinreihen auf dem **Hill of Many Stanes** und Steinhügel des **Long Cairns of Camster** geben den Wissenschaftlern auch heute noch Rätsel auf.

Im Hafen von **Whalingoe** mussten die Frauen einst täglich mehrfach Körbe voller Heringe den steilen Weg mit seinen über 360 Stufen hinaufschleppen.

Es gibt entlang der Küste und auch im Inland mehrere Heimatmuseen, die alle recht gut sind und alle erzählen die ereignisreiche Geschichte dieser Landschaft und seiner Menschen. Auch das **Heritage Center** im alten Heringshafen **Wick** erinnet an die Blütezeit dieser Stadt. Der Name der Stadt hat seinen Ursprung schon in der Zeit der Wikinger. Wicks Hafen verdankt seine Existenz Thomas Telford. Hier wurden Exportrekorde für Hering erzielt, der hauptsächlich nach

Europa geliefert wurde, wie z.B. 1817, als über 60 000 Fässer von Wick aus verschifft wurden. Von fast jedem Ort entlang der schottischen Küste wurde Hering in viele Teile der Welt, von Russland bis sogar in die Karibik, exportiert. Der Boom hielt bis in die 1930er Jahre an, als dann die Fischschwärme zu schrumpfen begannen und damit auch die Betriebsamkeit in dieser Region. Auch die 1961 gegründete große Anlage von **Caithness Glass,** die einst einer der Hauptarbeitgeber der Region war, hat vor einigen Jahren seine Tore geschlossen.

Gleich hinter Wick führt die Route nach **John o'Groats** am Flughafen und an der bizarren und historisch interessanten Burgruine von **Castle Sinclair** vorbei. Dramatisch thront diese Burg zusammen mit der Vorgängerin **Girnigoe Castle** auf einer Landzunge über dem Meer. Girnigoe – der ältere Teil wurde im 15. Jahrhundert gebaut und Castle Sinclair als Flügel im 17. Jahrhundert angefügt. Die Ruinen sind zu besichtigen aber sie sind baufällig und daher äusserste Vorsicht geboten.

Die Sinclairs kamen im zwölften Jahrhundert, wie so viele andere Ritterfamilien, aus der Normandie, ursprünglich aus St. Clair, nannten sie sich nach diesem Ort. 1162 wurden sie von Malcolm IV. mit Land südlich von Edinburgh, bei Roslin, beschenkt. Henry, einer der Sinclairs, segelte mit einer eigenen Flotte unter der Leitung des venezianischen Navigators Zeno schon 1398 von Orkney nach Westen – bis nach Grönland. Es gibt eine Anzahl von Hinweisen, dass er von dort mit Expeditionen auch an die Küsten des heutigen Amerikas gekommen ist, fast einhundert Jahre, bevor Kolumbus den Geschichtsbüchern nach Amerika entdeckte. Die Sinclairs waren die Grafen von Caithness, die wie andere oft äußerst grausam gegen ihre Gegner vorgingen. So hielt der vierte Graf im 16. Jahrhundert seinen eigenen Sohn, der eine Verschwörung gegen ihn geplant hatte, mehre Jahre im Kerker von Girnigoe gefangen und zwang ihn schließlich, gepökeltes Schweinefleisch essen, ohne ihm etwas zu trinken zu geben. 1680 fochten die Sinclairs etwas westlich von Girnigoe schließlich mit den Campbells die letzte Clanschlacht aus.

Am langen Strand der Sinclair-Bucht erhebt sich der in Privatbesitz befindliche, schlanke **Ackergill Turm** aus dem 15. Jahrhundert. Es ist heute ein erstklassiges Hotel. Die jüngere der beiden anderen Sinclair Burgen in **Keiss** stammt aus dem 18. Jahrhundert und ist immer noch privat bewohnt.

Ausgrabungen bestätigten, dass sich in der Nähe des heutigen **Freswick** eine große Wikingersiedlung befand. Dort wurden die Überreste des einzigen Langhauses auf dem schottischen Festland entdeckt. Von der Ruine **Buchollie Castle** bei Freswick ist es dann nicht mehr weit bis zur nordöstlichsten Gemeinde des britischen Festlands – John o'Groats.

Der Holländer **Jan de Groot** bekam im 15. Jahrhundert unter James IV. die Lizenz zum Betrieb einer Fähre nach Orkney und diese Verbindung zwischen **John o'Groats** und **South Ronaldsay** ist heute im Sommer immer noch in Betrieb. Nicht weit von dem Dörfchen John o' Groats entfernt liegen die bizarren Felsenklippen und -spitzen der **Bores of Duncansby** und **Duncansby Head**. Sie bilden eine der atemberaubendsten und eindrucksvollsten Küstenlandschaften Schottlands. Die einzeln stehende Felssäulen oder Stacks – *Muckle*, *Peedie* und *Tom Thumb* – wurden von der Wucht der Wellen über tausende von Jahren aus dem Sandstein herausgewaschen. Der Weg dorthin ist etwas abenteuerlich und der Besucher sei vor den rutschig steilen Grasabstürzen an den Überhängen gewarnt. Dies ist jedoch nicht der nördlichste Punkt des Festlandes. Der befindet sich etwas weiter nordwestlich von John o'Groats bei **Dunnet Head**. Diese beiden Landzungen sind ein echtes Muss für die Besucher – umso mehr, weil dort große Kolonien vieler Arten von Seevögeln in den steilen Klippen nisten. Die Gezeitenströmungen im **Pentland Firth** zwischen dem Festland und den Orkney-Inseln sind gewaltig und die häufigen Stürme gefürchtet. Viele Schiffe endeten früher auf den zahlreichen Klippen. Die Segler waren bei ungünstigem Wind tagelang den Gegenströmungen ausgeliefert. Das war einer der Gründe, die u. a. zu Beginn des 19. Jahrhunderts zum Bau des Caledonian Canal durch das Great Glen führten. An den Stränden findet der Interessierte oft genug die Schalen von Tiefseemuscheln (*cowries*), die von diesen Strömungen angespült wurden. Es fällt auf, dass in dieser Umgebung kaum Hecken wachsen. Das liegt an dem ständigen Wind und salzigen Gischt. Dafür nutzten die Menschen die natürlichen Resourcen des Landes. Sie brachen Steinplatten aus dem leicht zu spaltenden Sedimentgestein, bauten damit sogar die Zäune und Wälle, pflasterten Straßen und Gehwege und deckten mit diesem *Flagstone* sogar z.T. ihre Häuser. Heute wird hier allerdings kaum noch Torf gestochen, was früher üblich und notwendig war.

Auf dem Weg nach Thurso wird das Kirchlein von **Canisbay** passiert. Von einer früheren Kirche aus dem 13. Jahrhundert, die an dieser Stelle stand, sind leider kaum noch Spuren vorhanden. In der neueren Kirche aus dem 15. Jahrhundert, in die auch die Königinmutter zur Andacht ging, befindet sich die Gruft der Familie de Groat.

Nicht weit von hier ist in der Ferne **Castle Mey** zu sehen. Barrogill Castle wurde im 16. Jahrhundert gebaut und 1952 von der Königinmutter persönlich vor dem Abbruch gerettet. Sie kaufte es und machte es zu ihrem Privatbesitz. Seit ihrem Tod wird es von einem Treuhänder verwaltet. Die Landzunge von **Dunnet Head** führt zu dem nördlichsten Punkt des britischen Festlands. Zahllose Seevögel nisten in den von Höhlen durchlöcherten Felsen. Sagen und Legenden ranken sich um diese Gegend. So soll einst eine Meerjungfrau dort ihren menschlichen Geliebten festgehalten haben und auch der Teufel hinterliess angeblich auf einem der Felsen vor der Küste seine Spuren. 1832 wurde der über 120 m hohe Leuchtturm auf dem Kap errichtet. Die Bucht mit dem klaren, kalten Wasser und dem herrlichen, langen Strand ist oft Ziel der Surfer und wagemutiger Schwimmer.

In der Nachbarstadt **Castletown** blühte im 19. Jahrhundert eine Industrie, die die Sandsteinplatten dieser Landschaft, von den kleinen Häfen Scarsmerry, Harrow und Ham in weite Teile der Welt exportierte. Heute ist davon nur noch sehr wenig übrig. Diese Zeit war für ganz Caithness eine Art Goldenes Zeitalter. Die Heringsfischerei und die Steinbrüche boten Arbeitsplätze für viele tausend Menschen. Nach dem Ersten Weltkrieg erschöpften sich aber die Heringsbestände

Sir John Sinclair (1754-1835).

Dieser äußerst bemerkenswerte Mann wurde in Thurso geboren. Er lebte und wirkte während der schottischen Aufklärung und hat nicht nur sein eigenes Land mit neuen Methoden und Erkenntnissen bewirtschaftet, sondern auch viele Neuerungen in ganz Schottland eingeführt. Er studierte in Edinburgh, Glasgow und Oxford und war sowohl in Schottland als auch in England zugelassener Jurist. Sinclair war ein Schüler von Adam Smith und zu seinen Studienkollegen zählten Männer wie Lord Byron und Robert Peel. Mit seinem Organisationstalent, seinen Schriften und als Vorbild führte er Schottland in das Zeitalter der Verbesserungen (Age of Improvement). Er war Mitglied des Parlaments, schrieb 1784 die Geschichte der Steuer des Britischen Reichs und erstellte als erster eine Statistik von Schottland (First Statistical Account of Scotland), in dem er von 1791-1799 jede einzelne Gemeinde des Landes mit Hilfe der dortigen Pfarrer bis ins kleinste Detail erfasste. Mit seinen Erkenntnissen führte er u.a. die Dreifelderwirtschaft und die Feldeinfassungen des Gemeindelandes mit Hecken, Wäldern oder Steinwällen ein, ermutigte den Anbau von Steckrüben als Lebensmittel für den Winter und gründete die schottische Landwirtschaftskammer. Voll unstillbaren Wissensdurstes und unerschöpflicher Energie wurde er aber auch als dickköpfig, stur, skrupellos und gefühllos bezeichnet. Er war es auch, der als einer der Ersten die Kleinbauern von seinem Land in Caithness vertrieb und das Cheviot-Schaf einführte.

Für die Kleinbauern, die aus den Tälern von Caithness, Sutherland und anderen Teilen des Hochlands vertrieben wurden, und sich an den Küsten oder auf anderen weniger fruchtbaren Böden ansiedelten mussten, wurde die Kartoffel die Hauptnahrungsmittel. Sie gedieh fast überall. Das bessere Ackerland wurde von Großgrundbesitzern allerdings zum Anbau von Korn genutzt. 1845 kam es in Irland zu einer Missernte durch die Kartoffelseuche, die sich 1846 auch im schottischen Hochland ausbreitete. Wie in Irland verhungerten die Menschen oder starben in großer Zahl durch Seuchen. Die Kornernte war allerdings in diesem Jahr gut, doch die Großbauern dachten nicht daran, das Korn im Land zu verkaufen, sondern verschifften es nach England, um größeren Gewinn zu machen. So kam es 1847 im Hafen von Thurso zu gewalttätigen Unruhen durch die hungernden Landbevölkerung, die nur unter Einsatz von Militär unterdrückt werden konnten.

und mit der Verbreitung von Beton wurden die Steinplatten unwirtschaftlich.

Kurz vor Thurso liegt unübersehbar auf einem kleinen Hügel der mit Zinnen bewehrte Harald's Tower. Es war einst die traditionelle Begräbnisstätte der Sinclairs. Jenseits des Turms liegt die Ruine des alten Castles. Dort wurde **John Sinclair** geboren.

Thurso ist mit 7737 Einwohnern (2001) die größte Stadt der Region und – über 1000 km von London entfernt – die nördlichste Stadt des schottischen Festlands. Sie ist ein guter Ausgangspunkt für Ausflüge in die typisch ländlichen Gebiete von Caithness. Die Stadt enthält einige interessante Sehenswürdigkeiten, wie z.B. die Kirche von St. Peter, die schon 1220 gegründet und in ihrer langen Geschichte sehr unterschiedlich genutzt wurde z.B. als Gefängnis, aber auch als Gericht.

Das wichtigste Denkmal ist direkt im Stadtzentrum zu finden. Es wurde zu Ehren des Vaters dieser Stadt, **Baronet Sir John Sinclair,** errichtet. Eine andere Persönlichkeit, die mit dieser Stadt vebunden ist, ist der Gründer der Boys Brigade **Sir William Smith.** Seine Geburtsstätte, die Pennyland Farm liegt vor den Toren der Stadt.

Von **Scrabster,** etwas nördlich von Thurso, legt die große Fähre zu den Orkney- Inseln und im Sommer auch zu den Färöer-Inseln ab. Wenige Kilometer weiter liegt unübersehbar das Atomkraftwerk von **Dounreay** direkt am Meer. Diese immer wieder umstrittene Anlage verarbeitet auch altes Nuklearmaterial aus Deutschland. Sie ist der größte Arbeitgeber der Region.

Der Reisende findet in dieser einsamen Landschaft viele verborgene aber deshalb nicht weniger attraktive Sehenswürdigkeiten. Er sollte sich allerdings etwas mehr Zeit lassen. So geht hinter dem kleinen Ort **Melvich,** der an der Mündung des lachsreichen Flusses Halladale liegt, bei Strathy ein kleiner Weg zum **Strathy Point** ab. Vom dortigen Leuchtturm, wie auch einige Kilometer weiter bei **Kirtomy,** geht der Blick auf die dramatischen Küstenlandschaften mit steil ins Meer fallenden Klippen, auf Höhlen und eine Unzahl von Seevögeln, Seehunden etc.

Torf

Torf bildet sich aus abgestorbenen aber nicht zersetzten Wasser- und Sumpfpflanzen. Bis vor wenigen Jahren noch als geringwertig betrachtet, ist Torf, ganz im Gegenteil, von unschätzbarem Wert für unsere heutige Umwelt. Eine ein Meter dicke Torfschicht braucht zur Entstehung mehr als 1000 Jahren. Damit enthält sie die gesamten klimatischen und biologischen Veränderungen aus diesem Zeitraum in Pollenform oder Genen. Dazu kommt die erst vor wenigen Jahrzehnten gewonnene wissenschaftliche Erkenntnis über den ökologischen Wert der Torfmoore. Pflanzen binden einen Großteil des Kohlenstoffs der Luft, somit haben Moore je nach ihrer Fläche, einen entsprechenden Einfluss auf den bedrohlich wachsenden Treibhauseffekt. Wenn ihr Torf verbrannt wird oder sich auch nur an der Luft trocknend zersetzen kann, gibt es den gebundenen Kohlenstoff wieder an die Luft ab.

Westlich hinter Melvich wechseln die Felder und Weiden der bisher verhältnismäßig fruchtbaren Landschaft plötzlich zu bräunlich steinigem Moor und Heide mit wenigem Grün. Der Sandsteinboden wurde zu Schist. So sind es von hieraus Richtung Westen fast ausschließlich die Flusstäler, die für die Landwirtschaft genutzt werden können. Die Landschaft wird einsamer und die Ortschaften immer weniger. Dies ist **Sutherland**, das Südland, wie die Wikinger es einst nannten. Es ist leeres Land – mit einer Landschaft, die von Bergen, Mooren Seen, kleinen Teichen und Tümpeln, Bächen, Klippen, Stränden und dem Meer dominiert wird. Es ist ein altes Land, geschliffen von Gletschern, geformt von den Elementen und dem Meer. Bar des Charmes südlicher Länder, doch mit ihren eigenen Attributen von herbem Reiz und besonderer Schönheit kompensiert sie das aber leicht.

Unter dem blauen, endlosen Himmel von Caithness und Sutherland und vor der grandiosen Bergkulisse von Ben Loyal und Ben Hope breitet sich eine eigentümlich monotone Moorlandschaft aus, genannt **The Flows**. Sie hängt nicht zusammen, sondern wird von teilweise fruchtbaren Zonen durchzogen. Dieses Flächenmoor (*blanket bog*) mit seinen zahllosen Seen und Tümpeln ist eine besondere und verhältnismäßig seltene Form der Moorlandschaft. Mit 13% der Moorfläche der Erde ist sie auch Europas größtes Torfmoor. Das Moor der Flows ist teilweise über 8000 Jahre alt und an eingen Stellen über fünf Meter tief. Die Landschaft ist so einzigartig und auf den verschiedensten Gebieten so bedeutend, dass vor Kurzem der UNESCO vorgeschlagen wurde, sie als Weltkulturerbe einzustufen.

Letztendlich ist das Flow Country eine Region mit zahlreichen schutzbedürftigen Regionen (Sites of Special Scientific Interest – SSSI) von besonderem wissenschaftlichem Interesse. 2001 waren in den Flows 39 Gebiete als sogenannte sssis gekennzeichnet. Schottland verfügt insgesamt über 1448 dieser Schutzgebiete mit einer Gesamtfläche von fast 920 000 ha (11.7% des schottischen Festlandes).

Sutherlands Nordküste hat ihre eigenen und besonderen Merkmale: Kühles, helles Licht, eine zerklüftete Küste mit Klippen und Landspitzen und herrliche, feinsandige Strände, auf denen die weiße Brandung der See aufläuft.

Die Farben und immer wieder diese Farben! Das Wasser der tief und weit ins Land schweidenden, fjordähnlichen Buchten wechselt von dunklem Blau zu leuchtendem Grün, gelber Ginster steht am Rand grüner Weiden und alles wechselt ständig durch Licht und Schatten der majestätisch darüber hinweg ziehenden Wolkenberge.

Sutherland umfasst ein Gebiet von etwa 5000 km☒ und ist damit der größte Bezirk des Hochlands. Mit einer Bevölkerung von ca. 13 000 Menschen zählt es jedoch zu den am dünnsten besiedelten Gebieten Großbritanniens. Grundlegend unterscheidet sich der Nordosten vom Westen, wobei sich die Landschaft innerhalb weniger Kilometer vollkommen wandeln kann. Die Region profitiert ebenfalls vom Golfstrom, weshalb das Klima für diese Breiten überraschend mild ist. Frühling und Frühsommer sind die trockensten und sonnigsten Jahreszeiten. Die Niederschlagswerte sind für den Breitengrad im Flachland noch bemerkenswert

gering. Im Durchschnitt fallen pro Jahr an der Nordwest-
und Nordküste etwa 1250 mm Regen, im Osten sogar nur
etwa 750 mm. In den Bergen des Westens, die zu den ältesten
der Welt zählen und einst höher als die Alpen waren, regnet
es dafür um so mehr – zwischen 3000 und 3500 mm pro
Jahr. Die gesamte Regenmenge eines Jahres in Schottland,
könnte nach wissenschaftlicher Aussage Loch Ness mehr als
15 mal füllen.

Die kahle Wildnis, die heute einen so großen Teil Sutherlands ausmacht, ist in weiten Teilen keine natürliche Landschaft. Sie ist das Resultat einer seit über fünfhundert Jahren
kontinuierlich durchgeführten Beseitigung des Baumbestan-
des durch die Bewohner. Die ständig wachsende Bevölkerung
benötigte das Land für ihre Herden und den Ackerbau. Dazu
kam, dass sich vom 14. Jahrhundert an das Klima verschlechterte. Später graste zunächst Vieh auf dem gerodeten
Land, doch nach den Clearances verhinderte das alles fres-
sende Schaf das Wachstum neuer Vegitationen. Der Baumbestand konnte sich niemals wieder regenerieren. In das harte
Gestein aus Quarzfeldspat und Schist kann das viele Regen-
wasser nicht eindringen. Ein Großteil des dünnen Erdreichs
versauerte und so entstand in diesem Gebiet eine Jahrtausen-
de alte Heide- und Wildgraslandschaft.

Die heutige Bevölkerung von Sutherland ist eine Mischung aus Nachkommen der Pikten, der gälisch sprechenden Scots und der Wikinger, die alle bereits im neunten Jahrhundert hier ansässig waren. Verschiedentlich weisen Ortsnamen, die mit Pit- oder Pet- beginnen, auch heute noch auf
die ehemalige Präsenz der Pikten hin. Die Ortsnamen mit En-
dungen wie -dale (etwa Helmsdale = Hjalmunds Tal) haben
ihren Ursprung in der Zeit der Wikinger. Der Name **Cape
Wrath** stammt von altnordisch *hverfa* (drehen) ab. Die meisten Namen in Sutherland sind allerdings gälischen Ursprungs. Viele beginnen mit Bal- (z. B. Balnakeil) von gälisch
bail (Dorf). Mit Ach- beginnende Namen, (z. B. Achinduich)
stammen von *achadh* (Acker), ab, während Ortsnamen, die
mit Kil beginnen, (z. B. Kildonan) sich von *cill* (Kirche) ablei-
ten. Über tausend Jahre hinweg wurde Sutherland von der

gälischen Kultur dominiert und erst im Verlauf der letzten 150 Jahre wurde dies durch die Ansiedlung von Schotten aus den Lowlands und Engländern abgeschwächt. Heute wird natürlich überall Englisch gesprochen, aber unter sich unterhält sich ein Großteil der Bevölkerung in dieser Region auf Gälisch. Derzeit vollzieht sich eine verstärkte Belebung der gälischen Sprache und der Kultur. In Glasgow soll eine mit beträchtlichen staatlichen Mitteln geförderte Grundschule eröffnet werden, in der von Anfang an und in allen Fächern in der gälischen Sprache unterrichtet wird.

Sutherland besitzt eine reiche und exotische Tier- und Pflanzenwelt. Aufmerksame Beobachter erspähen mit etwas Glück Rotwild und Füchse, Wildziegen, Wildkatzen, Otter, Wale und Delfine. Ornithologen zieht es wegen der vielen Vogelarten wie Steinadler, Bussarde, Kornweihen, Wanderfalken, Fischadler oder Moorhühner in diese Landschaft. Die schmalen Küstenwiesen und die Strände sind das Reich der Brach- und Wattvögel und in den Klippen nisten oft riesige Seevogelkolonien, insbesondere in den Monaten Mai und Juni. Speziell Handa Island, die Region um Durness und die nördlich von Helmsdale gelegenen Klippen sind bekannt für die Kolonien der Papageientaucher. Interessenten sollten sich jeweils über die Touristeninformation mit dem örtlichen Wildhüter (Royal Society for the Protection of Birds - RSPB) in Verbindung setzen, der ihnen die Örtlichkeiten erklärt und möglicherweise sogar Führungen anbietet.

Exotische Pflanzen, viele davon aus arktische Gebieten, sind überall zu finden. Dazu zählt auch die seltene schottische Primel (*primula scotica)*, die mit ihrer kleinen rosa Blüte nur an der Nordküste Schottlands in Caithness, Sutherland und auf den Orkneyinseln wächst.

Die Wirtschaft Sutherlands basiert traditionell auf Landwirtschaft und Viehzucht (vor allem Schafe und Rinder), Fischerei und Forstwirtschaft. In den letzten Jahren wurde die Fischindustrie mit Lachsen und Schalentieren immer weiter vergrößert. Der Fischfang ist eine der ältesten Erwerbszweige Schottlands und war einst eine der wichtigsten Einkunfts

Crofts

Crofting ist eine Form der Landnutzung, die auf eine der ehemals sieben Regionen Schottlands – Shetland, Orkney, Caithness, Sutherland, Ross-shire, Inverness-shire mit den westlichen Inseln und Argyll beschränkt ist. Diese kleinbäuerliche Landwirtschaft wird heute noch von rund 14 000 Menschen ausgeübt. Traditionell ist ein Croft auch heute noch ein meistens gepachteter, kleiner Bauernhof, eine sogenannte Small Holding. Gewöhnlich pachten die meisten Crofter ihr Land, das ein Teil eines größeren Landguts ist, von einem Großgrundbesitzer. Diese Landbesitzer leben oft gar nicht einmal in Schottland, sondern in England oder in anderen Teilen der Welt. Die Croftin-Bewegung begann mit den Landverbesserungen des 17. und frühen 18. Jahrhunderts. Die Rechte der Crofter sind aber erst seit 1886 gesetzlich festgeschrieben und seit 1976 können sie auch das von ihnen bewirtschaftete Land dem Grundbesitzer abkaufen. Im Rahmen des sogenannten Rural Enterprise Programmes wird diesen Kleinbauern seit 1991 eine Unterstützung aus einem Sonderfond (Scottish Land Fund) angeboten, um bestimmte Regionen des Hochlands und der Inseln wieder zu beleben. 95% der Crofter sind noch immer Pächter, denn erst in den letzten Jahren haben Crofter der Regionen von Assynt, Loch Alsh und Knoydart sowie der Inseln Eigg und Gigha ihr Land gekauft.

Die Crofts kosten im Jahr eine minimale Pacht von £100 oder sogar noch weniger und sind zwischen 5 bis 50 ha groß. Im Schnitt sind davon vier Hektar Acker- und Grasland und bis zu 30 ha allgemeinem Weideland. 734000 ha – 22% der landwirtschaftlichen Nutzfläche des Hochlands und der Inseln - werden auf diese Weise genutzt. Üblicherweise hält ein Crofter Schafe, wenn möglich auch noch einzelne Rinder und versucht, etwas Heu einzubringen oder pflanzt, wenn Boden und Pachtfläche es zulassen, Kartoffeln und Getreide als Futtermittel an. Meist reichen die Crofts allein nicht zum Lebensunterhalt aus. Deshalb arbeiten viele dieser Kleinbauern nebenbenruflich als Fischer, Postboten, Lehrer, Fahrer, Bauarbeiter o.ä. Die Frauen arbeiten auf dem Land mit und erzielen darüber hinaus Einkünfte, indem sie weben, stricken und durch Zimmervermietung. Entsprechend sind die meisten neuen Häuser groß gebaut und komfortabel eingerichtet.

quellen - allerdings hat sich das heute unter der Quotenregulierung der eu drastisch geändert. Im 19. Jahrhundert und bis zum Beginn des 20. Jahrhunderts erzielten schottische Fischer 75% des gesamten Fangvolumen in Großbritannien.

Auf über 2000 Booten waren 8200 Menschen beschäftigt und viel mehr noch in der Verarbeitungsindustrie. Gefangen wurden Heringe, Schellfische, Kabeljau, Schollen, Makrelen, Lachs, Muscheln, Krabben und Hummer. In den letzen 10 Jahren stieg der Fangumsatz zwar von £266,8 Mio. in 1991 auf £340 Mio. in 2001. Das war großenteils auf den drastisch gestiegenen Preis für Seelachs und Hering zurückzuführen. Nach dem zwangsläufigen Rückgang der Hochseefischerei wurde in den letzten Jahren die Fischzucht immer wichtiger und so entstanden mehr und mehr Fischfarmen im Westen und Norden Schottlands. Diese in den 1970er Jahren gegründete Industrie beschäftigt ca. 1500 Menschen direkt und schafft insgesamt über 8500 Arbeitsplätze. Auf über 300 Farmen (2004) werden mittlerweile 158 000 Tonnen Lachs im Wert von £300 Mio. produziert. So positiv das auch alles klingt, so hat diese Wirtschaft jedoch auch ihre sehr ernsthaften Probleme: Die natürlichen Feinde der Fische, Meeressäuger und Vögel, versuchen, die Fische zu fressen, Parasiten verseuchen den Zuchtfisch, und die Fisch zuchtanlagen selber verursachen Umweltschäden. Immer mehr werden jetzt auch Hummer, Muscheln und andere Schalen- und Krustentiere in Farmen gezüchtet.

Im Gegensatz zu der kargen und oft unfruchtbaren Heide- und Moorlandschaft Sutherlands gibt es in den Tälern der Flussniederungen fruchtbares Land, das bis in das späte 18. Jahrhunderts dicht besiedelt war.

Die fruchtbaren Taler Sutherlands, **Strath Halladale** und **Strath Naver,** waren einst dicht besiedelt, aber es war hier, wo die Zwangsaussiedlung der **Clearances** konsequent durchgeführt und die Auswirkungen der Vertreibung am schmerzhaftesten verspürt wurden. Viele der von ihrem Land Vertriebenen wurden während der Clearances in kleine Dörfer an der Küste ausgesiedelt, andere wanderten nach Kanada, Australien oder Neuseeland aus. Bis 1841 wurden während der

Clearances in Sutherland allein 24 782 Menschen und in Caithness 36 303 Menschen vertrieben. Das Feudalrecht, unter dem die Clearances stattfanden, war seit der Zeit Davids i. und damit seit über 900 Jahren in Schottland, wenn auch in neurer Zeit stark verändert, gültig. Das neue schottische Parlament hat dies in einem Landreformgesetz erst im Jahr 2003 grundlegend geändert.

Der kleine Küstenort **Bettyhill,** wurde einst von an die Küste ausgesiedelten Kleinbauern gegründet. Schüler des Ortes haben in dem kleinen Heimatmuseum in der alten, ehemaligen Kirche eine Ausstellung erarbeitet, die sehr eindrucksvoll aber auch bedrückend das dunkelste Kapitel der schottischen Sozialgeschichte – die Clearances – erklärt. Der Besuch der jetzt permanenten Ausstellung ist sehr empfehlenswert. Im alten Kirchhof steht der berühmte **Farr Stone,** ein frühchristlicher Symbolstein. Er ist verhältnismäßig gut erhalten und schon wegen seiner keltischen Ornamentik bemerkenswert. Dieser Stein zeugt davon, dass die fruchtbaren Täler und Küstenregionen früh besiedelt waren und die Menschen offenbar ernähren konnten.

Die Kelpindustrie

Eine andere sehr ergiebige Einnahmequelle war während der Clearances die Produktion von Seetangasche. Kelp, wie der Seetang in Schottland genannt wird, mußte vom Strand in Körben an Land gebracht werden, wurde getrocknet und zu Asche verbrannt. Diese Asche enthielt reichlich Soda und Pottasche, Rohstoffe, die für die Glasherstellung und Seifenproduktion benötigt wurden. Der ursprüngliche Rohstoffimport aus Spanien wurde durch die Napoleonischen Kriege blockiert. Kelpasche war daher für die Landherren ein Gottesgeschenk. Kelp ist in seiner Bedeutung längst geschrumpft. Heute werden die Chemikalien anderweitig gewonnen aber Kelp ist der Rohstofflieferant für andere gewinnbringende Produkte. Auf den westlichen Inseln wird er heute noch geerntet und von Firmen wie Alginate aufgekauft, getrocknet und verarbeitet. Alginate gewinnt daraus Gelatine und andere Zusatzstoffe für die Nahrungs- und Arzneimittelindustrie.

Diese wiederum pflegten sogar eine Kultur, die heute noch bewundert und deren Kunst manchmal sogar nachgeahmt wird.

Die Region ist voller archäologischer Fundstätten aus den verschiedensten Zeitaltern. Südlich von Bettyhill, ist bei **Skelpick** ein über 5000 Jahre alter Cairn mit drei Grabkammern zu sehen und im Strath Naver finden sich weitere historische Fundstätten.

In **Bettyhill** muss sich der Reisende dann entscheiden, ob er auf der Küstenroute weiter in westliche Richtung oder die südliche Route durch das Strath Naver fährt. Diese Strecke führt über Lairg in Richtung Dornoch, Tain und schließlich nach Inverness. Allerdings bietet das fruchtbare Tal entlang des Naver keine besonders dramatische Landschaftskulisse dafür aber eine Fülle von historischen Monumenten wie Steingräber, Brochs und viele andere Hinweise auf ehemalige Besiedlungen. An der Syre Lodge vorbei, dem einstigen Wohnsitz des berüchtigten Verwalters des Herzogs von Sutherland, Patrick Sellar, werden die wieder aufgefundenen Reste eines Dorfes erreicht. Die Ruinen der 1830 von Sellar vertriebenen Kleinbauern wurden vor wenigen Jahren erst von der Forstverwaltung wiederentdeckt. Heute erklärt ein Besucherzentrum sehr beeindruckend das Leben der Menschen des vergessenen Dorfs **Rossal** in der Zeit vor den Clearances.

In **Altnahara**, einem Ort am westlichen Ende des Loch Naver, vereinen sich dann die Straßen aus Bettyhill und Tongue. **Lairg,** weiter südlich, ist jedoch das eigentliche Zentrum dieser Region. Die Bedeutung des Ortes kommt während des Schafauktionen im August zum Ausdruck, wenn Tausende von Schafen hier versteigert werden. In Lairg kommen die Straßen aus allen Richtungen zusammen und deshalb ist der Ort auch eine ausgezeichnete Basis für Wanderer und Sportfischer. Springende Lachse versuchen im Frühjahr und Spätsommer etwas südlich des Ortes die **Falls of Shin** in einem faszinierenden Schauspiel zu überqueren. Das nicht sehr attraktive **Carbisdale Castle** taucht kurz danach auf dem gegenüberliegenden Ufer des Flusses auf. Erst 1914 von den Sutherlands gebaut, wurde es aber aufgegeben und ist heute eine Jugendherberge. Bei **Carbisdale** wurde 1650 der Marquis von Montrose geschlagen. Zwar konnte er noch durch das Glen Oykel in die Nähe der Westküste nach **Ardvreck Castle** entfliehen, wurde aber verraten und später in Edinburgh hingerichtet. Die **Bonar Bridge** mit der dominierenden Stahlkonstruktion einer Bogenbrücke hat dem kleinen Ort seinen namen gegeben. Die alte Telford-Brücke wurde in einer großen Flut weggerissen und ein Nachfolgebauwerk hielt ebenfalls nicht lange. Deshalb wurde die jetzige Brücke so hoch und stabil gebaut. Entlang der sich allmählich erweiternden Bucht des Dornoch Firth liegen weitere historische Stätten. Einst überblickte von einem Hügel aus das **Dun Creich** den Firth. Mit dem alten Wort Dun werden Bergfestungen aus der prähistorischen Eisenzeit bezeichnet. Es waren oft riesige Anlagen, die auf den Kuppen von Hügeln und Bergen errichtet wurden. Spuren dieser Anlagen weisen darauf hin, dass die Berghänge oft noch durch Gräben, Wälle und Palisaden verstärkt waren. Dun Creich war eineinhalb Morgen groß und die nördlichste Anlage dieser Art in Schottland. Ein anderer Ort, der einen Zusammenhang mit der allerdings jüngeren Landesgeschichte hat, ist **Spinningdale**. Der Ortsname weist auf die ehemalige Baumwollweberei hin, die heute leider auch nur noch eine Ruine ist. Sie wurde 1790 von **David Dale**, dem Schwiegervater von **Robert Owen,** gegründet. Beide Männer waren maßgeblich an der frühen Industrialisierung des Landes beteiligt. Besonders Robert Owen konnte mit seinen für die damalige Zeit revolutionären sozialen Ansichten und Einrichtungen in New Lanark am Clyde durchschlagende Erfolge verzeichnen. Spinningdale war jedoch zu abgelegen und es fehlte die notwendige Infrastruktur, um von dort aus zu den Handelszentren zu gelangen. Dale hatte als Partner in der Weberei den Landbesitzer **George Dempster**. Dempster war ebenfalls ein bemerkenswerter Mann – so war er u.a. anderer Ansicht als seine mächtigen Nachbarn. Dieser weitsichtige Landverbesserer vertrieb seine Pachtbauern nicht für den kurzzeitigen Gewinn, den das Schaf einbrachte. Weil er sich um sie kümmerte, das Land entwässern ließ und auch die Fischindustrie mit dem Bau von

Häfen und Anlegern förderte, wurde er von den Menschen auf seinem Land verehrt und geachtet. Er kaufte das alte **Skibo Castle**, von dem heute nicht mehr viel zu sehen ist, weil es von späteren Besitzern und besonders **Andrew Carnegie** durch Umbauten verändert wurde.

Carnegie hielt auf diesem mit viel Pomp erweiterten und ausgestattetem Schloss buchstäblich Hof und empfing dort u. a. König Edward VII. und viel Adel, sowie namhafte Persönlichkeiten aus Gesellschaft, Politik und Wirtschaft der damaligen Zeit. Skibo wurde schließlich von Peter de Savery gekauft und zu einem der exklusivsten privaten Clubhotels umgebaut. Es hat heute Weltruf, nicht zu letzt weil **Madonna** dort in zweiter Ehe heiratete. Durch die Taufe ihres Sohns und mit Hilfe der Medien wurde die Kathedrale im nahen **Dornoch** ebenfalls in das Bewusstsein der Welt gerückt. In Dornoch schließt sich dann auch der Kreis dieser Rundreise durch Caithness und einen Teil Sutherlands.

Zurück zur Nordwestküste und demjenigen, der sich in Bettyhill für die Fahrt in Richtung Durness entscheidet. Ihm offenbart sich dort die ganze Größe und Schönheit der grandiosen Landschaft des nordwestlichen Schottlands.

Zunächst allerdings sieht es nicht so aus. Jenseits kahler Moorflächen zeichnet sich im Süden die Silhouette des 714 m hohen **Ben Loyal** ab, bevor die Straße ins Tal der Bucht von Tongue hinunterführt. Dies ist das Land des **Clans Mackay** und das Dörfchen **Tongue** mit seinen hübschen Gärten und Bäumen war der Sitz der *Lords of Reay*. Der frühe Ahnherr Lord Donald Mackay of Farr genoss Anfang des 17. Jahrhunderts einen gewissen Ruf als Zauberer. Ähnlich wie Adalbert von Chamissos *Peter Schlemihl* hatte er während seiner Studienzeit in Padua eine Beziehung zum Teufel, der ihn befähigte, als Gegenleistung für seinen Schatten Feen und Geister zu befehligen. Von Tongue führt die Straße über einen Damm, der die sandige Bucht gleichen Namens durchquert hinauf auf die Hügel und Moore. Entlang dieser Straße sind nicht ohne Grund Parkplätze angelegt worden, von denen aus oft spektakuläre Aussichten gewährt werden. Das gilt besonders an Stellen wie an der nördlichen Spitze von Loch

Hope, an dessen südlichen Ende **Ben Hope** der höchste Berg dieser Region, oft seinen Gipfel in Wolken hüllt. Er ist mit 927 m (3042 Fuß) der nördlichste Munro. Bedrückend ödes Sumpfland öffnet sich dann plötzlich mit einer Aussicht auf grünes Weideland im Tal des **Loch Eriboll**. Loch Eriboll ist eine dieser tief und weit ins Land schneidenden Buchten, in denen die Farben des Wassers bei schönem Wetter einfach unvergesslich sind.

Im Laufe der Erdgeschichte entstand hier ein verhältnismäßig schmaler Streifen mit Kalkgestein. Das weiche Kalkgestein wurde von Flüssen und der Wucht der ständigen Brandung an zahlreichen Stellen tief ausgehöhlt. In der Nähe von **Durness** entstanden so die gewaltigen Grotten von **Smoo Cave**, das Ziel zahlreicher Besucher. Diese in drei Abschnitte unterteilte Höhle wurde schon von Ureinwohnern und auch von den Wikingern genutzt. Um Smoo Cave ranken sich viele fantastische Geschichten, in denen von Zauberern, Feen und Schätzen die Rede ist. Eine handelt von einer französischen Fregatte, die wohl Bonnie Prinz Charlie helfen sollte. Sie wurde nicht weit von hier im März 1746 von zwei britischen Kriegsschiffen verfolgt, bei Tongue unter Beschuss genommen und strandete schließlich. Ihre Ladung bestand, neben Nachschub und Mannschaften, auch aus Goldmünzen im Wert von 17 000 Pfund. Das Rätsel, was mit allem geschah, ist bis heute nicht geklärt. Weder die übriggebliebenen Mannschaften noch das Gold erreichten ihr Ziel.

Durness, das kleine verschlafen wirkende Dorf, ist der nordwestlichste Ort auf dem britischen Festland. Die umliegende, geologisch besonders interessante Landschaft wird durch eine Anzahl von Felsblöcken vor der Touristeninformation eindeutig und gut erklärt. In **Balnakeil**, in unmittelbarer Nachbarschaft von Durness, wurden die unattraktiven Hütten einer ehemaligen Militäranlage in ein Dorf für Kunsthandwerker verwandelt. Der piktischen Ursprung des Namens bedeutet ,Ort der Kirche'. Diese Kirche wurde vom Heilige Mael Rhubha schon im achten Jahrhundert gegründet wobei die Ruinen der Dorfkirche allerdings aus dem 16. Jahrhundert stammen. Der Friedhof ist allein schon wegen seiner Lage unmittelbar am Meer und dem herrlich weißen Sandstrand der Bucht von Balnakeil einen Besuch wert.

Bevor nun die Straße in Durness scharf nach Südwesten abbiegt und das grüne, fruchtbare Land verlässt, geht der Blick über die sandige Bucht des Kyle of Durness nach Westen. Am Ende einer wilden einsamen Landschaft liegt dort das **Cape Wrath**. Mit dem eigenen PKW ist es nicht erreichbar. Es ist eine kleine Abenteuerreise, die mit einer winzigen Fähre über den Fluss und im Minibus nach einer aufregenden Fahrt durch so gut wie menschenleere Moorlandschaft zum Kap mit seinem einsamen Leuchtturm führt. Hier endet das britische Festland dann auch abrupt an den höchsten Klippen des Landes. Der Name des Kaps (Wende) – ist klar skandinavischen Ursprungs, denn an dieser Nordwestspitze Schottlands schlugen die Schiffe der Wikinger ihren neuen Kurs Richtung Süden oder nach Osten ein. Von diesem Punkt an bis zum Nordpol gibt es nichts als offenes Meer und Eis.

Die Westküste

Die Nordwestküste ist in vielen Teilen so urwüchsig und einsam, wie kaum eine andere Region Schottlands. Zunächst wirkt das Tal des Durness Flusses wie eine grüne Oase inmitten einer graubraunen Felsenwüste. Fruchtbares Grasland deutet auf die geologische Besonderheit des Bodens hin. Diese schmale Zunge von Durness Kalkstein wird von Gneis und uraltem Sandstein eingefasst. Die stetig ansteigende Straße führt dann auch bald durch ein enges, morastiges Tal nach **Rhiconich**. Dort zweigt die schmale B801 zum für diese Region wichtigen Fischereihafen von **Kinlochbervie** ab. An zahlreichen Lochs entlang führt die einsame A838 nach Südosten und über Lairg nach Dornoch oder Inverness, während die A894 bei Laxford Bridge zunächst nach Südwesten abbiegt und sich danach südlich durch eine dramatische Berg- und Küstenlandschaft nach Ullapool windet. Von Tarbet aus, diesem Kleinbauern- und Fischerdorf am westlichen Ende einer schmalen Straße, kann man Bootsausflüge zu den spektakulären Vogelklippen von **Handa Island** unternehmen. Diese

Inselgruppe liegt nicht weit von der Küste im **Minch,** der gefürchteten Meeresstraße zwischen dem Festland und Äusseren Hebriden. Bis zur Mitte des 19. Jahrhunderts lebte auf dieser Felseninsel mit ihren über 130 m hohen und steil aus dem Meer aufragenden Klippen eine kleine Gemeinde, die sich sogar eine 'Königin' und ein eigenes 'Parlament' leistete. Heute lebt auf Handa eine der größten Seevogel-Kolonien Europas. Gelegentlich bietet die Küste kleine und größere Sandstrände in oftmals malerischen Buchten mit herrlichen Aussichten auf die vielen Inseln.

Scourie ist ein guter Ausgangspunkt für Wanderer und Naturfreunde. Von dort führt die A894 entlang der **Eddrachillis Bay** durch eine Moor- und Berglandschaft. Knapp hinter **Unapool** zweigt eine schmale, einspurige Straße ab und windet sich durch eine urwüchsige, karge Landschaft nach Westen hinunter zum Meer nach **Drumbeg** und schließlich **Lochinver.**

Südöstlich von Kylesku wird nach einer längeren Wanderung am Ende von Loch Glencoul der mit über 200 Metern höchste Wasserfall Großbritanniens, **Eas Coul Aulin,** erreicht. Die gut ausgebaute Hauptroute stößt bald auf Loch Assynt und kurz nach der Straßengabelung geht der Blick auf die karge Ruine von **Ardvreck Castle.** Diese 1591 erbaute Burg spielte durch ihren habgierigen Neil McLeod einen sehr unrühmlichen Part in der schottischen Geschichte. MacLeod verriet den hochangesehenen **Marquis von Montrose,** der auf seiner Flucht in der Burg Schutz suchte, an die Regierungssoldaten. Im Rahmen der bürgerkriegsähnlichen Glaubensunruhen in Schottland und später auch in England hatte dieser brillante Anführer 1644-45 gegen den Grafen von Argyll, Archibald Campbell, gekämpft. In sechs Schlachten war er dabei erfolgreich gewesen, musste letztlich aber nach seiner Niederlage bei Philiphaugh in den Borders ins Exil nach Skandinavien flüchten. Er kehrte 1650 von dort zurück, im Versuch den zukünftigen König Charles II. zu unterstützen. Das misslang, denn er verlor die Schlacht bei Carbisdale.

Westlich von Ardvreck Castle führt die Straße nach **Lochinver** und abzweigend von dort führen schmaler werdende

Wege auf die Halbinsel von **Stoer** zu einer Küstenlandschaft von wilder Schönheit. Diese ganze Region von Assynt wurde als erste von Crofters übernommen und war früher für die vielen Clankämpfe berüchtigt. Im nördlichen Teil dieses Gebiets liegt der **Reay Forest**, ein Gebiet, das von Lord Reay an den Marquis von Stafford verkauft wurde. Dieser Fürst, George Granville Leveson-Gower, vertrieb dann über 15 000 Kleinbauern von seinem Land. Für seine Verdienste um das Land wurde er mit dem Titel des Herzogs von Sutherland geadelt. Der dritte Herzog von Sutherland besaß 1872 praktisch das ganze Land zwischen Cape Wrath und Dornoch, ein Gebiet von über 5000 km (520 000 Hektar). Er war damals der größte Grundeigentümer in Westeuropa. Iinzwischen sind die Sutherland Ländereien auf weniger als 500 km geschrumpft, viel Land wurde verkauft und das Herzogtum ging an einen entfernten Verwandten über, den Besitzer von Mertoun, einem Schloss, das in der Region der Borders liegt.

Assynt ist durch hohe, teilweise einzelnstehende und durch die Erosion der vergangenen Zeitalter merkwürdig geformte Inselberge gekennzeichnet. Diese Berge **Suilven, Canisp, Cul Mor, Stac Polaidh** und **Ben More Coigach** (alle ca. 600-850 m) fallen durch ihre merkwürdig herausragenden und teilweise nur als bizarr zu bezeichnenden Formen auf und sind für Geologen wie Bergwanderer ganz besonders attraktiv. Fast alle haben eines gemeinsam: Ausser Canisp haben sie eine Basis von *Lewisian Gneiss* und bestehen ansonsten aus dem von Erosionen und Gletschern geformten ältesten Sandstein (Buntsandstein – *torridonian* oder *old red sandstone*). Um ihre Basis herum schliff das Eis eine atemberaubende Landschaft voller Lochs heraus. **Ben More Assynt** ist mit 1000 m der höchste östliche Berg dieser Gruppe. Alle diese Berge wirken zu jeder Jahreszeit wie Magneten auf Bergwanderer und Bergsteiger.

Dieses ca. 120 km große Reservat birgt für Geologen hochinteressante Gesteinsformationen, wie z.B. das **Knocka Cliff**. An dem steil aufragenden Fels sind auch für ungeübte Augen sehr verschiedene Gesteinsschichtungen erkennbar. Ungewöhnlich an dieser Felsenklippe ist, dass im Gegensatz

zu jeglichen Naturgesetzen die älteste Gesteinsschicht nicht
in der Basis zu finden ist, sondern als oberste Schicht auf dem
Plateau. Der gewaltigee Druck, der während der skandinavischen Faltungsära diese viel ältere Schicht (ca. 800 Mio. Jahre) über die jüngeren Ablagerungsgesteine schob, schufen so
diesen einzigartigen Überwurf, den sogenannten **Moine
Thrust.** Die Klippen des Knockan Cliffs sind ein sehr gutes
Beispiel für die geologische Entstehungsgeschichte Schottlands. Sie wird dem Interessierten sehr anschaulich in einem
Besucherzentrum erklärt. Diese dramatische Berglandschaft
gehört zum Naturschutzgebiet des **Inverpolly National Nature Reserve.**

Beliebt bei Naturfreunden sind die Besuche u.a. der **Sum-
mer Isles,** die die Brutstätten von Tausenden von Seevögeln
und Seehunden sind.

Ullapool (1300 Einwohner), am Ufer von **Loch Broom,**
hat einen akkurat angelegten Fischereihafen aus der Zeit des
boomenden Heringsfangs. Ullapool ist nicht gerade eine der
attraktivsten Städte des Landes und hat keinen Sandstrand.
Doch der Fischereihafen hat trotz des ständigen Rückgangs
dieser Industrie immer noch eine Bedeutung für diese Region. Er ist darüber hinaus der wichtigste Fährhafen für die
Äußeren Hebriden. Über die Meerenge des Minch bringt die
große Fähre Passagiere und Güter in rund zweieinhalb Stunden nach **Stornoway** auf Lewis. Das schmale Becken des
Loch Broom ragt wie ein spitzer Pfeil ins bergige Landesinne-
re und bietet damit einen idealen Schutz für den Hafen von
Ullapool. Am Ostufer des Lochs wächst auf beiden Seiten der
Straße ein überraschend dichter Wald, mit z.T. Ehrfurcht ein-
flößenden Mammutbäumen. Im **Leal Forest Garden** wachsen
über 150 Baumarten und Büsche aus der ganzen Welt.

Weiter in Richtung Süden führt die A835 nahe an der
Corrieshalloch Gorge vorbei, einer steilen, bewaldeten
Schlucht. Spektakulär schäumend stürzt sich der Fluss
Broom hier unter einer leicht schwingenden Hängebrücke 60
m in die Tiefe. Südwestlich davon führt die A832 in ein enges
Tal und dann in eine Mondlandschaft mit Bergen und steilen
Klippen.

Von klarer und gesunder Luft zeugen die Flechten an den Ästen der Bäume im **Dundonnell Forest**. Zusammen mit dem schäumenden Fluss im Wald ist es ein wildromantischer Abschnitt dieser einsamen Hochlandstraße. Der Ort **Dundonnell** erweist sich nur als eine Handvoll Häuser mit einem direkt an der Straße gelegenen Spitzenhotel. Gleich dahinter liegt der 1062 m hohe **An Teallach**, ein echter Munro und praktisch der Hausberg. Vor dem Hotel windet sich der **Dundonnell River** durch Salzwiesen zur Meeresbucht des **Little Loch Broom** und mündet damit er in den Atlantik. Der Ort ist auch ein idealer Ausgangspunkt für Wanderungen nach Ullapool (7 km) und in die Umgebung. Jenseits von Dundonnell, zwischen Little Loch Broom und Loch Broom, breitet sich auf einer 15 km langen Landzunge eine fast menschenleere Wildnis aus.

Der Straße von Mungasdale nach Laide folgend, öffnet sich der Ausblick auf die weite **Gruinard Bay**. Darin liegt, wie eine Postkartenidylle, **Gruinard Island**. Die flache Insel hat eine gefährliche Geschichte: Nach dem ersten Weltkrieg wurde sie in eine Waffenversuchsstation umgewandelt.

Friedlicheren Hintergrunds ist das so malerisch am südlichen Ende von **Loch Ewe** gelegene Dörfchen **Poolewe**. Längst würde es in einen Dornröschenschlaf gefallen sein, würde es nicht jedes Jahr in der Hochsaison von Touristen, die an dieser Stelle auf dem Weg nach Ullapool eine Pause einlegen, wachgeküsst werden. Mit gutem Grund, denn die Landschaft und der Ort sind einen ausgiebigen Besuch wert. Bis ins 19. Jahrhundert war Poolewe ein Ausgangshafen für Reisen zu den hebridischen Inseln. Da die Schiffe aber nicht anlegen konnten, wurden die Passagiere mit Ruderbooten abgeholt. Das von den Inseln kommende Vieh musste das letzte Stück zum Ufer schwimmen. In einer langen Kette – der Schwanz mit dem Kopf des nächsten Tieres über ein Seil verbunden – wurden die Tiere einfach ins Wasser getrieben.

Der Boden der umliegenden Landschaft ist immer noch karges, dünnes Erdreich. Darunter liegt hartes Gestein entweder Gneis oder Buntsandstein. Diese Steine sind rund 2,8 Milliarden bzw. 380 Mio. Jahre alt, und stammen beide aus der Frühzeit der Erdgeschichte. Weil sie so hart sind verwitterten sie kaum in dieser langen Zeit. Angesichts ihres geringen Mineralgehaltes ist der Boden hier nicht sehr fruchtbar.

Trotzdem ist auf einer einstmals kargen Landspitze im Loch Ewe mit dem **Inverewe Garden** einer der schönsten Gärten Schottlands entstanden. In seiner Leidenschaft für dieses Objekt hat **Osgood Mackenzie** in den Jahren nach 1862 eine Garten – und Parkanlage geschaffen, die von Fachleuten und Laien auch heute immer noch bestaunt wird. Seine Tochter übergab den Garten dem National Trust for Scotland, der die Anlage heute im Sinne der Mackenzies weiterpflegt. Der fruchtbare Boden wurde per Hand mit Karren Stück für Stück hierher gebracht. Danach pflanzte Mackenzie einen Wald zum Schutz der Pflanzen vor den oft sehr rauhen Winden an dieser Küste. Doch für das Gedeihen der vielen subtropischen Pflanzen war letztendlich das besonders milde Klima ausschlaggebend. Mit Hilfe des warmen Golfstroms blühen im Mai und Juni Rhododendren in einer überwältigenden Farbenpracht und zu anderen Jahreszeiten auch eine große Zahl Pflanzen und Gewächse aus dem Himalaja und aus vielen Teilen der Welt.

Gairloch ist eine größere Ansiedlung und war einst ein geschäftiger Fischerhafen. Gerade wegen seiner herrlichen Sandstrände, einem schön gelegenen Golfplatz mit Blick aufs Meer und dem herrlichen Küstenpanorama ist es heute ein beliebter Urlaubsort. Am Horizont jenseits der Bucht zeichnet sich die Silhouette der Insel Skye und der noch weiter entfernt liegenden hebridischen Inseln Lewis und Harris ab. Landeinwärts gibt es von der spärlich bewaldeten Bucht aus gute Wandermöglichkeiten in das karge Bergland.

Eingebettet in eine dramatische Berglandschaft liegt **Loch Maree**. Mit seinen zahlreichen Inseln und diesem Umland wird es mit einigem Recht als schönster See Schottlands gepriesen. Entlang der Ufer dieses Sees sind noch alte Reste der knorrigen Kiefern (*Scots Pine*) zu sehen, die als Wälder einst die Schottlands Hochland bedeckten. Zur Erhaltung dieser heute seltenen Bäume und der ursprünglichen Fauna wurde südwestlich dieses Sees 1951 das **Beinn Eighe Natio-**

nal **Nature Reserve** als erstes nationales Naturreservat in Schottland geschaffen. Da das Jagen hier verboten ist, werden Wanderer in diesem Reservat heute mit großer Wahrscheinlichkeit geschützten Tierarten begegnen. Ausser Greifvögeln wie Weihen, Milanen und Steinadlern gibt es dort auch wieder Wildkatzen und Marder. Die Ufer des Sees sind z. T. bewaldet und werden von steil aufragenden Bergen und Felsen aus graubraunem Buntsandstein begrenzt. Wild verstreut liegen überall Steinblöcke auf den nackten Hängen dieses rund dreihundert Mio. Jahre alten Gesteins. Es ist eine atemberaubende Landschaft, die auch schon von Königin Victoria bewundert wurde. Sie wohnte damals im Loch Maree Hotel, das noch heute stolz auf dieses Ereignis hinweist. Am gegenüberliegenden Ufer dominiert vom der 981 m hohe Berg **Slioch,** der sich bei ruhigem Wetter im Wasser spiegelt, den See.

Bei **Kinlochewe,** am Ende des Sees, muss man sich dann allerdings wieder zwischen zwei Routen entscheiden, denn von hier führen beide durch großartige Landschaften. In Großbritannien gibt es keine grandiosere Region als die Bergwelt von **Torridon.** Zunächst wird die Route, die von Kinlochewe über **Upper Loch Torridon** und **Shieldaig** zum **Loch Carron** führt von **Liathach** und **Beinn Eighe** und anderen baumlosen, hohen Bergen dominiert. Sie alle sind wie vorgeschichtliche Monstren durch Erosion und Eis geformt worden, um 1000 m hoch und natürlich das Ziel vieler Wanderer. Doch die seien gewarnt, denn gerade Liathach ist wegen seines brüchigen Gesteins gefürchtet. Ihre eigentliche Schönheit zeigen diese Berge aber erst auf der der Straße abgewandten Seite. Es gibt viele herrliche Wanderwege, die keine Bergbesteigung erfordern, besonders entlang der Nordseite des Sees und abzweigend vom Weg nach **Lower Dibaig.**

Entlang Upper Loch Torridon steht dieses Land zu einem großen Teil unter dem Schutz des National Trust for Scotland, der sich ebenfalls um die weiter südlich gelegene Landschaft Kintail kümmert. Ursprünglich *Sildvik* (Heringsbucht) genannt, führt das ehemalige Fischerdörfchen Shieldaig seinen Ursprung auf die Zeit der Wikinger zurück. Jede Wegbiegung eröffnet ein anderes, beeindruckendes Panorama. Das kann leicht vom meist schmalen Weg ablenken, denn die

---

Der Clan Mackenzie

Er zählte einst zu den größten und mächtigsten im gesamten Hochland. Schon im 12. Jahrhundert bekamen die Mackenzies durch den damaligen König Alexander II. viel Land in Kintail. Seither, und besonders nach ihrer Erhebung in den Adelstand 1623, waren die Mackenzies, Grafen von Seaforth, königstreue Stewart-Anhänger. Sie wurden jedoch nicht recht glücklich dabei, denn schon der zweite Graf wurde im Nachgang der Covenanter-Kriege exkommuniziert und starb im Exil in Holland, der dritte kämpfte bei Worcester mit Charles II. und wurde dort gefangen genommen, der vierte ging mit James VII./II. ins Exil nach Frankreich und der fünfte Graf unterstützte den 'Old Pretender' in den Jakobiteraufständen 1715 und 1719. Nach dem 1715er Aufstand floh er ins Exil nach Spanien. Obwohl er danach seine Ländereien, die sich über den gesamten Bereich des heutigen Rossshire, von der Nordsee bis nach Kintail am Atlantik, erstreckten, an die Krone verloren hatte, wurden in diesen Jahren weiterhin die Pacht von seinem treuen Verwalter Donald Murchison eingetrieben. Trotz Unionsregierung unterstreicht das die jahrhundertealte Schwäche des Gesetzes im bis dahin immer noch weglosen Hochland. Murchison unternahm mehre gefahrvolle Reisen auf den Kontinent, um seinem Herrn das Geld zu bringen. Nach dem Wiedererhalt seiner Ländereien zeigte sich der fünfte Graf allerdings nicht sehr großzügig gegen über seinem treuen Verwalter, denn er gab ihm nur einen winzige Bauernhof. Das Ende der männlichen Linie der Clanchiefs kam 1815 mit dem Tod von Francis Mackenzie – wie es der **Brahan Seer** vorhergesagt hatte. Dieser Wahrsager, **Kenneth Mackenzie** (oder Coinneach Odhar, 1610-1670), machte der Überlieferung nach diese und eine große Zahl anderer Vorhersagen, die erstaunlich oft und z.T. erst mehrere Jahrhunderte später aufs Wort genau eintrafen – und viele davon sind bis heute noch nicht erfüllt!

Straße ist größtenteils einspurig, steil und kurvenreich. Nicht selten stehen Schafe im Weg. Zuweilen können diese engen Bergstraßen über 20% Steigung haben. Eine solche Straße führt mit vielen engen Kurven über den Pass Bealach na Bo (sprich Bilachna Bo – Pass der Viehtreiber) zu dem einsamen Dörfchen Applecross an der Westküste. Der Name ist irreführend. Obwohl es einst so fruchtbar war, dass Rinderzucht in großem Stil betrieben werden konnte, wachsen auf dem heute meist kargen Boden der riesigen und äußerst dünn bevölkerten Halbinsel kaum Apfelbäume. Der Name ist vermutlich gälischen Ursprungs und wurde später angliziert. Auf der großen Halbinsel war im siebten Jahrhundert der heilige Mael Rhubha (oder Maol Rhubha), ein Zeitgenosse des Heiligen Columba, tätig. Um 671 n. Chr. errichtete er in dieser einsamen Landschaft eine erste kirchliche Zelle und missionierte von dort aus große Teile des heidnischen Nordens. Er starb 722 in der Nähe von Inverness und soll in Applecross begraben sein. Zu allen Zeiten war dieser Pass berüchtigt und ist es heute immer noch besonders wenn der Nebel die einspurige Straße an tiefen Abgründen entlang unübersichtlich macht. Allein wegen seiner einzigartigen Aussichten kurz vor dem windigen Scheitelpunkt sollte dieser Abstecher aber keinesfalls versäumt werden. Vor den kahlen Bergen von Applecross liegt das hübsche Dörfchen Kishorn in einem fruchtbaren grünen Tal an der gleichnamigen Bucht.

Zurück in Kinlochewe führt die Entscheidung, weiter auf der A832 zu fahren, durch das ansteigende Glen Docherty mit seiner herrlichen Aussichte auf Loch Maree nach Osten und über **Achnasheen** zurück nach **Inverness**. Achnasheen ist eine kleine Ortschaft inmitten einer grandiosen, einsamen Landschaft zu Füßen der Berge des Hochlands. Nicht nur ist das Dörfchen mit seinen wenigen Häusern ein idealer Ausgangspunkt zur Erkundung dieser Landschaft, es hat auch eine Bahnstation und hier zweigt die A890 ab. Die verläuft durch das landschaftlich schöne Tal von Glen Carron, bevor sie sich am Ende von **Loch Carron** wieder mit der A896 trifft. Die Straße führt am schmalen Südufer des Sees entlang und über die Berge zum Loch Alsh. Von **Strom Castle** am Loch Carron ging einst eine Fähre über diesen See nach Stromferry. Sie wurde nach dem Straßenbau eingestellt. Sollte es die Zeit des Reisenden aber erlauben, empfiehlt es sich, von Lochcarron aus auf der alten Straße am Nordufer des Lochs entlang und an den Grundmauern des geschichtsträchtigen Strom Castle vorbei bis zum Straßenende zu fahren.

Eilean Donan Castle ist die meistfotografierte Burg Schottlands. Kenneth Mckenzie erbaute sie Ende des 13. Jahrhunderts an diesem strategischen Punkt, dem Zusammenfluss von Loch Duich, Loch Long und Loch Alsh. Benannt ist sie nach dem Einsiedler Donan aus dem siebten Jahrhundert. Wahrscheinlich wurde die Burg schon im 12. Jahrhundert begonnen. Das heutige Castle, beeindruckend wie es ist, stammt aber nicht aus dieser Zeit. Im Jahre 1719 wurde es durch das Bombardement der britischen Flotte und die anschließende Sprengung zerstört.

Die MacRaes waren die traditionellen Statthalter des großen Clans der Seaforth MacKenzies. Jahrhundertelang bewohnten und verteidigten sie das Castle. Lt. Col. John Ma-Rae-Gilstrap, der Nachfahre dieses stolzen Clans, baute nach einer Vision die Ruine zwischen 1912 und 1932 wieder auf verwendete die Originalsteine und versetzte sie auf diese Weise in den ursprünglichen Zustand zurück. So ist es kein Wunder, dass dieses trutzige Castle, dessen dunkle Geschichte sehr unterhaltsam in dem dort erhältlichen Führer erzählt wird, großen Filmen wie z.B. *Highlander* und *The World is Not Enough* (James Bond) schon mehrfach die ideale Kulisse bot.

Am östlichen Ende des Loch Duich beginnt das beeindruckende **Glen Shiel**, ein Tal, das eingefasst wird von einer Kette knapp 1000 m hoher Berge, den **Five Sisters**. Wanderer sollten es nicht versäumen, bei Morvich kurz vor Shiel Bridge links ab auf den Parkplatz des National Trust for Scotland zu fahren. Von dort führen mehrere Wege durch eine großartige Wildnis zu den Wasserfällen von **Glomach**, die zu den höchsten in Großbritannien zählen. Die so gut wie menschenleere und fast 52 km▨ umfassende Landschaft wird vom NTS verwaltet. Wer aber etwas mehr Zeit hat, der sollte am Ende von **Loch Duich** bei Shiel Bridge westwärts über den steilen Pass von **Mam Ratagan** nach **Glenelg** fahren. Kurz vor dem Pass bietet sich der unvergleichliche und beste Blick über Loch Duich und die Five Sisters. Jenseits des Passes wurde das fruchtbare Land offensichtlich schon in prähistorischer Zeit bewohnt und genutzt. Etwas südlich von dem malerischen Örtchen Glenelg sind zwei für ihr Alter von fast 2000 Jahren sehr gut erhaltene Brochruinen zu sehen.

Völlig abgeschirmt durch die umliegenden hohen Berge ist das grüne Land heute nur noch sehr dünn besiedelt, doch das war nicht immer so. Ähnlich wie andere Teile des Hochlands und der Inseln hat das Land eine sehr wechselhafte Geschichte erlebt. Die Wikinger eroberten, plünderten und besiedelten es und in den folgenden Jahrhunderten hat es einen Gutteil der Clankämpfe des Hochlands gesehen. Während der Jakobiteraufstände wurden Kasernen für die Regierungstruppen bei Bernera gebaut und durch die der anschließenden Clearances viele Menschen vertrieben. Nicht weit von Glenelg geht im Sommer von Kylerhea eine Personen- und Autofähre über die sehr strömungsreiche Enge des **Kyle Rhea** zwischen dem Festland und der Insel Skye. Bis ins 18. Jahrhundert waren die Inseln und viele Täler des Hochlands so fruchtbar, dass dort in großer Zahl Rinder gezüchtet werden konnten. Monatelang und unter schwierigsten Bedingungen wurden diese Herden von den Viehtreibern (*drovers*) durch das weglose Land, über Flüsse und Meerengen, wie bei Kylerhea, in die Lowlands getrieben und dort verkauft. Glenelg ist übrigens ein Palindrom, d.h. der Name lässt sich von vorwärts und rückwärts lesen.

Schottlands Inselreichtum
Westliche Inseln

Vom Nordosten über weite Teile der Westküste bis hinunter nach Südwesten erstreckt sich wie ein natürlicher Schutzwall gegen den anstürmenden Atlantik die Inselkette der Äußeren Hebriden. Geologisch gesehen bestehen die Inneren Hebriden aus Granit und Gabbro. Dazu kommt noch Basalt, der aus Vulkanergüssen des Tertiärs stammt und durch tektonische Bewegungen, Erosion und Eigengewicht in teilweise bizarre einzelne Blöcke zerbrochen ist. Während der Eiszeit wurden die Berge der Inseln durch die Gletscherbewegungen zu ihrer geringen Höhe reduziert. Das Eis schliff eine Vielzahl ausgeprägter Konturen heraus, teilweise mit scharfen Graten wie z.B. die **Cuillin Hills** auf Skye mit ihren über 900 m hohen und spitzen Bergen.

Ganz anders wirken die aus Granit und Gneis aufgebauten Äußeren Hebriden. Sie sind niedriger als die Inneren Hebriden und haben durch Gletscher abgeflachte Hügel. Die Ufer dieser Inseln werden vielfach von steilen Klippen gesäumt, es gibt aber auch viele feine weiße Muschelsandstrände. Die größte der Inseln, Lewis, ist weitgehend aus einem der Urgesteine, dem *Lewisian Gneiss*, geformt. Dieses Gesteinsart wurde nach der Insel benannt. Der Boden auf diesen Inseln ist deshalb meistens karg – Schafe und Fisch waren und sind immer noch die traditionelle Basis der lokalen Wirtschaft. Rund 27 000 Menschen leben auf den westlichen Inseln.

Die bizarre Inselgruppe von **St. Kilda** ist 70 km weiter westlich im Atlantik den Äußeren Hebriden vorgelagert. Diese heute so gut wie unbewohnten Felseninseln sind die Überreste eines längst erloschenen Riesenvulkans. Er ist größtenteils versunken und von seinen Resten sind nur steil aus dem Wasser emporrangende Felskegel zurückgeblieben. Jahrhundertelang lebten Menschen auf diesen Inseln unter unvorstellbaren Bedingungen. So ließen sie u.a. ihre Kinder barfuß und nur durch dünne Seile gesichert die steilen Felsen zu den Nestern der Seevögel hinunter, um an die Eier und Jungvögel zu gelangen. Diese Klippen, die teilweise bis zu 430 m steil ins fischreiche Meer abfallen, sind die höchsten in Großbritannien. An diesen Felsen nistet die weltgrößte Kolonie von Tölpeln und eine Vielzahl anderer Seevögel. Es war nicht das harte Leben sondern die durch die Vogelkolonien entstandene Situation, die die Menschen zur endgültigen Aufgabe der Inseln zwangen und zur Bitte um Evakuierung führten. 1930 wurden die Menschen evakuiert und größtenteils bei Larachbeg in Morvern auf dem Festland angesiedelt. In der Abgeschiedenheit der fernen Inseln hatte sich über viele Generationen das Immunsystem der Menschen verändert. Viele starben deshalb sehr bald an ihnen bis dahin unbekannten Krankheiten. Die Inseln von St. Kildas sind bislang Schottlands einzige als Weltkulturerbe eingestufte Landschaft. Sie stehen unter dem Schutz und der Verwaltung des National Trust for Scotland, der auch die Erlaubnis erteilt, sie zu besuchen. Es gibt Chartertouren dorthin von verschiedenen Häfen entlang der Westküste und von Lewis.

Das sind aber immer noch nicht die westlichsten schottischen Inseln: Die noch über 480 km weiter westlich im Atlantik liegende und vom Seewetterbericht bekannte Felseninsel **Rockall** gehört ebenfalls noch zu Schottland.

West Highland Route und Innere Hebriden

Die 73 Kilometer lange *Road to the Isles* (A830) zählt zu einer der landschaftlich schönsten Strecken Schottlands. Sie verbindet **Fort William** mit dem Hafenort **Mallaig,** von wo die Fähre nach Skye ablegt. Heute führt eine schnelle und bequemere Straße dorthin. Die alte Straße wand sich eng und kurvenreich durch dichte Wälder, herrliche Gebirgslandschaften und an den traumhaft weißen Sandstränden an der Atlantikküste entlang nach Mallaig. Der Zug von Fort William nach Mallaig durchfährt die gleiche Landschaft. Während der Sommermonate werden zusätzliche Nostalgiefahrten mit Dampflokomotiven angeboten.

Auf dem Weg nach Mallaig liegt in einem Kessel zwischen wuchtigen Gebirgskegeln, die bis zu 900 Meter hoch sind, am Ufer des **Loch Shiel** der kleine Ort **Glenfinnan.** Unübersehbar erinnert das **Glenfinnan Monument** an dieser Stelle an das waghalsige Unternehmen des Bonnie Prinz Charlie.

Im unzugänglichen Hochland versammelte er an dieser Stelle am 19. August 1745 die Jakobiter und rief damit für die Stewarts die letzte Rebellion aus. Hier begann das Abenteuer, das knapp acht Monate später nicht nur grausam endete, sondern für Schottland insgesamt den Wendepunkt in seiner Geschichte und Entwicklung brachte. Die mittelalterliche Hochlandkultur und das Clanwesen wurden in der Folge des hier begonnen Aufstands zerstört, das Land wurde zu einem großen Teil neu verteilt und geordnet, Menschen wurden in großer Zahl vertrieben und die neue Ordnung der zentralen Regierung dauerhaft auch im Hochland etabliert. Das Denkmal wurde von MacDonald of Glenaladale in Erinnerung an seinen Großvater errichtet. Die Figur auf der Spitze stellt also nicht Bonnie Prinz Charlie dar, wie allgemein angenommen wird. Bei Glenfinnan spannt sich auch das fotogene Eisenbahnviadukt in einem weiten Bogen quer über das gesamte hufeisenförmige Tal. Mit dem Hintergrund der Berge taucht dieses Bild immer wieder in Hochglanzbroschüren über Schottland und auch in einigen der Harry Potter-Filme auf. Gleich hinter dem Besucherzentrum des National Trust führt der Pfad zu dem kleinen Aussichtshügel hinauf. Dort öffnet sich ein Traumblick über das von hohen Bergen eingerahmte Loch Shiel.

Es gibt nur wenige kleine Orte auf dieser Strecke nach Westen. Von den einstigen Ansiedlungen der Crofter gibt es nur noch wenige Spuren, die in den Wäldern nur schwer zu finden sind. Am Ufer des **Loch nan Uamh** deutet das Hinweiszeichen auf den Princes Cairn. Das ist die Stelle, an der

Glenfinnan-Monument

Bonnie Prinz Charlie seine Flucht beendete und von der er am 19. September 1746 an Bord eines französischen Schiffs fortsegelte, um nie wieder Schottlands Boden zu betreten. Die Traumstrecke bietet, besonders hinter Arisaig einen herrlichen Panoramablick auf die kleineren Inseln im Atlantik, die Small Isles, am Horizont: Rum, Eigg, Muck und Canna. **Muck** ist die kleinste Insel dieser Gruppe – auf ihr leben nicht mehr als 30 Menschen. **Rum** ist mit mehreren hohen Bergen, von denen **Askival** mit 810 m der höchste ist, ein kleines Spiegelbild des dramatischen Profils von Skye. Der englische Mühlenbesitzer Bullough kaufte Ende des 19 Jh. diese spektakulärste der kleinen Inseln und machte sie zu einem *Sporting Estate*. Sein Sohn George baute sich dort einen fantastischen Palast. Er verarmte allerdings nach dem 1. Weltkrieg und so wurde das Haus 1957 an die Organisation Scottish Natural Heritage verkauft. Es droht seither zu verfallen, soll aber irgendwann in Zukunft zu einem Hotel ausgebaut werden. Rum ist seit über 40 Jahren ein Zentrum für Naturforscher und gehört als nationales Schutzgebiet zu den ökologisch und geologisch interessantesten Gegenden Schottlands. Die Insel ist besonders bekannt für ihre große Rotwildherde. Auf Rum lebten schon vor 9000 Jahren Menschen, denn dort wurden die Spuren der wohl frühesten Siedler Schottlands gefunden.

Compass Hill, der höchste Berg der Insel **Canna** narrte bis vor kurzem die Seefahrer mit seinem stark eisenhaltigen Gesteinsvorkommen. Es ließ die Magnetnadeln der Kompasse tanzen und verwirrte sie. Wer diese Gefahr gemeistert hatte, fand und findet auch heute noch einen Naturhafen vor, der von der vorgelagerten Insel **Sanday** gegen den anstürmenden Atlantik geschützt wird. Relikte aus der Vergangenheit zeigen, dass die Insel schon lange vor unserer Zeit bewohnt war. Auf der Insel ist auch ein Bestattungsschiff der Wikingerepoche aus dem achten oder neunten Jahrhundert gefunden worden. Außerdem sind die Reste einer Kirche aus dem siebten Jahrhundert und ein Gefängnisturm aus dem Mittelalter zu sehen. Canna steht seit 1981 unter Naturschutz und wird vom National Trust for Scotland verwaltet.

Eigg unterscheidet sich deutlich von seiner Nachbarinsel durch die markante Bergsilhouette von **An Sgurr**. Mit viel privater und einer öffentlicher Unterstützung kauften vor einigen Jahren die hiesigen Kleinbauern die Insel nach einem langjährigen Streit mit den Vorbesitzern. Eigg ist eine der Hauptkolonien der scheuen Sturmtaucher (*Manx Shearwater*), die in Erdhöhlen nisten. Einst jagten ihre Vogellaute den Wikingern Angst und Schrecken ein, wenn sie die klagenden

Rufe der 'Trolle aus der Erde' hörten. Diese grünen Inseln können mit dem Boot von Mallaig oder Arisaig aus erreicht werden.

Wer von schneeweißem Muschelsand und blauem Meer träumt, kann das entlang der buchtenreichen Küste erleben. Golfer finden einen herrlich gelegenen Platz am Meer bei Keppoch. Zwischen Arisaig und Mallaig sollte unbedingt noch ein kleiner Abstecher an den Loch Morar gemacht werden. Mit über 300 m ist der 20 Meilen lange See der tiefste in Großbritannien und der Legende nach haust in ihm auch ein Ungeheuer – **Mhorag**. Mhorag bringt, so wird gesagt, bei seinem Erscheinen Unglück über eine hiesige Familie, es soll aber trotzdem auch einige freundliche Seiten haben. Die umliegende Landschaft ist nach dem See benannt. Sie ist nur äußerst spärlich besiedelt, genauso, wie die angrenzenden Wanderparadiese Knoydart im Norden und Moidart, Sunart und Ardnamurchan im Süden.

Die Stadt **Mallaig** am westlichen Ende der Road to the Isles ist mit ihrem Fischereihafen Europas größter Umschlagplatz für Garnelen. Von Mallaig aus gehen die Kisten mit diesem köstlichen Inhalt in Kühltransportern in alle Welt. Mallaig selbst ist betriebsam, aber nicht unbedingt schön. Erst die Eisenbahn, die 1901 hier ankam, brachte Leben in diese entlegene Ecke Schottlands. In der Ausstellung **Marine World** gibt es viel über das Leben über und unter Wasser entlang der Küste zu entdecken. Schließlich bringt die große Autofähre die Reisenden in knapp 30 Minuten hinüber nach **Armadale** auf der Insel Skye.

Skye

Die Insel des Nebels (*Eilean a'Cheo*), wie Skye wegen seines Wetters heißt, hat in allen drei Dimensionen die wohl dramatischsten Landschaftskonturen Großbritanniens. Bei richtiger Betrachtung wird der zweite gälische Name, die geflügelte Insel (*An t-Eilean Sgitheanaich*), vielleicht besser verständlich. Skye ist für Touristen aus aller Welt eines der Hauptziele in Schottland. Diese größte Insel der Inneren Hebriden ist zwischen 11 und 48 km breit, rund 80 km lang und bedeckt 1385 km². Sie hat entlang der Küste so viele Buchten, dass die Küstenlinie fast 600 km lang ist. Die ganze Insel besteht an der Oberfläche größtenteils aus Vulkangestein, das vor rund 53 Millionen Jahren aus dem Erdinneren quoll. Das war die Zeit, in der viele andere schottische Inseln wie Mull, Rum, St. Kilda, Ailsa Craig, aber auch Irlands Antrim und Grönland geformt wurden.

Unterteilt in die **Black** und **Red Cuillin Hills** dominiert die außergewöhnlich prägnante Silhouette dieser Berge den Südwesten der Insel. Die Berge sind nach der Farbe ihres Gesteins benannt. Der Gabbro der Black Cuillin ist schwarzes Vulkangestein und noch härter als der rosafarbene Granit der Red Cuillin. Entsprechend scharfkantig respektive rund geschliffen wurden diese Berge durch die Gletscherwanderungen der verschiedenen Eiszeiten. Gerade wegen ihrer steilen und oft schroffen Wände ziehen diese Berge Kletterfreunde und Wanderer aus aller Welt magisch an.

Überall ragen an der Küste steil abfallende Klippen aus dem Meer und dazwischen liegen manche traumhafte Sandstrände. Im Landesinneren, auf einzelnen Inseln und an den verschiedenen Küsten fallen die abgeschliffenen Gebirgsplatten, Tafelberge und bizarre Abbruchkanten auf. Eine Kette von kleineren und größeren Inseln, **Scalpay, Raasay** und **Rona**, deren Namen an die Zeit der Wikinger erinnern, trennt die Insel vom östlichen fast menschenleeren Festland. Raasay mit ihrem markanten Tafelberg ist die größte dieser Inseln, sie hat eine sehr eigene Geschichte. Dort lebte ein Zweig der MacLeods, die in der Zeit nach der Schlacht von Culloden sehr zu leiden hatten, weil sie auf der Seite der Jakobiter gestanden hatten. Die Insel mit ihren 180 Einwohnern ist eine Bastion der Free Church of Scotland. Weil diese strikt protestantische Kirche den Sonntag würdigt und arbeitsfrei hält, gibt es an diesem Tag dorthin keine Fähren sowie andere Einschränkungen.

Jenseits der größten Stadt Skyes, **Portree** (2001 1900 Einwohner), zeichnen sich auf der Nordroute durch das Gebiet von **Trotternish** ganz bizarre Bergformationen am Horizont ab. Der **Old Man of Storr** ist Teil einer harten und extrem schweren Basaltschicht, die große Teile der Insel bedeckt. Der weichere Basisfels aus Sandstein gibt langsam nach und so bröckelt der Basalt in Scheibchenform über Jahrhunderte langsam ab. In einem spektakulären Wasserfall stürzt sich nicht weit davon bei **Staffin** ein kleiner Fluss von hohen, sturmumtosten Felsenklippen direkt ins Meer. Zeugnis der Wanderungen dieses Landes über Jahrmillionen über 80 Breitengrade und durch die verschiedenen Klimazonen finden sich hier besonders eindrucksvoll in den Spuren und Resten im Sand und Gestein. Danach stampften vor vielen Millionen Jahren Dinosaurier durch den Sand der hiesigen Strände. Immer wieder werden Hinweise auf diese Lebewesen gefunden, das kleine Heimatmuseum zeigt einige der Fossilien.

Nach Norden führt die teilweise einspurige Straße dann um den **Quiraing** herum. Das ist eine weitere außergewöhnliche Ansammlung von Gipfeln, Felstürmen und geheimen Verstecken. Die einsame Landschaft war das ideale Versteck für gestohlenes Vieh.

Castle Duntulm im äußersten Nordosten Skyes, war eine Festung der MacDonalds. Während seiner Kampagne gegen die Clans auf den Inseln im Westen besuchte James v. die Burg. Von der Ruine geht der Blick über die Meerenge des Minchs nach **Lewis** und **Harris**. Ruinen meisterhafter Bauwerke der frühen Eisenzeit, die Brochs von **Dun Ardtreck**, in der Nähe von **Carbost** und **Dun Beag** bei **Bracadale,** sind Zeugen Vergangenheit der Insel. Skye war in ihrer oft recht düsteren und bewegten Geschichte der Schauplatz vieler Auseinandersetzungen zwischen den Ureinwohnern und den Invasoren, z.B. den Wikingern. Später stritten sich hier die Clans. Die MacDonalds, MacLeods und Mackinnons bekämpften sich auf der Insel jahrhundertelang. Ältere Einwohner können noch immer Geschichten darüber erzählen, die beim abendlichen Feuer oder beim *Ceilidh* (schottischer Tanzabend) mündlich überliefert wurden.

Dunvegan Castle, das die Westküste der Insel beherrscht, ist seit über 800 Jahren noch immer das Heim der MacLeods. Es zeugt von dieser Vergangenheit, denn in dieser Burg hängen auch die Überreste der geheimnisvollen Feenflagge, um die sich viele Geschichten ranken.

Die romantischste Geschichte der Insel wurde nach der Schlacht von Culloden geschrieben. Bonnie Prinz Charlie musste fliehen und kam dabei nach **South Uist**. Von **Benbecula,** der Nachbarinsel, brachte Flora MacDonald den hübschen Prinzen, verkleidet als ihre irische Bedienstete Betty Burke, in einer gefährlichen Fahrt an den sie verfolgenden Regierungssoldaten vorbei über die See nach Skye. Mit dieser Fahrt, die mit ihrem gleichfalls abenteuerlichen Marsch von Uig nach Portree im nachhinein sehr romantisiert wurde, hat sich die Legende über die Abenteuer Floras und Charles Edward Stewarts tief in die Folklore der Hebriden-Inseln eingegraben. Ein noch heute sehr populäres Lied – der *Skyeboat Song* – erinnert daran:

> Speed bonnie boat like a bird on the wing
> „Onward" the sailors cry
> Carry the lad that's born to be King
> Over the sea to Skye

Floras Leben war abenteuerlich und ereignisreich. Für ihren dreitägigen Einsatz bei der Flucht von Bonnie Prinz Charlie wurde die tapfere Frau eingekerkert und sollte hingerichtet werden. Nach einem Jahr im Tower von London wurde sie jedoch begnadigt. Später kehrte sie zurück, reich belohnt von der Londoner Gesellschaft, die nicht genug von ihrem Abenteuer hören konnte. Sie heiratete, wanderte nach Amerika aus, verlor aber in den Wirren der Freiheitskriege einen Teil ihrer Familie und ihres Besitzes. 1779 kehrte sie zurück und lebte mit ihrem Mann auf Uist und auf Skye. Als sie 1790 dort starb begleitete sie auf ihrem letzten Weg die größte Trauerprozession, die das schottische Hochland je gesehen hat. Bei **Kilmuir** im Nordosten der Insel ist für sie ein großes und weithin sichtbares Denkmal errichtet worden.

Die Clearances haben auf der Insel tiefe Spuren hinterlassen. Im 18. Jahrhundert lebten auf Skye noch fast 40 000 Menschen, 1841 gab es nur noch 23 000 und bis 1900 sank die Zahl auf 13 800. Heute leben gerade einmal rund 9500 Menschen auf der Insel. Über 30 000 Menschen wurden systematisch von dieser Insel vertrieben. Sie hatten keine große Wahl zwischen dem Hungertod und der Auswanderung. Die zurückgebliebenen jungen Männer der gingen freiwillig in die britische Armee. Dort gab es wenigstens etwas zu essen – aber auch nur wenige Chancen, die Heimat wiederzusehen. Das **Skye Museum of Island Life** und das **Skye Heritage Centre** in Portree lassen die Geschichte dieser einfachen Pächter und Bauern vergangener Tage lebendig werden und erklären das Leben auf dieser Insel ab dem Jahr 1700.

Fischfang und Fischfarmen machen in der Region immer noch die Haupteinnahmequellen aus. Dazu gehören auch die Muschelfarmen, denn die See um Skye herum zählt zu den klarsten Gewässern Großbritanniens. Lachsfarmen sind in der jüngeren Vergangenheit zu einem wichtige Industriezweig geworden. Crofting, die Kleinbauernwirtschaft und einst der Hauptwirtschaftszweig Skyes, ist längst in seiner Bedeutung zurückgegangen. 1995 gab es noch 1894 Crofts auf der Insel. Davon sind heute nur rund hundert groß genug, um den Bauern ohne Nebenerwerb zu ernähren. Trotzdem ist die Nachfrage nach Crofts erstaunlich hoch, obwohl die Chancen zur Pacht eines Croft mit einem Verhältnis von drei zu eins nicht sehr groß sind. Dem Bauern bleibt nur, auf dem meistens sehr dürftigen Boden Schafe zu halten, von denen es auf der Insel schätzungsweise rund 170 000 gibt. Tourismus bildet daher eine der Haupteinnahmequellen Skyes. Doch das wohl bekannteste Produkt dieser Insel ist der Whisky aus der hiesigen Brennerei Talisker. Wenn auch nicht direkt ein Exportartikel, so hat aber die gälische Folk- und Rockgruppe **Runrig** den Namen Skyes inzwischen auch auf dem Kontinent bekannt gemacht und in die Welt getragen.

Das Städtchen **Kyle of Lochalsh** liegt auf dem Festland. Es war mit seiner Fähre einst die Verbindung zur Insel. Seit 1995 führt die elegante und längste Einzelspannbrücke der Welt über die Meerenge. 1263, kurz vor der endgültigen Niederlage in Largs, ankerte der norwegische König Haakon in dieser Meerenge. Seit dem 14. Jahrhundert überwacht die

Ruine von **Castle Maol** von einem kahlen Felsen die Meerenge der **King Haakon Straight**. Der Sage nach soll eine Wikingerprinzessin einmal sehr unternehmerisch gewesen sein und die ganze Enge mit einer Kette abgesperrt haben, um von den Schiffen eine Gebühr verlangen zu können.

Mit etwas Glück kann in Nähe des Ufers der eine oder andere scheue Otter in freier Wildbahn gesichtet werden. Der Otterbestand hat sich in den letzten Jahren glücklicherweise wieder erholt.

Südwestlich von Kyleakin führt die A851 zum größten Teil gut ausgebaut und zweispurig zunächst durch eine Moorlandschaft. Das ändert sich bei dem kleinen Ort **Duisdale**, wo die nächste Abzweigung zu dem ganz idyllischen Landhotel **Eilean Iarmain** oder **Isle Ornsay** führt. Ein kleiner, blendend weißer Leuchtturm, der von Robert Louis Stevensons Vater gebaut wurde, bewacht die Einfahrt zu dem kleinen Hafen.

Getrennt durch den **Sound of Sleat** liegt auf dem gegenüberliegenden Festland die Landschaft von **Knoydart**. Die ca. 170 km² große Halbinsel zählt zu der einsamsten und wildesten Landschaft in Europa. Es ist die letzte Wildnis Großbritanniens. Nach Knoydart führt noch keine Straße. Man lässt den Wagen entweder stehen und wandert zwei Tage oder nimmt das Boot von Mallaig um dorthin zu gelangen. Es gibt dort auch keine Stromversorgung. Die wenigen Menschen beziehen ihre eigene Elektrizität aus Wasserkraft. Einst wesentlich dichter bevölkert, war Knoydart Teil des Machtbereichs der Lords of the Isles. Die MacDonalds vertrieben die Menschen und verkauften das gute Land an einen Schaffarmer. Nach mehreren Besitzwechseln konnte die Vereinigung der wenigen Crofter 1999 dort mit Unterstützung von Regierungsdarlehen das Land kaufen.

Sleat, die südliche Inselzunge der Insel Skye, wird oft auch als Garten von Skye bezeichnet. Es ist die einzige üppig grüne Landschaft der Insel. In Sleat blühen Rhododendron, Glockenblumen und ein Meer von Wildblumen. Der heute zweitgrößte Landbesitzer auf der Insel nach MacLeod of Dunvegan, **Sir Ian Noble,** hat große Teile des Landes der

MacDonalds gekauft und unterstützte mit Wort und Tat die Wiederbelebung und Verbreitung der gälischen Sprache. Sir Ian war auch die treibenden Kraft bei der Schaffung der einzigartigen gälischen Hochschule Sabhal Mor Ostaig, die u.a. gälische Fernsehprogramme ausstrahlt. Das College ist heute Teil der Highland and Island-Universität.

Im Gegensatz zu den teilweise prähistorischen Bauten im Norden Skyes stammen die Überreste von **Castle Armadale** im Südwesten der Insel erst aus der Zeit des späteren Mittelalters. Diese Schlossruine, nur 600 m vom Fährhafen entfernt, ist heute mit dem Museum der Lords of the Isles Teil des **Clan Donald Visitor Center**. Der mächtige Clan Donald, diese ,Herren der Inseln' beherrschten bis ins 16. Jahrhundert und auch später noch die westlichen Inseln und hatten einst in dieser Burg ihren Stammsitz. Vom einstigen Riesenreich der MacDonalds ist nicht mehr viel erhalten. Der größte Teil des Landes musste verkauft werden. Heute betreibt der Clanchief Lord MacDonald of MacDonald mit seiner Frau lediglich noch das schön gelegene, exklusive Landhotel Kinloch Lodge.

Von Armadale geht die Autofähre zurück nach Mallaig auf das Festland und von dort muss der Reisende nur die gleiche Strecke nach Fort William zurück fahren. Doch wer eine alternative Route auf die Insel Mull sucht, verlässt ebenfalls bei **Lochailort** die A830 und erreicht über die A861 und A884 ab Strontian schließlich die Fähre in **Lochaline** über den Sound of Mull. Dies ist eine landschaftlich schöne Route. Sie führt durch die Regionen Moidart, Sunart und Morvern – ein riesiges Areal, in dem es kaum Straßen und nur sehr wenige Ortschaften und Ansiedlungen gibt. Trotzdem wurde sie von Menschenhand verändert. Morverns Land und die Berge waren einst dicht bewaldet und Reste davon sind überall noch zu sehen. Die herrlichen Laubwälder wurden zu Holzkohle verarbeitet und dienten der Befeuerung der Schmelzöfen der frühen Eisenindustrie. Auf dem jetzt größtenteils kargen Boden wächst nur an wenigen Stellen genügend Gras, das Rindern und Schafen als Nahrung dienen könnte. So ist es erstaunlich, dass es in der Nähe von

Loch Aline etwas Industrie gibt. Dort wird feiner Sand zur Herstellung optischer Gläser abgebaut. Auch Morvern hat die Schrecken der Clearances erleben müssen. Der berüchtigte **Patrick Sellar** hat als Verwalter des Herzogs von Sutherland nicht nur aus den fruchtbaren Tälern, wie Strathnaver, sondern auch hier Menschen von dem 130 km⬚ umfassenden Besitz vertrieben.

Im 18. Jahrhundert wurde bei **Strontian** Blei gewonnen. Dabei wurde 1787 das Mineral entdeckt, dessen Isotop mit dem Atomgewicht 90 eine giftige Rolle im atomaren Fall-out spielt und nach dem Dorf benannt wurde – *Strontium 90*. Heute ist der Ort ein idealer Ausgangspunkt zur Erkundung der Landschaft in alle Himmelsrichtungen. Von Strontian aus bietet sich bei klarem Wetter eine unbeschreibliche Szenerie über dem riesigen **Loch Sunart** und die umgebenden Berge. Von Strontian aus sollte hinter Acharacle (sprich: A-har akkel) keinesfalls der Abzweig zur malerisch gelegenen Ruine des **Castle Tioram** versäumt werden. Der Clanchief ließ 1715, als er sich dem Jakobiteraufstand anschloss, diese aus dem 14. Jahrhundert stammende Hochburg der Macdonalds in Brand setzen. Dadurch wollte er vermeiden, dass die Burg das gleiche Schicksal durch die Hände der Regierungstruppen erlitt. Die Burgruine ist seit über 250 Jahren unbewohnt und einsturzgefährdet.

Nach Loch Moidart kommt bald hinter Kinlochmoidart links eine Reihe von Buchen in Sicht, die als die 'sieben Männer von Moidart' bekannt ist. Es sollen sieben Männer aus diesem Land gewesen sein, die Bonnie Prinz Charlies zur Seite gestanden haben und denen mit dieser Buchenreihe gedacht wird. Eine Tafel am Rand der von hier an ausgebauten Straßen erzählt die Geschichte.

Die westliche Route von Strontian ist allerdings eine Einbahnstraße, denn der Reisende muss auf der gleichen Route zurückkehren. Die einspurige Straße zweigt von **Salen** ab und führt zum westlichsten Punkt auf dem britischen Festland nach **Ardnamurchan**. Eng und einspurig passt sie sich, auf- und absteigend den Konturen des Landes an und windet sich in zahllosen Kurven zunächst am Ufer des Loch

Sunart entlang. Fast jede dieser Kurven eröffnet grandiose und sich ständig ändernde Aussichten. Wenn dann noch in einem magischen Moment eines Spätherbstmorgens die Sonne die ganze Farbpalette der Bäume leuchten läßt und der kühle Hauch des Frühnebels über dem See und zwischen den engen Bergen schwebt, bleibt diese Szenerie mit Sicherheit in dauerhafter Erinnerung. Diese Route ist touristisch nicht überlaufen und fast ein kleiner Geheimtipp. Ardnamurchan ist seit den Clearances des 19. Jahrhunderts eine wilde, einsame Landschaft. Oft hat dieses Land seitdem den Besitzer gewechselt. Ganz früher war es das Land der Pikten, nach den Wikingern bekamen im 14. Jahrhundert die MacIans als frühe Landeigentümer die Landrechte von David II. Ihr **Castle Mingary**, das heute allerdings, ähnlich

Moidart

wie **Tioram,** nur eine Ruine ist, wurde von den Macdonalds erobert. Die Campbells eroberten und verkauften die Halbinsel und das Gleiche wiederholte sich noch mehrere Male. Alle Landbesitzer hinterließen ihre Spuren in den unterschiedlichsten Formen. So gibt es Steine mit prähistorischen Symbolen, Ruinenreste ärmlicher Hütten der vertriebenen Kleinbauern und ehemalige Schlösser reicher Landbesitzer aus der viktorianischen Zeit. Schließlich wird die lange Fahrt belohnt. Sie erreicht am alten, fast 40 m hohen Leuchtturm des **Ardnamurchan Point,** dem westlichsten Punkt des britischen Festlands, ihren Höhepunkt. Von hier aus bietet sich ein grandioser Blick auf die zum Greifen nah erscheinenden Inseln der Inneren Hebriden – Mull, Coll, Muck, Eigg, Rum und Skye.

Argyll und südliche Innere Hebriden

Von Glasgow aus führt der Weg am Ufer des Loch Lomond und des langen Salzwassersees Loch Fyne entlang durch eine einsame Berg- und Seenlandschaft nach **Inveraray**. Inveraray selbst (sprich Inverah*)* ist ein hübsches, nach Plan angelegtes Städtchen. Das Schloss ist der Sitz des Oberhauptes des berühmten und mächtigen Clans Campbell, der Herzöge von Argyll. Im Ort ist u. a. auch das gruselige **Inveraray Jail** zu sehen, das heute zum Glück nur noch ein Museum ist.

Von Inveraray aus gibt es zwei Möglichkeiten, nach Oban zu gelangen. Auf der Nordroute führt die A819 an der sehr fotogenen Burgruine von **Kilchurn Castle** im **Loch Awe** vorbei. Mit 40 Kilometer Länge ist Loch Awe der längste See in Schottland und ein Anglerparadies. Er ist für seine zahllosen großen Forellen (der Rekord liegt bei über 14 kg) und Lachse bekannt. Kilchurn Castle, an seinem nördlichen Ende, wurde 1440 von Colin Campbell von Glenorchy gebaut. 1879 riss der gleiche Hurrikan, der auch die Tay Brücke bei Dundee zum Einsturz brachte, das Dach des Castles ab. Überragt wird die Burg von dem gewaltigen Massiv des Ben Cruachan. Im Berginneren verbirgt sich ein riesiges Wasserkraftwerk, das auch besichtigt werden kann.

Alternativ dazu führt der Weg über Lochgilphead und Kilmartin ebenfalls nach Oban. Dieser Landesteil, **Lorn,** profitiert, wie das gesamte Küstengebiet im Westen, sichtlich vom warmen Wasser des nahen Golfstroms. Dieser Karibenstrom bringt zwar viel Regen, schafft aber auch ein mildes, fast subtropisches Klima. Kein Wunder, dass in Argyll mehr Palmen wachsen als in irgend einer anderen Region Großbritanniens. Von Oban legen dann auch die Fähren zu den Inseln wie z. B. Coll, Tiree, Mull, Iona, Staffa und South Uist ab. Südlich von Oban lohnen sich in jedem Fall Besuche in dem für seine Rhododendronpracht im Mai bekannten **Arduaine Garden**. Bei Carnassarie wird dann bald der Blick auf **Carnasserie Castle** gelenkt. Dieses Tower House wurde gegen 1570 von John Carswell, dem ersten protestantischen Bischof der Inseln, gebaut. Er übersetzte hier den ersten Katechismus, *The Book of Common Order*, der von John Knox neuen reformierten Kirche Schottlands in die gälische Sprache. Mitten in einer einzigartigen Ansammlung prähistorischer Stätten liegt wenige Kilometer weiter der kleine Ort **Kilmartin** mit einem hochinteressanten und sehr sehenswerten Museum. Die die braunen Hinweisschilder von Historic Scotland entlang der Straße weisen auf die zahlreichen Hügelgräber und Steinkreise in dieser Umgebung hin. Doch diese prähistorischen Stätten sind nicht die einzigen Verbindungen zur Vergangenheit Schottlands. Dies ist die Landschaft in der die der ersten Schotten lebten – das alte **Dalriada** oder **Dal Riata** des siebten Jahrhunderts n. Chr. Mittendrin ragt ein einzelner, runder Hügel wie ein Fremdkörper auf. Hier drückten die frühen Könige dem Land durch den 'königlichen Fußabdruck' ihren persönlichen Stempel auf.

Von Dunnad aus kreuzt der Weg nach Lochgilphead den **Crinan Canal**. Der Kanal durchschneidet die riesige Landzunge von Kintyre. Er wurde für die Fischer und die tuckernden Clyde-Puffer gebaut, aber lange davor nutzten die Wikinger schon die Route, indem sie ihre Boote über die Landenge schoben. Das malerische Fischerstädchen Tarbert in der reizvollen Landschaft von **Knapdale** ist das Eingangstor zur langen Halbinsel von **Kintyre**. Auf der westlichen Küstenroute geht der Ausblick auf die Inseln Jura, Islay und Gigha. Attraktiver ist jedoch die allerdings wesentlich kurvenreichere Ostroute mit ihren Ausblicken auf die Insel **Arran**.

Nur drei Meilen entfernt von der westlichen Seite der Kintyre Halbinsel liegt die winzige Insel **Gigha** im Atlantik. Die Fähre dorthin geht von Tayinloan ab. Gigha hat auch nur 110 Einwohner und die haben vor wenigen Jahren erst mit großer Mehrheit dafür gestimmt, sich ihre Insel für £4 Mio. mit Hilfe öffentlicher Anleihen und mit Unterstützung des **Scottish Land Fund** zu kaufen. Die Insel gehörte davor der Familie Horlick, die auch die herrlichen Azaleen- und Rhododendron-Gärten um ihr Herrenhaus **Achamore House** angelegt hat.

Islay und **Jura** sind zwei sehr gegensätzliche Inseln. Islay (sprich Eila) ist mit 4000 Bewohnern und rund 630 km² eine der größeren Hebrideninseln. Neben der Fähre von Oban schafft ein kleiner Flugplatz die Verbindung zum Festland und nach Glasgow. Neben interessanter Geologie mit dem südlichsten Vorkommen von *Lewisian Gneiss* und guter Milch hat die Insel noch einiges mehr zu bieten. Wichtigster Exportartikel ist der berühmte Islay-Whisky der in sechs Brennereien auf dieser Insel hergestellt wird: Laphroaig, Bunnahabhain, Bruichladdich, Lagavulin, Ardbeg und Caol Ila. Durch die würzige Seeluft bekommt dieser während der Reifezeit das markante, kräftiges Aroma. Krustentiere, die in der umliegenden See gefangen werden, sind eine weitere Spezialität und ebenfalls sehr begehrt. Ein großer Teil davon wird nach Frankreich und Spanien exportiert. Islay war bis zum Niedergang der Lordschaft im späten 15. Jahrhundert der Stammsitz von Somerled, dem Urvater der 'Lords of the Isles'. Die Vergangenheit der Insel kommt in dem berühmten und guterhaltenen **Kildalton Cross** aus dem frühen neunten Jahrhundert zum Ausdruck. Dieses zweieinhalb Meter hohe Kreuz auf dem viele biblische Szenen in den Stein geschlagen sind gibt Zeugnis von der Handwerkskunst und dem Glauben seiner frühchristlichen Bewohner. Das Kreuz ist eine der besten keltischen Arbeiten ausserhalb Ionas.

Generell ist die Westküste durch ihr klares Wasser und ihren Fischreichtum ein Paradies für Taucher. Sie finden in **Port Ellen** eine Tauchschule.

Auf **Jura** wird ebenfalls Whisky gebrannt. Doch die 43 km lange Insel hat viel mehr zu bieten – verlassene Strände, auf denen sich Robben sonnen, eine beeindruckende Vogelwelt, wilde Meereslandschaften und die von weitem sichtbaren **Paps of Jura**. Diese sind drei von den Eiszeiten geformte Quarzspitzen, die heute eine einsame Moorlandschaft dominieren. Archäologen haben hier Besiedlungsspuren aus der mittleren Steinzeit (7000 v. Chr.) gefunden. Jura ist bekannt für seinen großen Wildbestand, der auf über 5000 Stück Rotwild geschätzt wird. Der Schriftsteller **George Orwell** (1903-1950) schrieb während eines Aufenthaltes seine bekannte Utopie *1984*. Von Islay aus ist Jura in nur wenigen Minuten per Fähre zu erreichen.

Am südlichen Ende der endlos lang erscheinenden Landspitze von Kintyre liegt die Distrikthauptstadt **Campbeltown**. Immerhin sind es vier Stunden Autofahrt bis in die nächst größere Stadt Glasgow. So vermittelt diese Fischerstädtchen so bar jeglicher Hektik dem Besucher den Eindruck, es träume in einem Dornröschenschlaf vor sich hin. Genau an der Spitze dieser Halbinsel ist der von Paul McCartney durch seinen Song berühmt gemachte **Mull of Kintyre**. Von hier sind es nur 18 km über die See nach Irland. Die Sonnenuntergänge dort sind unvergesslich.

Östlich von Kintyre liegt die Halbinsel **Cowal** mit ihren großen, dichten Wäldern. Zu Füßen der Berge schneiden zwei Buchten – die **Kyles of Bute** – tief in die Landschaft. Sie umfassen die große Insel Bute. Hier im Oberteil der riesigen Clydemündung bieten die zahlreichen Buchten ein wahres Seglerparadies. Die umgebende Landschaft ist fast gänzlich unberührt vom Massentourismus.

Die kleine Hebriden-Insel **Colonsay** ist bekannt für die den meisten Sonnenstunden in Schottland. Sie bietet eine unverdorbene Küstenlandschaft und in geschützter Lage die farbenprächtigen **Kiloran Gardens** – alles was zu einem angenehmen, friedvollen Urlaub gehört.

Mull, die zweitgrößte Insel der Inneren Hebriden, kann über die Hauptverbindung per Fähre von **Oban** oder über die Strecke durch das wilde, einsame Morvern und die Fähre von **Lochaline** erreicht werden. Die Bewohner Mulls werden *Mullachs* genannt mit der Betonung auf dem 'u'. Bedrohlich auf einer Landzunge thronend begrüßt **Duart Castle**, das seit dem zwölften Jahrhundert die Hafenbucht von Craignure bewacht, die Besucher. Diese mittelalterliche Burg war mehrere hundert Jahre verfallen, wurde aber Anfang des letzten Jahrhunderts vom 26. Clanchief, **Sir Fitzroy MacLean** restauriert. Sie ist seitdem wieder das Stammschloss des Clan MacLean.

Nicht weit vom Fähranleger liegt das wesentlich jüngere **Torosay Castle** der **James-Familie**. Beide Häuser können besichtigt werden. Wenige Minuten nach Ankunft der Fähre fährt in den Sommermonaten sogar eine ganz zauberhafte Schmalspurbahn von Craignure nach Torosay.

Mull ist heute mit etwas über 2300 Bewohnern in wenigen weitverstreuten Ortschaften nur noch dünn besiedelt. Einst war die Insel dicht bewaldet. Die heutigen Wirtschaftswälder vermitteln nicht diesen Eindruck, aber obwohl das Landschaftsbild durch Kahlschlag und Wiederaufforstung verändert wurde, ist die Insel für Wanderer und allgemein für Naturliebhaber ideal. In der See um Mull herum gibt es Delfine und Wale und an der Küste eine langsam steigende Zahl von Seeadlern. So ist es kein Wunder, dass der grüne Tourismus mit rund 30 000 Besuchern pro Jahr eine steigende Tendenz zeigt.

Mulls spezifischen Kennzeichen sind eine ganze Reihe hoher Berge, eine interessante geologische Struktur, eine zerklüftete Küste mit Aussicht auf die vorgelagerten Inseln, nacktes, karges Sumpfland, spärliches Ackerland, viel aufgeforsteter Wald, ein großer Wildbestand, romantische Burgen und viel Regen. Bis zu 3500 mm Niederschlag fallen im Jahre. So werden auf dem höchsten Berg der Insel, dem **Ben Mor** (ein *Munro*) an manchen Tagen bis zu 127 mm gemessen. Böse Zungen behaupten, wenn der Berg zu sehen ist, gibt es bald Regen und wenn er nicht zu sehen ist, dann regnet es. Trotz des Regens gibt es jeden Sommer eine Reihe von herrlichen Sonnentagen. Wer das Glück hat, an solch einem Tag auf der Insel zu sein, kann besonders an der Westküste ein Naturschauspiel von ganz besonderer Art genießen. Die Farben des tiefblauen Meeres, das Grün der Weiden, und der rosafarbene Granit der Küstenfelsen, leuchten din der klaren und reinen Luft.

Duart Castle

Die Insel **Iona** vermittelt eine eigene, besondere Atmosphäre. Sie liegt mit der Fähre nur zehn Minuten vom westlichen Ende Mulls entfernt. Iona wurde zur Heiligen Insel Schottlands, denn 563 n. Chr. kam der irische Mönch Columba auf diese kleine Insel. Columba ging nicht nur in die Kirchengeschichte Schottlands ein. Als einer der größten, bekanntesten und einflussreichsten Missionare der damaligen Zeit wurde seine Arbeit ein maßgeblicher Bestandteil der Kirchengeschichte Europas. Durch St. Columba wurde Iona zur Wiege des Christentums in der keltischen Zeit in dieser Region. Von ihr gingen die frühen Klostergründungen im heutigen Großbritannien aus. Iona beeinflusste so auch den Mönch und Missionar Bonifazius, der mit seiner Arbeit später für Deutschland bedeutsam wurde. Im Schatten des Klosters wurden viele frühe Könige Schottlands, Irlands und Norwegens begraben.

Von Mull oder Iona gehen Boote zur Nachbarinsel **Staffa**. Die sehr eigentümliche Basaltformation mit der berühmten Höhle **Fingal's Cave** wurde von vielen Dichtern und Künstlern besucht und durch sie bekanntgemacht. Felix Mendelsohn-Bartholdy ließ sich zu seiner *Hebriden-Ouvertüre* von der Inselwelt und dieser Höhle inspirieren.

Coll und **Tiree**, nordwestlich von **Mull**, sind gleichermaßen beliebt. Vielleicht ist es für Vogelfreunde interessant, dass die zauberhaften kleinen Inseln seit einigen Jahren zur Heimat einer ständig wachsenden Familie von Schneegänsen geworden ist. Tiree ist für seine hohe Zahl von Sonnentagen und auch für seine guten Surfmöglichkeiten bekannt.

Äußere Hebriden – Inseln im Atlantik

Im windigen Atlantik liegt westlich vom schottischen Festland die Inselkette der Western Isles. Auf einer Länge von über 130 Meilen erstrecken sich diese Inseln in einer langen Kette von der wilden Küstenlandschaft des **Butt of Lewis** im Norden bis in den Südwesten nach **Barra** und **Mingulay** und darüber hinaus. Die Wikinger benannten diese Insel *Havbredey* (Inseln am Rand der Welt) – der altnordische Name der Hebriden. Die Fähren zu den Äußeren Hebriden legen von Oban, Uig auf Skye und Ullapool ab und verbinden auch die einzelnen Inseln.

Eine wenig bekannte Landschaft, die es nur auf den Hebriden gibt sind die **Machairs**. Diese sanddurchzogenen Küstenwiesen liegen in einem oft nur 50 m schmalen Streifen zwischen den meist blendendweißen Muschelstränden und dem Moorboden, der große Teile der Inseln bedeckt. Der Wind weht den weißen Muschelsand über den sauren Moorboden und dieses Gemisch ist die fruchtbare und ideale Basis für ein Grasland voll rosablühendem Strandbeifuss, kleinen Orchideen und Dotter- und anderen Blumen. Es ist ideales Weideland. Es ist auch der Lebensraum der äußerst selten gewordenen **Wiesenralle** oder **Wachtelkönig** (*Corncrake*).

Wie auf Orkney und Shetland waren auch die Hebriden bereits vor unserer Zeitrechnung besiedelt. Zahlreiche prähi-

Iona Abbey

storische Kultstätten mit Steinkreisen, Monolithen, Steinhügeln und Begräbnisanlagen sind Ehrfurcht gebietende Beweise dieser frühen Besiedlung. Diese Zivilisation läßt mit ihren Bauten und Anlagen auf eine hochstehende Kultur schließen, die bis heute noch nicht vollständig enträtselt ist. Eines davon sind die stehenden Steine von **Callanish** auf Lewis, eine Anlage, die zu den berühmtesten und größten ihrer Art in der Welt zählt. Offensichtlich war die umgebende Moorlandschaft in dieser frühen Kulturepoche eine heilige Landschaft für diese Menschen. Um Callanich herum liegen noch andere größere und kleinere Kultstätten. Der Ring selbst in der Callanish Anlage liegt im Zentrum von Steinreihen, die exakt ausgerichtet auf die Himmelrichtungen Süden, Westen und Osten kommend, dort zusammentreffen. Die Ausnahme bildet eine doppelte Steinreihe, die aus der nördlichen Richtung wie ein Prozessionsweg zum inneren Ring führt.

Lewis und Harris bilden zusammen eine 3600 km² große Insel. Sie ist mit rd. 27 000 Einwohnern die größte der Äußeren Hebriden und auch die größte Insel Großbritanniens. Lewis ist verhältnismäßig flach und mit Mooren und von zahl losen Seen durchzogen. Harris dagegen ist im Südwesten der gebirgig rauhe Anhang davon mit einer spektakulären Landschaft. Die langen weiße Muschelsandstrände machen die Westküste von Harris unvergesslich. Dagegen sind der Osten und Norden rauh und in zahllose Buchten zerrissen. Auf Harris gibt es durch die dünne Bodenbeschaffenheit keine Wälder und nur wenige Bäume.

Black Houses

Die Menschen, die in der rauhen Natur dieser Region seit Jahrhunderten leben, in dem sie dem kargen Land und dem Meer ihren Unterhalt abtrotzen, sind ihren Traditionen treu geblieben. So wird auf den Western Isles, wie an der ganzen Westküste des Festlands, heute immer noch die gälische Sprache gesprochen. Ein Beispiel für die eigene Geschichte und Kultur dieser Menschen sind die Black Houses bei Arnol an der Westküste der Insel Lewis, die z. T. bis in die 1960er Jahre noch bewohnt wurden. In den schwarzen Häusern lebten die Menschen einst überall im Hochland. Sie hatten keinen Schornstein und so suchte sich der Rauch des stets im Lehmboden in der Mitte des Raums glimmenden Torf-Feuers selbst seinen Weg durch das Heidestroh des Daches. Das verlieh dem Gebäude sein charakteristisches, vom Rauch geschwärztes Aussehen.

North und **South Uist** und das dazwischen liegende **Benbecula,** sind typische Hebrideninseln mit Muschelsand, kleinen Seen, der tosenden Brandung des Atlantiks und einer felsigen, wilden und bedrohlichen Ostküste. Auch auf diesen Inseln ist eine reiche Fauna aber vor allem Flora zu finden, die im Mai und Juni am farbenprächtigsten ist.

Barra, die Insel des Clans der MacNeils mit deren romantischem **Kisimul Castle** mitten in der Bucht von Castlebay, ist fast schon der südwestliche Zipfel dieser Inselkette. Der Strand ist so groß und fest, dass er bei Ebbe die Piste für Linienflugzeuge bildet, die darauf starten und landen.

Viele der knapp 27 000 Einwohner (2001) der Äußeren Hebriden sind Mitglieder der Free Church of Scotland. Diese Kirche hält sich streng an die Gebote der Heiligen Schrift beeinflusst auch heute noch das Leben in der dortigen Gemeinschaft aus. Das hatte seine Auswirkungen auch auf den Tourismus, denn dort ruht sonntags fast immer noch so gut wie alles, was irgendwie mit Arbeit zusammenhängt. Mit Blick auf die sich verändernden Lebens- und Wirtschaftsbedingungen werden inzwischen einige Lockerungen dieser alten Ordnung angestrebt.

Nördliche Inseln

Vom nahen schottischen Festland unterscheiden sich die Orkney- und Shetlandinseln nicht nur geologisch sondern auch in kultureller und wirtschaftlicher Weise und so hegen die Menschen z. B. immer noch eine historisch begründete enge Beziehung zu Skandinavien, obwohl diese Inseln seit fünf Jahrhunderten zu Schottland gehören. Auf diesen Inseln wird auch kein Gälisch gesprochen.

Während der Untergrund der Äußeren Hebriden fast ausschließlich aus Gneis besteht, dominiert auf Orkney devonischer Sandstein und auf den Shetlandinseln eine reiche Mischung aus Gneis, Schist, Sandstein und metamorphischen Gesteinen.

Überwiegend sind die Inseln flach, haben aber bis zu 475 m hohe Hügel. Die Küsten sind reich an Buchten mit herrlich weißem Sand und malerischen Klippen. Diese steilen Felswände sind ideale Vogelkolonien und die fischreichen Gewässer um die Inseln herum die Existenzgrundlage für Hunderttausende von Seevögeln, die jährlich als Zugvögel einfallen oder auch ständig auf diesen Inseln leben.

Landbesitz und das Feudalsystem spielte auf dem Festland und den westlichen Inseln jahrhundertelang eine sehr große Rolle. Auf den Orkney- und Shetlandinseln war das anders. Landbesitz beeinflusst in weit geringerem Maße die kulturelle und wirtschaftliche Entwicklung. Es wurden auch keine Vertreibungen durchgeführt und das Land war zu gut, um für die Jagd genutzt zu werden.

Orkney

Orkney ist keine einzelne Insel, sondern eine Inselgruppe. Zu den Orkneys oder den landschaftlich reizvollen Shetlands führen verschiedene wenn auch nicht Wege aber Möglichkeiten. Neben den Flugverbindungen nach Kirkwall auf den Orkneys oder Lerwick auf den Sheltland-Inseln sind die Fähren von **Scrabster** oder **Aberdeen** die wichtigsten Verbindungen zwischen dem Festland und den Inseln. Der Reisende kann den Pentland Firth aber auch in den Sommermonaten mit einer kleineren Fähre von **John o'Groats** nach **South Ronaldsay** auf Orkney überqueren. Allerdings ist das keine Autofähre.

In der Mehrzahl flach und grün, sind die 67 Orkney-Inseln so gut wie baumlos mit fruchtbaren Hügeln und Tälern und zahllosen fischreichen Süß- und Meerwasserseen. Von den Inseln sind etwa 20 bewohnt. Sie erstrecken sich vom Festland in Richtung Norden über 80 km und bedecken knapp 950 km². Die gefährlichen Klippen und bei Gezeitenwechseln gewaltigen Strömungen des Pentland Firth zwischen den Orkneys und dem Festland sind auch heute noch gefüchtet und wurden schon vielen Schiffen zum Verhängnis.

Auf den Inseln leben heute rund 19 500 Menschen (2004). Die Orkney Inseln haben größtenteils fruchtbare, landwirtschaftlich nutzbare Gebiete. Neben der Landwirtschaft ist die Fischereiindustrie stark entwickelt und der Tourismus nimmt an Bedeutung ständig zu. Die unverdorbenen Inseln bieten vielfältige Naturschönheiten, von seltenen Pflanzen bis hin zu Robben- und Vogelkolonien.

Schon viele Jahrhunderte vor dem Eintreffen der Wikinger errichteten die ersten Siedler von Orkney **Steinhügel, Grabmäler** und **Kultkreise** aus stehenden Steinen und Monolithen. Damit bergen diese Inseln die größte Konzentration dieser alten Kulturstätten in Großbritannien. **Maeshowe,** der **Ring von Brodgar** und das **Broch of Gurness** sind nur einige Beispiele.

Ungefähr 3000 Jahre vor unserer Zeitrechnung und lange vor dem Bau der Pyramiden in Ägypten haben die Menschen als Jäger und Sammler hier schon relativ komfortable Steinhäuser gebaut. **Skara Brae,** einer der berühmtesten archäologischen Funde in Europa, wurde im 19. Jahrhundert auf Orkney entdeckt und freigelegt. Die prähistorische Ansiedlung vermittelt ein sehr gutes Bild vom Leben in der Jungsteinzeit. Skara Brae besteht aus richtigen Wohnhäusern, die aus Steinplatten gebaut wurden und, wie Kleeblätter angeordnet, dicht nebeneinander liegen. So spendeten sie schon vor 5000 Jahren Schutz und Wärme. Selbst Mobiliar wie Schränke, Betten u.ä. waren schon vorhanden und sehr solide aus Sandsteinplatten gebaut. Auch an ein Kanalisationssystem wurde möglicherweise schon gedacht. Die Dächer der Behausungen bestanden aus Walknochen oder groben Hölzern und in der Mitte des Hauses flackerte ein wärmendes Feuer. Die Fugen zwischen den Steinen wurden gegen den ständigen Wind mit den Abfällen der Mahlzeiten abgedichtet. Diese Zeit und die Geschichte des Dorfes wird dem Besucher in einer modernen, sehr lehrreichen Ausstellung nahegebracht.

> ### George Mackay Brown
> Die Orkney-Inseln mit ihrer faszinierenden und eigenartigen Landschaft, in der eine Vielzahl historischer Monumente überall zwischen den kahlen, grünen Hügeln verstreut liegen, dem Licht und der klaren Luft lassen in dem Besucher leicht ein sonderbares Gefühl der Einsamkeit und des Alleinseins aufkommen. Das beschreibt auch einer der großen zeitgenössische Erzähler und Schriftsteller, der in Stromness geborene **George Mackay Brown** (1921-96). In kraftvollen Erzählungen drückt er seine Liebe zu diesem Land aus und beschreibt in berührend treffenden Worten diese Inseln, das Leben auf ihnen und die Menschen, die von ihnen geformt sind.

Vom achten Jahrhundert n. Chr. an zählten die Wikinger die Inseln zu ihrem Machtbereich. Deren Nachfolger gaben sie endgültig – als Teil der königlichen Mitgift – im 15. Jahrhundert an Schottland zurück.

Die Insel **Hoy** bildet eine Ausnahme zum Rest der Inseln. Mit rund 475 m ist der Ward Hill die höchste Erhebung auf den Orney-Inseln und an Hoys Südwestküste stürzen die steilsten Klippen Großbritanniens in Meer. Auf der Fährfahrt nach und von **Stromness** passiert das Schiff recht nah die senkrechten roten Sandsteinklippen. In Hunderten von Jahren hat die wuchtige Brandung daraus den bekannten 137 m hohen **Old Man of Hoy** zu einem einzelnstehenden Felsen herausgewaschen. Irgendwann in der Zukunft wird er ins Meer stürzen. 1967 wurde er durch den bekannten Bergsteiger **Chris Bonington** und seinem Team berühmt gemacht, als er den Felsen erstmals bestieg. Das Ereignis wurde in jeder einzelnen Phase live von der BBC übertragen.

Neben den prähistorischen Sehenswürdigkeiten sind die gewaltigen **Churchill Barriers,** die die Bucht von Scapa Flow schützen, die **Italian Chapel,** das **Tankerness House Museum,** der **Earls Palace,** der **Bischofspalast** und in jedem Fall die gewaltige **St. Magnus-Kathedrale** in Orkneys Hauptstadt nur einige der sehenswerten Stätten.

Scapa Flow ist der größte natürliche Hafen der Welt. Die Bucht war in beiden Weltkriegen der Ankerplatz der Royal Navy. Nach dem Ende des Ersten Weltkriegs wurden in Scapa Flow die Reste der kaiserlichen Flotte interniert. In einer höchst spektakulären Aktion versenkten sich die deutschen Schiffe am 21. Juni 1919 selbst. Im zweiten Weltkrieg schlich sich Günther Prien mit seinem U 47 in die Bucht und versenkte an gleicher Stelle die *Royal Oak* mit über achthundert Mann an Bord. Scapa, wie die Bucht kurz genannt wird, war noch bis in jüngste Zeit ein aktiver Flottenstützpunkt. In **Lyness** auf Hoy gibt es zu diesen ganzen Geschehnissen ein Informationszentrum.

Taucher besuchen heute fast das ganze Jahr über einige der übriggebliebenen Wracks (mit Ausnahme der Royal Oak), die in dem eiskalten und verhältnismäßig klaren Wasser dieser Bucht gut erhalten sind. Diese Taucher, die aus aller Welt kommen, bilden neben den zahlreichen Kreuzfahrtschiffen, einen großen und wirtschaftlich bedeutenden Teil des Touristenkontingents auf Orkney.

Ein anderer bedeutender Wirtschaftsfaktor ist das Öl. **Flotta,** die riesige Ölraffinerie auf einer kleinen Insel in Scapa Flow, schafft Arbeitsplätze und sorgt für ein hohes Steuereinkommen. Traditionell sind aber neben Öl und Tourismus immer noch die Landwirtschaft und die Fischerei die wichtigsten Einkommensfaktoren dieser Inseln.

Zu den kulinarischen Höhepunkten auf Orkney zählen frische Meeresfrüchte, der heimische Käse und feinster Whisky von zwei Brennereien. Der kulturelle Höhepunkt ist das **St. Magnus Festival**, ein Musikfest, das Künstler von internationalem Rang anzieht.

Shetland

185 Meilen von Aberdeen und nordöstlich von den Orkney-Inseln entfernt liegen die Shetlandinseln. Die über hundert Inseln erstrecken sich 110 km lang als eine Kette zwischen **Sumburgh Head** im Süden und **Muckle Flugga** im Norden. Von Lerwick, der Hauptstadt, ist es zum Polarkreis und nach Skandinavien näher als nach London. Rund 21940 Menschen (2004) leben auf diesen Inseln, die zu einem großen Teil aus Felsen, Mooren und kargem Weideland bestehen.

So weit im Norden gelegen, scheint die Sonne auf diesen Inseln im Jahresmittel nur ca. zweieinhalb Stunden pro Tag, Verteilt über das Jahr, so sagt die Statistik aus, herrscht auch neun Monate mehr oder weniger schlechtes Wetter und an 47 Tagen toben Stürme, doch wenn in drei Monaten das Wetter erträglich ist, dann sind die regnerischen Tage schnell vergessen. Die Inseln werden durch extrem strömungsreiche Meeresarme getrennt.

Sumburgh und Muckle Flugga sind die beiden Endpunkte des Archipels. Deren Leuchttürme wurden, wie fast alle anderen Shetlands, von Mitgliedern der Ingenieursfamilie Stevenson gebaut. Heute sind alle Leuchttürme an den britischen Küsten computerisiert und werden in Schottland, wo 1997 der letzte Leuchtturm automatisiert wurde, von Edinburgh aus kontrolliert.

Das Meer, die jahrhundertelange Besetzung durch die Wikinger und die Nähe zu Skandinavien haben die gesamte Inseltradition und -kultur beeinflusst. Am letzten Dienstag im Januar eines jeden Jahres wird das große Feuerfestival Up-Helly-Aa in Lerwick abgehalten. Rund 900 farbenfroh gekleidete 'Wikinger' folgen in einem Fackelzug durch die dunkle Nacht ihrem Langschiff. Das wird dann durch die

Fackel in Brand gesetzt und die lodernden Flammen sind das Startzeichen für eine lautes, fröhliches Fest.

Lerwick ist die Haupstadt Shetlands und die größte Stadt auf den Inseln. Im **Shetland Croft Museum** wird das ländlich-bäuerliche Leben der Pächter auf Shetland lebendig. Dazu passt auch die in **Quendale** stehende, schön restaurierte Wassermühle aus dem 19. Jahrhundert. Auf den Inseln gibt es fünfzehnmal soviele Schafe wie Bewohner. Das Shetland Schaf ist eine spezielle Züchtung. Es liefert die hervorragende Shetland-Wolle, aus der, hauptsächlich auf Lewis (Hebriden), oftmals in Heimarbeit, der weltberühmte Harris Tweed gewebt wird

Auf Shetland gibt es wie auf Orkney noch eine Reihe von Brochs, z.B. bei Lerwick und auf **Mousa**. Für Historiker und Besucher gleichermaßen interessant ist der berühmte **Jarlshof** nicht weit von Sumburgh. Dort werden Ausgrabungen von Wohnbauten der verschiedenen Epochen gezeigt, die z.T. auch aus der Zeit der Wikinger stammen. Da dieser Ort immer wieder aufs neue besiedelt wurde, sind in Jarlshof sowohl die Konturen der Grundmauern von prähistorischen Erdhäusern als auch die des Herrenhauses eines schottischen Gutsherren (*laird*) aus dem 17. Jahrhundert klar zu erkennen. Die nördliche Position der Inseln, ihre Geografie und der Fischreichtum machen sie zu einem begehrten Nistplatz für Seevögel. Entlang der klippenreichen Inselküsten gibt es so eine Vielzahl von **Seevogelkolonien.** Eine Reihe der spektakulärsten davon sind auf der kleinen Insel **Noss**, nahe Lerwick und bei **Hermaness** auf der Insel **Unst** zu finden. Überall auf den Mooren und an den Felsenklippen nisten dort Tölpel. Im Mai und Juni kommen die putzigen Papageientaucher zum brüten hier her aber auch mehr und mehr die wilden, räuberischen Skuas. Viele andere Vogelarten leben an diesen Küsten und machen Shetland zum Paradies für Vogelfreunde.

TEIL 4:
Anhang

Zeittafel: Die schottische Geschichte auf einen Blick

ca. 6000 v. Chr	Menschen leben Schottland erst nach der letzten Eiszeit
ca. 5000 – 3000 v. Chr	**Mesolithikum** (mittlere Steinzeit) – erste Siedlungen entstehen
ca. 2300 – 1600 v. Chr.	**Spätes Neolithikum** (frühe Bronzezeit) – Steinkreise mit umlaufenden Gräben. Die „Beaker People" (Becher-Völker) werden durch markante Tonwaren bekannt
ca. 1600 – 1000 v. Chr	**Mittlere Bronzezeit** – Metallarbeiten und Bronzewaffen sind aus dieser Zeit erhalten
ca. 1000 – 400 v. Chr	**Späte Bronzezeit – frühe Eisenzeit** - Reste von Eisenarbeiten, Bergforts, (Traprain Law), Cairns, Maeshowe, (Clava Cairns) existieren
ca. 400 v. Chr – 200 n. Chr.	**Späte Eisenzeit** – Ankunft der Kelten in Südosten. Bau von Erdhöhlen und Felsenburgen (*Duns*) im Norden und auf den Inseln. Bau typischer Brochs; Steinkreise (Stenness, Callanish etc.) **55 v. Chr. – Julius Cäsar** dringt in Südbritannien ein; der römische Machtbereich erstreckt sich in der Folgezeit bis zur Mündung des Forth
83 n. Chr. – 211 n. Chr.	Eroberung Schottlands durch die Römer **123 – Kaiser Hadrian** lässt Hadrian's Wall bauen

138 – **Antoninus Pius** baut den **Antonine Wall** vom Forth zum Clyde. Um 180 wird er aufgegeben und Rückzug hinter Hadrian's Wall

208-211 – **Kaiser Septimus Severus** – kommt mit seinen beiden Söhnen und Truppenverstärkungen nach Britannien. Severus Kampagne in Caledonia endet mit seinem Tod

Ca. 200-400 – von County Antrim (Irland) kommend, siedeln sich Scoten im heutigen Argyll an. **Fergus McErc**, König von Dalriada in Antrim, benennt dieses Reich danach Dalriada und macht Dunadd zur Hauptstadt

Ca. 297 – Die **Pikten** werden erstmals von den Römern erwähnt. Der piktische **König Brude** hat ein Fort und sein Machtzentrum in Inverness. Die Pikten sind das einzige Volk in Europa, das die Nachfolge durch die mütterliche Linie regelt

Ca. 367 – Die Römer sind geschwächt. Pikten und Scoti stoßen über den Wall nach Süden vor

Ca. 397 – Als einer der ersten christlichen Mönche bekehrt **St. Ninian** in Schottland die südlichen Stämme der Pikten und gründet eine erste Kirche (Candida Casa) in Whitehorn, Galloway

410 – Die Römer verlassen Britannien endgültig

563 – Die Ankunft des Mönchs **Calumcille** (**St. Columba**) auf der Insel Iona gibt den Scoten moralische, religiöse und politische Unterstützung und Aufschwung. Mit seiner Kloster-

		gründung stärkt St. Columba das christliche Dalriada
		790 – Die ersten **Nordmänner** besetzen die Hebriden, Orkney und Shetland. Auch **Britannier** sind Teil der keltischen Welt. Die **Angeln** haben bereits zwei Königreiche, Deira und Bernicia, im heutigen Northumbria und in Yorkshire/England gegründet
ca. 800 – ca. 900		Die **Wikinger** erobern besonders im Norden weite Teile des Königreichs Alba
Kenneth MacAlpin	843–859	**843** – Der scotische König **Kenneth Mac Alpin** übernimmt auch den piktischen Thron. Er hat die Pikten und Scoti erstmalig geeint. Er nennt dieses neue Reich Alba und wird in Scone auf dem „Schicksalsstein" („Stone of Destiny"), den er mitgebracht hat, gekrönt
Constantine II.	900–943	Als einer der herausragensten Könige dieser Zeit gilt **Constantine II.** Er wird in einer Schlacht gegen die Angeln bei Brunaburgh (Northumbria) geschlagen
Malcolm I.	943–954	**937** – **Malcolm** schlägt Athelstane von Wessex. Ab 1000 wird Alba langsam als Scotia bekannt
Malcolm II.	1005-1034	**1018** – **Malcolm II.** besiegt mit Hilfe des letzten Königs von Strathclyde (Owen) die Angeln in der Schlacht von Carham. Diese Niederlage der northumbrischen Armee bringt die Grenze Scotias an den River Tweed

Duncan I.	1034–1040	**1034** – Strathclyde und Scotia werden vereint als **Duncan I.**, der Herrscher von Strathclyde, auch den Thron von Scotia besteigt **1040** – **Macbeth**, Duncans Cousin, beansprucht Thron. Als **Duncan** nach Norden marschiert, um Macbeths Revolte zu beenden, wird er in der **Schlacht von Cawdor** besiegt und getötet
Macbeth	1040–1057	Macbeth wird König und regiert insgesamt 17 Jahre, wird 1057 von Duncans Sohn **Malcolm Canmore** bei Lumphanan getötet
Lulach	1057–1058	Sein Nachfolger wird sein Stiefsohn **Lulach** **1058** – Malcolm tötet Lulach und besteigt den Thron als Malcolm III
Malcolm III.	1058–1093	**1068** - **Malcolm III.** heiratet in zweiter Ehe die englische Prinzessin *Margaret*. Sie führt in Schottland als Neuerungen die englische Sprache und eine anglizierte Kirche ein. **1093** – Der König wird während der fünften Invasion von England in Alnwick getötet
Donald III. Ban	1093–1094	**1093** – Malcolms Witwe Margaret stirbt drei Tage nach dem König auf Edinburgh Castle und wird später heilig gesprochen. Eine äußerst konfuse Zeit mit rascher Thronfolge bricht an. Malcolms Bruder **Donald III. Ban**, der Weiße, reißt die Macht in einem von vielen Adligen unterstützten Aufstand an sich
Duncan II.	1094	**Duncan**, der älteste Sohn Malcolms III., setzt Donald Ban ab. Er bedient sich dazu der Armee des englischen

		Königs William II. Rufus. Duncan wird bald darauf von rebellierenden Schotten geschlagen. Dieser Aufstand wird von Donald Ban und Edmund, dem dritten Sohn von Malcolm und Margaret, angeführt
Donald III. & Edmund	1094–1097	**Donald Ban** regiert in Kombination mit seinem Neffen Edmund. Er teilt den Thron mit ihm bis dieser vom vierten. Sohn Margarets, Edgar, erobert wird
Edgar	1097–1107	**1107 – Edgar der Friedfertige** stirbt unverheiratet in Edinburgh Castle er hat seine Brüder als gemeinsame Erben benannt
Alexander	1107–1124	**Alexander**, fünfter Sohn von Malcolm Canmore und Margaret, regiert danach über den Norden des Landes. **David**, sein jüngster Bruder, regiert den Süden Schottlands und das heutige Cumbria
David I.	1124–1153	Nach dem Tod Alexanders regiert David über das ganze Reich. In dieser Zeit wird das **Feudalsystem** und die **schottische Münze** eingeführt
Malcolm IV.	1153–1165	**1153 – Malcolm IV. die Jungfrau** (gemäß seinem Keuschheitsschwur) folgt seinem Großvater im Alter von zwölf Jahren auf den Thron **1157** – Er muss Northumbria dem englischen König Henry II. überlassen (**Vertrag von Falaise**)
William I.	1165 – 1214	Sein Bruder **William der Löwe** regiert danach fast 50 Jahre lang
Alexander II.	1214–1249	**Alexander II.** ist erst 16 Jahre alt, als er die Nachfolge Williams antritt

1215 – Die englischen Barone, die von Alexander II. unterstützt werden, zwingen den englischen König John, die **Magna Carta** zu unterschreiben

1249 – Während der Kampagne gegen die Wikinger stirbt der schottische König auf der Insel Kerrera vor Oban

Alexander III.   1249 – 1286

Alexander III. ist erst acht Jahre alt, als er die Nachfolge antritt. Mit zehn Jahren, wird er mit Margaret, der Tochter des englischen Königs Henry III., verheiratet

1263 – in der Schlacht von Largs werden die Wikinger endgültig geschlagen

1266 – Magnus IV. von Norwegen erkennt die westlichen Inseln Schottland zu (**Abkommen von Perth**). Das Land erfreut sich einer Periode von Stabilität und wirtschaftlicher Blüte

1285 – Alexander heiratet Yolande de Dreux

1286 – Auf dem Wege zu ihr stürzt er mit seinem Pferd von der Klippen bei Kinghorn. Damit sind das Ende der Canmore-Linie und der Beginn der Grenzkriege erreicht. Gleichzeitig verbreitet sich der französische Einfluss in Schottland und beginnt, den englischen Einfluss zu verdrängen.

Margaret   1286– 1290

Da Alexanders einzige Erbin, seine Enkelin, das „Mädchen von Norwegen" ist, wird Edward I., der Schwager Alexanders, um Rat gebeten

1290 – Im daraus resultierenden **Abkommen von Birmingham** wird vereinbart, dass Margaret nach Schottland kommen und Edwards Sohn heiraten soll. Auf der Überfahrt wird sie aber so fürchterlich seekrank, dass das sieben Jahre alte Kind in St. Margaret's Hope, Orkney stirbt. Es gibt zu dem Zeitpunkt mehrere Anwärter auf den Thron

Erstes Interregnum 1290 – 1292 **Edward I.** marschiert in Schottland ein und erklärt sich zum Herrscher über das Land

1291 – Er entscheidet sich für **John Balliol** als schottischen König

John Balliol 1292– 1296 Balliol, der Großneffe von William I. wird auf den Thron gesetzt, nachdem er Edward I. als Lord Superior anerkannt hat. Robert Bruce, Großvater des zukünftigen Königs, verliert seinen Thronanspruch. Balliol wird am St. Andrew's Day 1292 in Scone gekrönt. Ein Konzil von Fürsten und Bischöfen beschließt, eine Allianz mit Frankreich in „gegenseitiger Hilfe gegen den gemeinsamen Feind" (England) einzugehen

1296 – Edward I. marschiert erneut ein und erobert Berwick

Zweites Interregnum 1296– 1306 Edward I. setzt Balliol nach einem hitzigen Disput ab. Dies ist der Beginn der schottischen **Unabhängigkeitskriege**

William Wallace taucht als Partisanenanführer auf. Ihm schließt sich **Andrew de Moray** an

1297 – Schlacht bei **Stirling Bridge**: Edward I. schickt Hugh Cressingham und den Grafen von Surrey nach Schottland, um dem Aufstand ein Ende zu bereiten. Aber Wallace und de Moray besiegen die doppelte Übermacht der Engländer. Wallace wird zum „Guardian of Scotland" ernannt. Edward I. marschiert darauf selbst nach Schottland

1298 – Wallaces Armee wird bei **Falkirk** vernichtend geschlagen. Edward wird zum „Hammer der Schotten". Wallace kann flüchten, wird sieben Jahre später verraten, gefangen genommen und zu einem grausamen Tod verurteilt. Seine Hinrichtung erfolgt 1305

Robert I.   1306–1329

1306 – **Robert Bruce** ersticht John Comyn den Roten in Dumfries in vor dem Altar der Greyfriar's Kirk. Er lässt sich in Scone von Isabella, Countess of Buchan, zum König krönen.

1306 – In seiner ersten Schlacht wird er in Methven Park bei Perth geschlagen. Er flüchtet ins Hochland und später auf eine der Inseln vor der Westküste

1307 – Robert the Bruce kehrt zurück und schlägt erstmals die Engländer im April. Drei Monate später stirbt Edward I. auf seinem Marsch gegen Bruce

1314 – Die Schotten unter Robert the Bruce und die Engländer unter Edward II. stehen sich in der **Schlacht am Bannock Burn** gegenüber. Die Engländer sind zwar in der dreifachen Übermacht, werden aber dennoch geschlagen. Edward II. lehnt es immer noch ab, Schottland als unabhängiges und freies Land anzuerkennen. Der Papst verhängt wegen der vielen Kriegsjahre das Interdikt über die Schotten

1320 – Die Großen Schottlands setzen die berühmte **Deklaration von Arbroath** auf und senden sie nach Rom.

1323 – Robert the Bruce wird vom Papst als König anerkannt, aber erst 1328 wird ihm volle Absolution erteilt

1328 – In Holyrood Abbey wird am 13 März das **Abkommen von Edinburgh** unterzeichnet. Edward III. erklärt Schottland für frei und unabhängig

David II.   1329 – **David II.** folgt seinem Vater auf den
                         1371   Thron als er noch nicht einmal fünf Jahre alt ist

1333 – In Schottland bricht wieder Krieg aus. Edward Balliol, Sohn von John, wird von missgünstigen Adeligen, die Robert benachteiligt hatte, zum Gegenkönig erhoben. Der Thronfolger wird nach Frankreich in Sicherheit geschickt

1341 – Er kehrt zurück

1346 – David II. dringt im Einvernehmen mit Frankreich nach England ein. Er wird vom **Erzbischof von York** bei Neville's Cross geschlagen. David II. wird für die nächsten 11 Jahre gefangen gehalten

1357 – wird der König gegen das Versprechen der Zahlung einer Lösegeldsumme von 100 000 Merks freigelassen

1371 – David II. stirbt ohne Nachkommen. Die Nachfolge tritt sein Neffe Robert an

Robert II.	1371–1390	**Robert II.** kommt im Alter von 55 Jahren auf den Thron. Der Sohn von Walter, dem sechsten High Stewart of Scotland und Enkel von Robert the Bruce war schon während der Gefangenschaft seines Onkels Guardian of Scotland. Er übernimmt den Titel seines Vaters und wird damit zum ersten Stewart-Monarchen. Sein Gesundheitszustand zwingt ihn, die Macht an seinen ältesten Sohn John, Graf Carrick, weiterzugeben. Vier Jahre später wird John schwer verletzt. Deshalb reicht Robert die Macht an seinen zweiten Sohn und jüngeren Bruder Johns, Robert (später Herzog von Albany), weiter
Robert III.	1390–1406	**1390** – Robert II. stirbt. Ihm folgt sein ältester Sohn John auf den Thron. Der den Namen als **Robert III.** annimmt. Auf Grund eines Unfalls, der ihn lähmt, muss Robert die Regierung seinem Bruder überlassen

1406 – Robert III. schickt seinen verbleibenden Sohn **James** nach Frankreich. Das Schiff wird auf der Reise von Piraten gekapert, James wird gefangen genommen und an den englischen Hof gebracht. Robert III. stirbt kurz nach Erhalt der Nachricht

James I.	1406–1437	**1406-24 – James I.**, der König, wird unter Henry IV. 18 Jahre in England gefangen gehalten
		1414 – Die erste Universität wird in St. Andrews gegründet.
		1423 – Das Abkommen von London sorgt für seine Freilassung gegen ein Lösegeld von 40 000 Pfund, so dass der König nach Schottland zurückkehren kann
		1437 – Der König wird im Kloster der Blackfriars in Perth durch eine Gruppe Adliger brutal ermordet
James II.	1437–1460	**James II.**, das Feuergesicht, ist erst sechs Jahre alt, als er seinem Vater auf den Thron folgt
		1440 – In Anwesenheit des jungen Königs werden auf Edinburgh Castle der junge sechste Graf Douglas und sein Bruder während des Black Dinner ermordet
		1449 – James heiratet Mary of Gueldres. Er bekommt als Hochzeitsgeschenk von seinem Schwager die Belagerungskanone **Mons Meg**
		1451 – Die zweite Universität Schottlands wird in Glasgow gegründet
		1460 – Bei der Belagerung von Roxburgh Castle explodiert eine Kanone und der König verliert dabei ein Bein. Er stirbt an den Folgen der Verletzung
James III.	1460–1488	**James III.** tritt im Alter von nur acht Jahren die Nachfolge seines Vaters an

1469 – James III. heiratet Margaret von Dänemark. Da sein Schwiegervater die Mitgift nicht aufbringen kann und die Nordinseln als Sicherheit dafür eingesetzt hat, führt das zur endgültigen Gesamtkontrolle über Shetland und Orkney

1488 – **Schlacht bei Sauchieburn** in der Nähe von Stirling. Der König wird geschlagen, fällt nach der Schlacht vom Pferd und schleppt sich schwer verletzt zu einem Haus. Ein falscher Priester nimmt ihm die letzte Beichte ab und erdolcht den unbeliebten König

James IV.	1488 – 1513

1488 – **James IV.**, sein Sohn, kommt im Alter von knapp 16 Jahren auf den Thron

1513 – Trotz des Friedensabkommens mit England dringt der König in Erfüllung des Bündnises mit Frankreich (**Auld Alliance**) in England ein. Dabei fällt er in der Schlacht bei Flodden

James V.	1513 – 1542

1513 – **James** kommt im Alter von 17 Monaten auf den Thron

1532 – Er ruft mit finanzieller Zuwendung des Papstes das **College of Justiciary** in Edinburgh ins Leben

1542 – Schlacht auf Solway Moor gegen Henry VIII. Am 14. Dezember, knapp drei Wochen später, stirbt James V. in seinem Jagdschloss Falkland Palace – vielleicht aus Gram über die Nachricht, dass Mary de Guise die Tochter Mary statt des erhofften männlichen Thronerben geboren hat

Mary Queen of Scots	1542–1567

1542 – **Mary** ist noch nicht einmal eine Woche alt als, sie nach dem Tod ihres Vaters die Thronfolge antritt

1544-5 – Henry VIII. startet die berüchtigte **Rauhe Werbung** um die Hand von Mary und marschiert in Schottland ein

1547 – Die Schotten werden in der **Schlacht von Pinkie** vernichtend geschlagen

1548 – Mary Queen of Scots wird nach Frankreich geschickt

1558 – Sie heiratet vereinbarungsgemäß den Thronerben François, ab 1559 König François II. von Frankreich. Dieser stirbt allerdings schon 1560

1559/60 – Beginn der **Reformation** in Schottland unter **John Knox**

1561 – Mary Queen of Scots kehrt nach Schottland zurück

1565 – Sie heiratet ihren Cousin **Henry, Lord Darnley,** Vater des späteren James VI./I.

1566 – Ihr Sekretär **David Riccio** wird ermordet

1567 – Im Februar wird Darnley in seinem Hause in Kirk o' Field ermordet. Kurze Zeit später heiratet Mary den mutmaßlichen Mörder, James Hepburn, **Graf Bothwell.** Das Resultat ist Bürgerkrieg in Schottland

1567 – Schlacht bei **Carberry:** Mary ergibt sich den protestantischen Lords, wird auf Loch Leven Castle gefangengesetzt und dort am 24. Juli zur Abdankung gezwungen

1568 – Ihr gelingt die Flucht. Kurz darauf findet die **Schlacht bei Langside** statt, die die Königin verliert. Sie flieht danach nach England und sucht dort Zuflucht und Hilfe, wird aber von 1568-1587 von ihrer Cousine **Elisabeth Tudor** gefangen gehalten

1587 – Mary Queen of Scots wird am 8. Februar hingerichtet

James VI./I.	1567–1625

1586 – **James** VI. stimmt einem Bündnis mit England gegen Frankreich zu, dem **Vertrag von Berwick**. Er regiert sein Reich wahrscheinlich effizienter als je ein schottischer Monarch zuvor

1603 – Nach dem Tod von Elisabeth I. wird er als James I. auch König von England

1617 – James kehrt das erste und letzte Mal für einen kurzen Staatsbesuch nach Schottland zurück

Charles I.	1625–1649

1625 – Da sein älterer Bruder Prinz Henry schon 1612 stirbt, folgt der zweite Sohn als **Charles I.** seinem Vater auf den Thron

1629 – Auflösung des Englischen Parlaments durch den König.

1633 – Charles wird in der Kirche von St. Giles in Edinburgh, gekrönt. Sein Versuch die anglikanische Liturgie in die presbyterianische Kirche Schottlands einzuführen, führt zu Unruhen

1638 – In Schottland wird das National Covenant unterzeichnet

1640 – Charles ruft das englische Parlament zur Finanzierung der sogenannten Bischofskriege (Unterdrückung religiöser Unruhen in Schottland) zusammen

1642-49 – Im Verlauf des **Englischen Bürgerkriegs** kämpfen Royalisten (Cavaliers) gegen Anhänger des puritanistisch dominierten Parlaments (Roundheads)

1644 – Der König wird in **Marston Moor** geschlagen und trotz der Hilfe des Marquis von Montrose in Schottland werden die Royalisten auch im Juni 1645 bei **Naseby** (England) vernichtend geschlagen. Die Truppen **Oliver Cromwells** drängen die Royalisten langsam in die Niederlage

1646 – Charles ergibt sich den Schotten, die ihn ausliefern. Von den Anhängern Cromwells wird der König des Hochverrats angeklagt und am 30. Januar 1649 vor Whitehall enthauptet

Oliver Cromwell 1649 – 1658

1649 – Mit der Nachricht von der Hinrichtung wird sein Sohn am 5. Februar in Edinburgh als **Charles II.** zum König ausgerufen. Cromwells Antwort auf die Königsproklamation ist der Einmarsch in Schottland

1650 – Charles II. kommt nach Schottland, um sein Königreich zu übernehmen. Am 3. September schlägt Cromwell bei Dunbar das schottische Heer vernichtend

1651 – Krönung von **Charles II.** durch den Herzog von Argyll. Im gleichen Jahr findet die **Schlacht bei Inverkeithing** statt. General **Monk** überschreitet den Firth of Forth und dringt bis nach Perth vor. Die Schotten marschieren in England ein, werden aber bei **Worcester** vernichtend geschlagen. Charles schafft es, nach Frankreich zu entkommen. Er bleibt bis zum Tod Cromwells im Exil

1653 – Schottland wird unter das **Protektorat Cromwells** gestellt und erhält eine Militärregierung

1658 – Cromwell stirbt. Sein Sohn wird sein Nachfolger, wird aber mit Hilfe General Monks abgesetzt und Charles unterzeichnet die **Deklaration von Breda**, in der er schwierige Staatsangelegenheiten (wie die Regelung der Religionsfrage und die Bestrafung der Königsmördern) einem Konventionsparlament überlässt

1660 – Der König wird vom englischen Parlament eingeladen, den Thron zu besteigen (**Restauration**)

1662 – Charles II. widerruft das Covenant und setzt das **Episkopat** wieder ein

Charles II.   1660 –
                     1685

1666 – Schlacht von Rullion Green während des **Pentland-Aufstands. Darauf** folgen Jahre einer scharfen Verfolgung der Covenanters

1679 – James Sharp, Erzbischof von St. Andrews, wird von Anhängern des Covenants ermordet. Weitere Aufstände der Covenanters werden unterdrückt. Am 22.Juni 1679 werden sie vom Herzog von Monmouth bei **Bothwell Bridge** vernichtend geschlagen

1685 – Charles II. stirbt ohne legitime Nachkommen

James VII./II.	1685 – 1688	**1685 – James** VII/II. folgt seinem Bruder Charles im Alter von 52 Jahren auf den Thron

1688 – Der König muss ins Exil flüchten, nachdem der holländische Prinz **Wilhelm von Oranien** in England gelandet ist (**Glorious Revolution**). Dies etabliert endgültig die Seite der protestantische Erbfolge im Königreich. Von nun an kämpfen die **Jakobiter** für die Sache des katholischen Stewart

William III. & Mary II.	1689 – 1702	**1689 – John Graham of Claverhouse** (genannt **Bonnie Dundee**) führt den ersten Aufstand der Jakobiter bei **Killiecrankie** an

1690 – Schlacht an der Boyne (Irland) William schlägt James VII./II. Der Ausgang dieser Schlacht wird noch heute jedes Jahr von Protestanten in Nordirland in den berüchtigten Umzügen gefeiert, die immer wieder zu Ausschreitungen führen

1692 – Massaker von Glencoe

1695-1699 – Der Erwerb von Kolonien in Panama treibt Schottland an den Rand des Ruins

1701 – Das englische Parlament beschließt aus Angst vor einem erneuten Thronanspruch der katholischen Stewarts den **Act of Settlement** für die Zeit nach dem Tod der kinderlosen Anne

Anne   1702–   **1702** – Nach dem Tod von William
1714   kommt seine Schwägerin **Anne** auf den Thron

1707 – Mit der **Unionsakte** zwischen den beiden Ländern, erkennt Schottland diese Thronfolge an und das schottische Parlament löst sich auf. Schottland behält ein eigenes Rechts- und Schulsystem, sowie Religionsfreiheit und eine eigene Währung

1714 – Queen Anne stirbt am 12. August. Wie im Act of Settlement bestimmt, sollte aus der Nebenlinie der Stewarts eigentlich die protestantische Enkelin James I./VI., die Kurfürstin von Hannover auf den britschen Thron folgen. Sie stirbt aber wenige Wochen vorher. Deshalb kommt ihr Sohn Georg Ludwig auf den britischen Thron

1708, 1715 und 1719 führt der **Old Pretender,** James Francis Edward Stewart, Sohn von James VII./II., drei erfolglose Jakobiten-Rebellionen an

George I.   1714 –   **1745/46** – Charles Edward Stewart, der **Young Pretender,** Sohn von
1727   James Francis Edward Stewart, leitet den letzten Jakobitenaufstand. Am 16. April wird Bonnie Prinz Charlie bei Culloden vernichtend geschla-

George II.   1727 –   gen. Danach wird die Hochlandkul-
1760   tur massiv unterdrückt

George III.	1760–1820	**1782** – Das Gesetz gegen das Tragen von Hochlandkleidung wird aufgehoben
		Ab **1807**: Clearances im Hochland
George IV.	1820–1830	**1822** – Erstmals nach fast 200 Jahren besucht wieder ein britischer König Schottland. Sir Walter Scott organisiert diesen Staatsbesuch, zu dem George als Versöhnungsgeste im Kilt erscheint. Nach den napoleonischen Kriegen setzt in Schottland verstärkt die Industrialisierung ein
		1832 – Die erste **Reformakte** gesteht
William IV.	1830–1837	Schottland mehr Repräsentanten im Unterhaus zu
		Da beide Töchter Williams sterben,
Victoria	1837–1901	kommt seine Nichte **Victoria** nach dessen Tod auf den Thron
		1843 – Abspaltung der Free Church von der Church of Scotland (**Disruption**). In Schottland entsteht ein unüberschaubares Gewirr aus Glaubensrichtungen. In Victorias Regierungszeit fallen teilweise auch die berüchtigten Clearances, die systematische Vertreibungen der Hochlandbevölkerung durch Großgrundbesitzer
		1885 – Ein Secretary of State for Scotland wird benannt und ins Kabinett berufen
		1886 – **Crofter Holding Act.** Die Kleinbauern erhalten u.a. das Recht, die Pacht zu vererben
Edward VII.	1901–1910	**1901** – Der älteste Sohn Victorias kommt, neunundfünfzigjährig, nach dem Tod seiner Mutter auf den Thron.

George v.	1910– 1936	**1914-18 – Erster Weltkrieg** **1927** Gründung der Scottish National Party (SNP)
Edward viii.	1936	**1936** – Der König dankt ab, um die geschiedene Amerikanerin Wallis Simpson heiraten zu können
George vi.	1936– 1952	**1939-45 Zweiter Weltkrieg** **1950** – der **Stone of Scone** wird von schottischen Studenten entführt und taucht erst **1951** wieder in der Abtei von Arbroath auf
Elizabeth i./ii.	1952–	**1979** – Erstes Referendum. Es findet sich keine Mehrheit für die Loslösung Schottlands von der Zentralregierung. **1996** – anlässlich der 700. Wiederkehr des Raubes des Stone of Destiny durch Edward i. gibt Elizabeth diesen an Schottland zurück **1997** – Regierungswechsel und zweites Referendum. Nach der Wahl von Tony Blair als neuem, linksliberalem Premier stimmt eine überwältigende Mehrheit der Schotten für die Schaffung eines neuen schottischen Parlaments **1999** – Nach fast **300** Jahren tritt wieder ein schottisches Parlament zusammen **2004** Eröffnung des neuen **schottischen Parlamentsgebäudes** gegenüber des Palastes von Holyrood House

Literaturhinweise für Lesehungrige

Büsing, Sabine

Leuchtturm im Dschungel, Roman über das Leben des Schriftstellers Robert Louis Stevenson, Frieling Verlag, 1998.

Boswell, James

Dr. Samuel Johnson: Leben und Meinungen, mit dem Tagebuch einer Reise nach den Hebriden. Hrsg. und aus dem Englischen von Fritz Güttinger, Diogenes Verlag, 1981.

Fontane, Theodor

Jenseits des Tweed, Bilder und Briefe aus Schottland mit zahlreihen Abbildungen und einem Nachwort von Otto Drude, Insel Verlag, 1989.

Hume, David

Vom schwachen Trost der Philosophie, Nachwort, Auswahl und Übersetzung von Jens Kuhlenkampff, Steidle, 1997.

MacLean, Fitzroy

Kleine Geschichte Schottlands. Aus dem Englischen von Angela Uthe-Spencker, Busse Seewald, 1986.

Ohff, Heinz

Gebrauchsanweisung für Schottland, Piper Verlag, 1999.

Rosendorfer, Heinz

Die junge Maria Stuart. Erzählungen. Mit einem Nachwort von Eckhard Henscheid, Philip Reclam Jun., 1998.

Schiller, Friedrich

Maria Stuart, Hrsg. von Josepf Kiermeier-Debre, dtv., 1997.

Scott, Sir Walter

Ivanhoe, Nachwort von Paul von Ernst, aus dem Englischen von L. Tafel, Insel Verlag, 1984.

Smith, Adam

Der Wohlstand der Nationen: Eine Untersuchung seiner Natur und seiner Ursachen. Aus dem Englischen und mit einer umfassenden Würdigung des Gesamtwerkes. Hrsg. von Horst Claus Recktenwald, dtv, 1988.

Spark, Muriel	*Die Blütezeit der Miss Jean Brodie.* Aus dem Englischen von Peter Naujack, Diogenes Verlag, 1996.
Stevenson, Robert Louis	*Erzählungen.* Aus dem Englischen, mit einem Nachwort und bibliographischen Erläuterungen versehen von Richard Mummendey, Wissenschaftliche Buchgesellschaft, 1960.
	Der seltsame Fall des Dr. Jekyll und Mr. Hyde. Aus dem Englischen übersetzt. von Angelika Eisold-Viebig, Gerstenberg, 1998.
Stremminger, Gerd	*David Hume,* Rowohlt, 1986. *Adam Smith.* Rowohlt, 1989.
Welsh, Irvine	*Trainspotting.* Goldmann Taschenbuch Verlag, 1999.
Winter, Helen & Rommel, Thomas	*Adam Smith für Anfänger. Der Wohlstand der Nationen, Eine Einführung.* dtv, 1999
Zweig, Stefan	*Maria Stuart. Biographie einer Königin.* Fischer Verlag, 1997.

Schottland von A – Z

Anreise

Grundsätzlich gibt es vier Möglichkeiten, nach Schottland zu reisen: Man kann fliegen, mit dem Schiff übersetzen, oder mit dem Eurostar-Zug bzw. Bus durch den Tunnel fahren. Die günstigste Variante ist der Reisebus. Es fahren von vielen Orten Deutschlands aus Reisebusse in alle größeren Städte Großbritanniens; über dieses Netzwerk können gute Reise büros Auskunft geben. Eurostar und Flugzeug sind die schnellsten Verkehrsmittel. Die Flugverbindungen gehen nach Glasgow, Edinburgh, Aberdeen und Inverness. Ist man nicht auf eine möglichst schnelle Verbindung angewiesen oder möchte den eigenen Wagen mitnehmen, so empfiehlt sich die Reise mit der Fähre: Amsterdam-Newcastle Hamburg-Harwich, Rotterdam/Zeebrügge-Hull und seit ein paar Jahren gibt es auch eine Verbindung von Zeebrügge nach Rosyth (am Firth of Forth bei Edinburgh).

Antiquitäten

Antiquitätengeschäfte gibt es in fast jedem größeren Ort. Interessenten können vor allem aber in der Regent Street und in der Bath Street in Glasgow herumstöbern. In Edinburgh sind die Antiquitätenläden über die gesamte Alt- und Neustadt verteilt und in der Folge hier sind nur einige Straßen mit entsprechenden Geschäften genannt: Victoria Street, High Street, Thistle Street, St. Stephen Street, Howe Street, Dundas Street und George Street u.v.a.

Apotheken

Rezeptpflichtige Arzneimittel sind beim *Chemist* und in manchen *pharmacies* (der Drogerien und Supermärkte, z.B. bei Boots und Safeway's oder Morrison's) erhältlich. Daneben führen die meisten der Apotheken ein umfangreiches Sortiment an Drogerieartikeln und rezeptfreien Medikamenten. Es sollte aber beachtet werden, dass die in der Heimat verschriebenen Medikamente meistens anders bezeichnet sind. Oft sind sie in Großbritannien überhaupt nicht erhältlich und u.U. sind sie nur in anderen Zusammensetzungen zu finden. In jedem Fall ist es dringend ratsam, sich die notwendigen Medikamente von Zuhause mitzubringen. Die Apotheken sind von 9-18 Uhr und in einigen Städten bis 20 Uhr geöffnet. Die Adressen von Bereitschaftsapotheken können der Tagespresse entnommen werden.

Ärzte und Behandlungen

Urlauber aus EU-Mitgliedsländern haben Anspruch auf kostenlose Behandlung durch Ärzte oder Ambulanzabteilungen der Krankenhäuser, die dem britischen Gesundheitsdienst National Health Service (NHS) angegliedert sind. Private Ärzte und Klinken stellen die Behandlung in Rechnung! Die Notbehandlung beim Zahnarzt ist oft kostenlos. Weitere Behandlungen werden allerdings dagegen nur gegen Berechnung durchgeführt.

Baden

An der Westküste sowie auf den Inseln gibt es Traumstrände. Manche davon sind aus feinstem Sand und sind in der Karibik nicht schöner. Bei warmen bis heißem (!) Wetter locken das herrlich grünblaue Meer oder auch eines der unzähligen Lochs zum Baden. Doch Vorsicht! Das Wasser ist meistens sehr kalt. Besonders in entlegenen Regionen sollten unbedingt Ortskundige gefragt werden, ob das Baden gefährlich ist. Grund dafür ist die oft sehr starke Gezeitenströmung, die immer wieder auch geübte Schwimmer auf das offene Meer hinauszieht. Vorsicht ist auch bei Landverbindungen zu Inseln angebracht, die bei Ebbe entstehen und bei eintretender Flut oft schnell überspült werden. Die Verbindung zur heiligen Insel Lindisfarne, in Northumberland, ist ein sehr gutes Beispiel dafür. Unbedingt Information vorab erfragen: Durham TIC 0191 375 30 00

Banken

Edinburgh ist das zweitwichtigste Bankenzentrum im Vereinigten Königreich und einer der führenden Finanzstandorte Europas. In Schottland gibt es neben den Filialen der meisten englischen Banken, drei große schottische Banken: Bank of Scotland, The Royal Bank of Scotland und die Clydesdale Bank. Diese drei Banken haben trotz der Union von 1707 immer noch das Recht, ihr eigenes Geld zu drucken.

Fast überall finden sich heute Geldautomaten für EC- und Kreditkarten. Im abgelegenen Hochland und an der Küste kann u. U. auf Bahnhöfen, bei Hotels, Reisebüros oder Touristeninformationen (TIC) Geld gewechselt werden. Darüber hinaus lösen die Banken und die meisten Geschäfte und Hotels auch Traveller-Cheques ein. Leider tauschen immer weniger Banken für Nicht-Kunden € in £ um, weil sie nicht als Wechselstuben fungieren und dies dem Bureau de Change o.ä. überlassen wollen. In der Regel haben die Banken montags bis freitags von 9.15 Uhr bis 16.45 Uhr geöffnet. Einige haben donnerstags längere Schalterstunden oder, wie z.B. einige Filialen der Bank of Scotland und von Lloyd's TSB auch samstags und sonntags zu bestimmten Zeiten geöffnet. In ländlichen Regionen und im äußersten Nordwesten können oft nur an bestimmten Wochentagen im Bankmobil Devisen getauscht werden. Kreditkarten u.ä. sind in B&Bs, Pubs und Cafés eher unüblich. In ländlichen Regionen im Norden gibt es kaum Geldautomaten.

Behinderte

Für alle Belange in dieser Hinsicht lassen sich Informationen und Publikationen bei folgender Stelle einholen:

Scottisch Council on Disability
Princes House, 5 Shandwick Place
Edinburgh EH2 4RG
Tel. 0131 229 8632
Wichtige Information hält auch folgende Internetseite bereit:
http://www.disabilityworld.com

Botschaften/Konsulate
Deutsches Generalkonsulat
16 Eglington Crescent
Edinburgh EH12 5DG,
Tel. 0131 337 23 23

Österreichisches Konsulat
Miller House, South Groathill Av.
Edinburgh EH1 2EG
Tel. 0131 315 60 00

Fähren
Von den 790 schottischen Inseln sind etwa 130 bewohnt, Besucher sind auf Fähren angewiesen. Vorausbuchungen, besonders für Fahrzeuge, sollten für die meisten Strecken besonders während der Hauptreisezeit im Sommer vorgenommen werden. Ebenso ratsam ist es, vorher genau zu kalkulieren, ob sich die Überfahrt zu den Inseln mit dem eigenen Fahrzeug lohnt bzw. im Verhältnis zum Fahrpreis steht. Auf den großen Hebrideninseln, Orkney und Shetland bieten Linienbusse und einige Ausflugsunternehmen gute Transportmöglichkeiten an. Die meisten Fähren an der Westküste werden vom halbstaatlichen Unternehmen Caledonian MacBrayne (kurz CalMac) betrieben. Alle Fahrpläne sind in Broschüren erhältlich, die in allen Fährbüros ausliegen und von dort angefordert werden können. In den Fährbüros gibt es ebenfalls Unterkunftsangebote.

Caledonian MacBrayne
Tel. 01475 650 100
Reservierungen: 0990 650 000
http://www.calmac.co.uk

John o'Groats - Orkney
Tel. 01955 611 353
(ohne Wagen und nur Sommer)

P&O (Scrabster - Orkney; Aberdeen - Shetland)

Tel. 01224 572 615
http://www.poscottishferries.co.uk
(mit Wagen)

P&O: Cairnryan - Larne (Nordirland)
Tel. 0870 242 46 66
http://poirishsea.com

STENA: Stranraer nach Irland
Tel. 0990 70 70 70
http://www.stenaline.co.uk

Feiertage

Die Feiertage, die sogenannten *Bank Holidays,* sind arbeits-
freie Tage, die in Schottland für Banken und einige andere Institutionen gelten. Einige Firmen nutzen die Möglichkeit und
schließen an den Tagen ebenfalls. Neujahr und der 2. Januar
sind im ganzen Land Feiertage, ebenso der 6. Januar, Karfreitag und Ostermontag, der 1. Mai und der erste der Weih-
nachtstag. Darüber hinaus gibt es in schottischen Städten
und Gemeinden verschiedene regionale Feiertage unterschiedlichen Ursprungs.

Festivals

Über das Jahr verteilt gibt es überall auf dem schottischen
Festland und auf den Inseln zahllose Veranstaltungen. Ceilidhs, die Tanz- und Musikfeste, sind sehr beliebt. Man trifft
sich in der Turnhalle oder im Gemeindehaus und dann wird
zu schottischer Musik und Gesang getanzt. Ceilidhs finden in
kleinem und größerem Rahmen bei jeder sich bietenden Gelegenheit statt. Traditionell waren sie früher ein Beisammensein von Freunden und Nachbarn, dann wurden Geschichten
erzählt, gesungen und die Geige gespielt. Heute sind Ceilidhs
eher organisierte Festlichkeiten mit Musikgruppen.

Kulturelle Höhepunkte sind unbestritten die Veranstaltungen in Edinburgh sowie zunehmend auch in Glasgow. Die
Edinburgher Internationalen Festspiele (http://www.eif.co.

uk) sind, 1947 erstmals initiiert, die ältesten und bedeutendsten ihrer Art und auch die bekanntesten in der Welt. Parallel
zu diesem Festival der klassischen Künste wie Oper, Konzert,
Ballet und Theater laufen fast zeitgleich in den Sommermonaten noch die folgenden Festivals in der Stadt: das gleichal-
te und inzwischen über das Kultur-Festival hinausgewachse-
ne Fringe Festival, das Filmfestival, das Internationale Kunst-
festival, die Jazz-Tage und das Buchfestival. Durch die Inter-
nationalität der Festivals werden die Stadt und ihr kulturelles
Angebot zum Anziehungspunkt für Besucher aus aller Welt.
Eine Veranstaltung, die inzwischen ebenfalls auf der ganzen
Welt bekannt und nicht nur für Freunde schottischer Militär-
musik gedacht ist, fällt bei der obigen Aufzählung allerdings
aus dem Rahmen. Das Military Tattoo (http://www.edintat-
too.co.uk) wird jeden Abend auf der Esplanade vor der grandiosen Kulisse der Burg veranstaltet. Zum Abschluss der Fe-
stivalsaison findet jedes Jahr ein spektakuläres Feuerwerk
mit Musik statt, das von überall in der Stadt über der Burg zu
sehen ist. Das begleitende Konzert wird live im Radio nd
Fernsehen übertragen. Doch auch dazu gibt es noch eine Stei-
gerung denn die z. Zt. wohl größte Feier ihrer Art in Europa
ist die fünftägige Silvesterveranstaltung (Hogmanay) jeweils
vom 29. Dezember bis zum 2. Januar.

Das St. Magnus Festival in Kirkwall und Stromness (Juni), das Robert Burns Festival in der Region um Ayr (Juni)
oder die Festival Theatre Season in Pitlochry (von Mai bis
Oktober) stehen zwar etwas im Schatten dieser Großveran-
staltungen, sind aber wie viele andere oft nicht weniger interessant. Über sie kann man sich am besten bei den lokalen
Tourismuszentralen oder das Internet informieren.

Führungen

Über die Scottish Tourist Guides Association können gut in-
formierte und geschulte Reiseleiter und Führer für Touren
durch die größeren Städte und den Rest des Landes gebucht
werden. Diese Führungen werden in vielen verschiedenen
Sprachen und für diverse Spezialkategorien angeboten. Die
gründliche Ausbildung der Reiseleiter erfolgt in enger Zu-

sammenarbeit mit der Universität Edinburgh und dauert jetzt rund zwei Jahre. Nähere Information sind erhältlich unter:

Tel/Fax 01786 45 19 53 oder 01786 44 77 84
E-mail: info@stga.co.uk
website: http://www.stga.co.uk

Geschäftszeiten

Geschäfte haben allgemein von 9.00-17.30 Uhr geöffnet und samstags schließen sie erst gegen 18 Uhr. Seit einiger Zeit haben verschiedene Geschäfte vor allem aber Einzelhändler und große Einkaufszentren auch sonntags geöffnet.

Getränke

Schottland war bisher nicht unbedingt für eine Kaffeekultur bekannt. Immer mehr (gute) Coffee-Shops sprießen in den letzten Jahren aus dem schottischen Boden. Tee ist die Alternative und davon wird überall reichlich Gebrauch gemacht. Allerdings ist die lange Zeremonie des Aufbrühens etwas verkürzt, denn in Großbritannien werden meistens Teebeutel verwendet. Diese finden sich auch in fast allen Unterkünften auf dem Zimmer, zusammen mit einem Teekessel, etwas Milch, Geschirr etc. Es soll schon vorgekommen sein, dass die exportierte Gewohnheit des *Early Morning Tea* sogar zu Hause zu einer genussvollen Angewohnheit geworden ist.

Das bekannteste Getränk in Schottland ist natürlich der Whisky – das Wasser des Lebens oder gälisch *Uisge-Beatha*. Eine der größten Sünden ist es, ihn mit Soda, Cola oder gar Eiswürfeln zu versetzen. Der Schotte trinkt den Malt entweder pur oder gibt allenfalls einige wenige Tropfen reinen Wassers hinzu (meistens im Krug auf der Theke). Damit streckt er das hochprozentige Getränk nicht nur etwas, sondern verhilft dem Aroma auch zur Entfaltung. Die Preise für guten Whisky sind sowohl in den Distillerien als auch in den Geschäften meistens höher als zuhause. Für Informationen über einige wenige Distillen siehe den Exkurs *Dem Whisky auf der Spur* (S. 188). Für alle Whiskykenner und -liebhaber empfiehlt sich folgender Kontakt:

The Scotch Whisky Association
20 Atholl Crescent
Edinburgh EH3 8HF
0131 229 43 83

Interessantes und alle erdenklichen Information über Whisky kann man natürlich auch über das Internet erfahren, hier nur ein Tipp stellvertretend für die vielen Internetseiten: http://www.scotchwhisky.com.

Das gängigste Getränk in den Pubs ist freilich Bier. Bestellt wird ein *half Pint* oder ein *Pint* (0,57 l). Wer keine Experimente eingehen will, hält sich dabei an das *Lager*, das dem deutschen Hellen geschmacklich am nächsten kommt,

Heavy Draught (80 oder 70 Shillings)	dunkles Fassbier mit leicht bitterem Geschmack
Lager	helles Bier
Stout	Starkbier
brown Ale	dunkles Bier (süßlich)
light Ale	helles Bier (schäumend)

aber bestimmt nicht dessen Pilscharakter und die gewohnte Schaumkrone hat. Früher wurde nur mit Luft gezapft, die mit einem langen Hebel ins Fass gepumpt wurde. Zunehmend werden jetzt aber auch Kohlensäure und Stickstoff eingesetzt, doch wie früher werden die Gläser randvoll geschenkt. In Schottland wird, nach dem *Lager*, heute meistens das sogenannte 70 Shilling oder 80 Shilling getrunken, ein kräftiges, leicht bräunliches Bier oder *Ale*, oft aber auch eines der vielen anderen lokalen oder englischen Bitter-Biere und evtl. auch noch das schwarz-braune, meist irische *Stout* wie z. B. Guiness o.ä. Einige Biersorten:

Neben Bier und Whisky gibt es noch den englischen Cider, eine Art Apfelwein, der von süß bis trocken variiert. Traditionell und seit Jahrhunderten ist Wein ein beliebtes Getränk. Spirituosen, andere Alkoholika und Bier gibt es allerdings lediglich in sogenannten *licensed* (konzessionierten) Geschäften wie Threshers, Victoria Wines, Oddbins und Supermärkten wie Morrison's, Sainsbury's und Tesco zu kaufen. Neben den international bekannten Arten von alkoholfreien Softdrinks ist darf in dieser Aufführung aber keinesfalls der nationale Softdrink Schottlands, das sehr süße und knall-orangefarbene *Irn Bru* fehlen.

In fast allen Pubs und Bars gilt aber einheitlich (mit ganz wenigen Ausnahmen) das die Getränke an der Theke bestellt, dort gleich bezahlt und selbst mit an den Tisch genommen werden. Es ist auch durchaus üblich, sich vor dem Essen in der Hotelbar zu einem Drink zu treffen und diesen mit in das Restaurant zu nehmen.

Nach der Aufhebung der beschränkten Öffnungszeiten steht es jetzt den Betreibern von Bars und Kneipen frei, ihre Öffnungszeiten selber zu bestimmen. Ab 26. März 2006 ist das Rauchen in Schottland in allen öffentlichen Gebäuden incl. Pubs. Bars und Restaurants nicht länger erlaubt und sowohl der Gastwirt als auch der Raucher werden beim Verstoß mit Geldstrafen belegt werden.

Highland Games

Die Highland Games werden manchmal etwas herablassend als Haferflocken-Olympiade bezeichnet. Sie sind inzwischen aber so beliebt, dass sie auch in Edinburgh ein Bestandteil des Sommerprogramms und in vielen Teilen der englisch sprechenden Welt zu sehen sind.

Schon vor über eintausend Jahren gab es mit den Vergleichskämpfen der Könige oder Clanchiefs die ersten Vorläufer dieser Wettbewerbe. Die Sieger hatten das Privileg, dann als Kurierläufer oder Bodyguards der Clanchiefs eingestellt zu werden. Heute gehören zu den Games verschiedene Leichtathletikdisziplinen, Geschicklichkeitsprüfungen und Kraftproben, Hochlandtänze und Dudelsackspieler.

Das ganze Spektakel findet auf einem großen Festplatz statt. Die durch Fernsehen und Presse bekanntesten und far-

benprächtigsten Spiele finden jedes Jahr am ersten Sonn-
abend im September in Braemar statt. Es ist Tradition, dass
die Königin mit Familienmitgliedern, die zu dem Zeitpunkt
auf dem naheliegenden Familienschloss Balmoral Castle ihren Urlaub verbringen, am Nachmittag für einige Stunden
die Highland Games von Braemar besucht.

Kleidung und Ausrüstung

Die Garderobe für die meisten Restaurants und Pubs ist im
allgemeinen leger. Einige Spitzenhotels, Landhäuser und Restaurants bestehen jedoch zumindest beim abendlichen Din-
ner auf Jackett und Krawatte für Herren und entsprechendes
für Damen. Steht dann allerdings ‚formal', ‚Black Tie', o.ä.
auf der Einladung, dann sind das lange Abendkleid und bei
den Herren das Dinnerjacket und Kilt oder Abendgarderobe
gefordert.

In Schottland ist das Wetter nie schlecht, bekanntlich ist
die Kleidung höchstens nicht passend. Wegen der sich
manchmal schnell ändernden Wetterverhältnisse ist aber eine
regendichte Jacke oder ein Anorak angebracht und ein Pull-
over kann auch nicht schaden. Wer allerdings Berge besteigen
möchte, muss zudem auf drastische Temperaturwechsel vorbereitet sein. Wind- und regenfeste, warme Kleidung und
Ausrüstung gehören genauso wie gute Wanderschuhe und
mindestens ein Stock ins Gepäck. Obwohl die Berge Schottlands im Vergleich zu anderen Bergen Europas nicht hoch
sind, dürfen Bergwanderungen oder -besteigungen keinesfalls unterschätzt werden. Plötzliche Wetterumschwünge sind
jederzeit möglich und eine Orientierung im Nebel und
Schnee sehr schwierig. Ein Muss sind deshalb eine gute Karte
der Region (sehr zu empfehlen sind die *Ordnance Survey* und
Pathfinder-Karten, die alle Regionen Schottlands gut abdek-
ken und viele Zusatzinformationen bieten), Kompass und
Wärmefolie, Notration, Signalausrüstung und ein Mobiltele-
fon. Ebenso wichtig ist die Vorabinformation über die Region und das Ziel bei der örtlichen Touristeninformation oder
der Bergwacht. Angaben über die Route mit Abmarschzeit
und geschätzter Rückkehr sollten schriftlich im Wagen oder

Hotel hinterlassen werden, damit die Bergrettung notfalls Informationen hat.

Maße und Gewichte

Auch wenn sich mittlerweile das metrische System auf der Insel offiziell durchgesetzt hat, sind traditionell in einigen Bereichen noch immer britische Maß- und Gewichtseinheiten üblich.

So sind z. Zt. noch die Meilenangaben auf den Straßenschildern und Straßenkarten und das Pint von EU-Regulierungen verschont.

1 inch (in)		2,54 cm
1 foot (ft)	12 inches	30,48 cm
1 yard	3 ft	0,914 m
1 mile or 8 furlongs	1760 yrds	1,61 km
1 naut. mile		1,83 km
1 ounze (oz)		28,35 g
1 pound (1b)		0,454 kg
1 stone		6,35 kg
1 ton UK		1,016 t
1 pint		0,568 ltr.
1 gallon		4,546 ltr.

Mehrwertsteuer

Die Value Added Tax (VAT), die Mehrwertsteuer, beträgt im Vereinigten Königreich 17.5 %. Besucher, die ihren Wohnsitz nich in der EU (z.B. der Schweiz) haben, können eine Rückerstattung beantragen. Bei der Ausreise müssen dafür ein ausgefülltes Formular und die Belege beim britischen Zoll vorgelegt werden. Für diejenigen, die aus EU-Mitgliedstatten kommen, ist nur bei größeren Beträgen ein VAT-Erstattungsantrag nützlich.

Mücken

Die winzigen Midges (*culicoides impunctatu*) sind eigentlich Fliegen. Sie kommen im Hochland und auf den Inseln vor, sind aber kaum zu sehen und im Sommer können sie zur Qual werden.

Schutz dagegen gibt es nur, wenn Arme, Beine und vor allem der Hals gut abdeckt werden. Midges mögen weder Wind noch trockene Höhenlagen. Ein brauchbares Insektenschutzmittel ist Autan.

Natur- und Denkmalschutz

Zahlreiche Organisationen kümmern sich in Schottland um Natur- und Landschaftsschutz. Dieses sind vor allem:

John Muir Trust
12 Wellington Place
Leith, Edinburgh EH6 7EQ
Tel 0131 554 01 14
http://www.jmt.org

Royal Society for the Protection of Birds
12 Regent Terrace
Edinburgh EH7 5BN
Tel 0131 557 62 57
http://www.rspb.org.uk

Scottish Natural Heritage
12 Hope Terrace
Edinburgh EH9 2AS
Tel 0131 447 47 84
http://www.snh.org.uk

Scottish Wildlife Trust
Cramond House, Cramond Glebe Road
Edinburgh EH4 6NS
Tel. 0131 312 77 65
http://www.swt.org.uk

Die folgenden Verbände kümmern sich um den Schutz und die Bewirtschaftung des Waldes:

Forestry Commission
231 Corstorphine Road
Edinburgh EH12 7AT
Tel. 0131 334 03 03
http://www.forestry.gov.uk

Reforesting Scotland
21 Coats Crescent
Edinburgh EH3 7AF
Tel. 0131 226 2496
http://www.gn.apc.org./reforestingscotland

Für Denkmalpflege und Erhaltung sowie Öffentlichkeitsarbeit zu historischen Bauten, sind besonders die Organisationen **Historic Scotland** und **National Trust for Scotland** zuständig. Sie besitzen bzw. verwalten nicht nur unzählige Gebäude und beträchtliche Ländereien, sondern kümmern sich auch um touristischen Belange.

Historic Scotland
Longmore House, Salisbury Place
Edinburgh EH9 1SH
Tel. 0131 668 86 00
http://www.historic-scotland.gov.uk

National Trust for Scotland
5 Charlotte Square
Edinburgh EH2 4DU
Tel. 0131 226 59 22
http://www.nts.org.uk

Teilweise überschneiden sich die Kompetenzbereiche der Organisationen. Daneben gibt es zahlreiche Interessenverbände auf lokaler und nationaler Ebene. Stellvertretend sei **Friends**

of the Earth angerührt, die auf ihrer Website eine sehr nützliche Liste anbieten, in der auf andere, ähnliche Gruppen verwiesen wird.

Friends of the Earth
53 George IV Bridge
Edinburgh EH1 1ES
Tel. 0131 225 69 06
http://www.foe-scotland.org.uk

Notfälle
Polizei, Feuerwehr und Notarzt sowie die See- und Luftrettung (auch in England): Tel. 999

<u>Krankenhäuser</u>

Edinburgh
Royal Infirmary at Little France
51 Little France Crescent
Old Dalkeith Road
Edinburgh EH16 4SA
Tel. 0131 536 1000

Glasgow
Royal Glasgow Infirmary
84 Castle Street
Glasgow G4 0SF
Tel. 0141 211 4000

Dundee
Ninewells Hospital
Ninewells Avenue
Dundee DD1 9SY
Tel. 01382 660 111

Inverness
Raigmore Hospital
Old Perth Road

Inverness IV2 3UJ
Tel. 01463 704 000

Öffentliche Verkehrsmittel

In Großbritannien ist das Bussystem zu Reisezwecken über Land sehr gut ausgebaut. Busfahren ist auch meistens günstiger als das Reisen mit der Eisenbahn. Für beide Transportmöglichkeiten gilt: Seit der Privatisierung des öffentlichen Verkehrswesens ist es schwierig, den Überblick über die zahlreichen Bus- und Bahngesellschaften zu behalten.

Busse:

Glasgow
Buchanan Bus Station
Tel. 0141 332 96 44

Edinburgh
St Andrew's Street Station
Tel. 0131 0990 80 80 80

Dort kann man sich über Strecken und Fahrpläne informieren sowie für längere Strecken vorab buchen.

Die beiden wichtigsten Busgesellschaften sind:
City Link: 08705 50 50 50
Scottish Citylink: 0990 50 50 50
National Express: 08705 80 80 80

Bahn:

Die Zugauskunft Naional Rail ist rund um die Uhr besetzt:
Tel. 08457 48 49 50
www.nationalrail.co.uk

Post

Briefkästen sind meistens rote, einzelnstehende Säulen oder in Mauern eingelassene feuerrote Kästen. Manche Postämter im Hochland und auf den Inseln erinnern an Tante Emma-Läden. Zwischen Kartoffelchips, Zeitungen und Kolonialwaren kann man Post aufgeben, es werden Briefmarken verkauft und Renten ausgezahlt. Das hat einen organisatorischen Hintergrund, denn oft bekommt man in diesen Postämtern Informationen wie z. B. Busfahrpläne, Angellizenzen, oder zu Übernachtungsmöglichkeiten, falls es keine Touristeninformation im Ort gibt. Auch ein Schwätzchen zwischen Nachbarn hat hier seinen Platz. Wer in abgelegenen Regionen auf Transport zwischen einzelnen Ortschaften oder einsamen *Crofts* angewiesen ist, dem hilft die Post gern aus. Die roten Landrover mit der goldenen Aufschrift 'Royal Mail' bringen dort auch Passagiere an ihr Ziel, es dauert nur etwas länger. Gelegentlich erledigt der freundliche Posty, wie der Postbote liebevoll hier genannt wird, sogar für die verstreut liegenden Gehöfte kleine Besorgungen.

Presse

Neben den bekannten Londoner Zeitungen wie der *Times* (http://www.timesonline.co.uk) und dem *Guardian* (http://www.guardian.co.uk) sind die beiden großen überregionalen Tageszeitungen für Schottland der *The Scotsman* (Edinburgh; http://www.scotsman.com) und der *The Herald* (Glasgow; http://www.theherald.co.uk). Wer seine deutschsprachige Zeitung nicht missen möchte, findet die gängigsten Blätter in den Zeitschriftenläden oder Buchhandlungen im Zentrum von Glasgow und Edinburgh.

Sehenswürdigkeiten

Adressen, Telefonnummern, Lage und Öffnungszeiten von Museen, historischen Gebäuden, Veranstaltungszentren und Galerien sind in den Broschüren zu finden, die in Cafés und Restaurants, den Tourismusinformationen und bei allen Veranstaltungsorten ausliegen.

Beim Scottish Tourist Board (Adresse siehe S. 311), beim National Trust for Scotland (NTS, Adresse: siehe S. 304) oder in den Tourist Information Centres (TIC) erhalten z.B. Gartenliebhaber einen Überblick über die schönsten Gärten in einer ganzen Anzahl von Verzeichnissen oder in der NTS-Broschüre. Weitere Spezialbroschüren für Wassersportler, Angler, Wanderer etc. sind in allen grösseren Tourismusinformationen erhältlich oder können beim Scottish Tourist Board angefordert werden. Eintritt zu allen öffentlichen wie auch privaten Sehenswürdigkeiten kann individuell bezahlt werden. Ratsam ist es, bei Historic Scotland Gruppen- oder Sammelkarten zu kaufen. Es gibt sie z.T. auch für die großen Sehenswürdigkeiten in Schottland.

Schottische Küche

Die schottische Küche ist ganz bestimmt besser als ihr Ruf. Die böse Bemerkung Dr. Johnsons, in Schottland würde man die Leute mit dem füttern, was anderenorts die Pferde zu fressen bekämen, nämlich Hafer, hat nur insofern noch ihre Berechtigung, als auch weiterhin *Oatcakes* (ursprünglich ungesüßte Haferkekse, die es jetzt aber auch in verschiedenen Geschmacksrichtungen gibt) heute noch hergestellt und gegessen werden. Sie sind ein traditionelles schottisches Gebäck und schmecken besonders gut zu den vielen schottischen Käsespezialitäten.

Vorbei sind die Zeiten, als *Fisch und Chips*, die an der Strassenecke aus der zusammengerollten Zeitung verzehrt wurden, als Delikatesse galten. Wenn der Schellfisch (*Haddock*) frisch ist, ist er auch heute noch eine Delikatesse.

Etwas Besonderes ist die schottische Zeremonie des *High Tea,* deren Bezeichnung etwas irreführend ist. Es handelt sich hierbei nicht um ein gemütliches Beisammensein bei Tee und Knabbereien, sondern um ein ausgiebiges Mahl, das Fleisch oder Fisch, Eierspeisen, kleine Pfannkuchen und verschiedene Sorte Gebäck einschließt.

Eines der allerdings berühmtesten Gerichte verdient in keiner Weise den Ruf, der ihm vorauseilt. Gemeint ist der *Haggis* der eine lange Tradition hat. Er wird vor allem im Zusammenhang mit dem schottischen Nationaldichter Robert Burns genannt. Burns schrieb eine Spottode über diese Speise. An seinem Geburtstag am 25. Januar wird in der englischsprechenden Welt in einer *Burns Night* bei einem *Burns Supper* dieses Gedicht in der Sprache, in der sie geschrieben wurde - in *Scots* - rezitiert wobei der Whisky nicht vergessen werden darf. Die Skepsis und oft vorgefertigte Meinung der Touristen in Bezug auf den Haggis wird meistens durch Schauergeschichten vollkommen ahnungsloser Schreiberlinge hervorgerufen. Das ändert sich bei den meisten Besuchern oft nach der ersten vorsichtigen Kostprobe. *Haggis* ist so wohlschmeckend, dass sehr viele ‚Konvertierte' ihn sogar mit nach Hause nehmen. Einige lassen ihn sich sogar für teures Geld in andere Teile der Welt nachschicken. Das Wort *Haggis* hat seinen Ursprung in dem französischen Wort *Hachis* bzw. Hachée, was Gehacktes bedeutet. Das weist auf die alte Verbindung zwischen Schottland und Frankreich aus dem 13. Jahrhundert hin. Nach einem uralten Rezept werden Innereien vom Schaf gekocht, gehackt und mit Hafermehl, Zwiebeln und verschiedenen Gewürzen vermischt und nach Originalrezept in einen gereinigten Schafsmagen gefüllt. In Deutschland gibt es verschiedene nicht unähnliche Regionalgerichte. Im Übrigen gibt es inzwischen auch eine sehr schmackhafte vegetarische Variante des Haggis.

Aberlour am Spey ist die Heimat des *Shortbread* einer anderen typisch schottischen Köstlichkeit. Dieses Mürbteiggebäck wird zu den verschiedensten Gelegenheiten genossen und besonders gern als Souvenir mitgenommen. Die Familienbäckerei verkauft in dem Städtchen immer noch ihre Brötchen, längst ist Walkers heute zu einem ein Großbetrieb geworden. Nicht weit davon, in Ballindalloch, grast ein Teil einer Herde von Aberdeen Angus, die ihren Stammbaum zu bis zu ihrem Ursprung zurückverfolgen kann. Nicht zu verwechseln mit dem zotteligen Hochlandrind liefert dieses kostbare schwarze Rind, gleich nach dem japanischen Kobe-Rind, ein weltweit anerkanntes, zartes Fleisch.

Das allgegenwärtige Schaf auf den Weiden Schottlands, das das zarte *Scotch Lamb* und den wohlschmeckenden *Mutton* liefert, braucht nicht nochmals vorgestellt zu werden. Bekannt sind aber auch Rotwildspezialitäten, das Moorhuhn (*Grouse*) und die Fasane.

Rund um die Küsten und in Schottlands Lochs werden Meeresfrüchte als eine der größten Köstlichkeiten dieses

Landes geerntet. Es wird fast alles gefangen, was das Meer und die Seen in der nördlichen Hemisphäre an Essbarem zu bieten haben. Es gibt in Schottland auch sehr gute Köche, die es sich zur Aufgabe gemacht haben, diese kulinarischen Kostbarkeiten mit entsprechendem Können zu ehren. So stehen mittlerweile auf den Speisenkarten guter Restaurants und Hotels Fischgerichte aller Art: Lachs und Forellen, frischer Seefisch sowie Muscheln, Krabben, Hummer usw. In Schottland gibt es inzwischen xxx mit Michelinsternen ausgezeichnete Restaurants.

In der Umgebung von Dundee und nördlich davon in dem Gebiet um Blairgowrie ist unübersehbar, dass dies eines der führenden Obstanbaugebiete Großbritanniens ist. In den Sommermonaten werden auf großen Plantagen alle Sorten von steinlosem Obst, wie Himbeeren, Erdbeeren usw. geerntet. Viel davon wird im naheliegenden Dundee zu Konfitüre verarbeitet. Die Stadt ist bekannt dafür aber berühmter noch für die Orangenmarmelade, die durch die Familie Keiller hier ihren Ursprung hatte.

Aus Himbeeren, Haferflocken, fetter, schottischer Sahne, und dem vielseitig einsetzbaren Whisky wird eine andere Landesspezialität – *Cranachan* oder *Cream Crowdie*, ein luftig-fruchtiges schottisches Dessert, zubereitet.

Souvenirs/Shopping

Neben dem schon erwähnten *Shortbread* sind Strickwaren aus Schurwolle oder Kaschmir weitere schottische Souvenirs. Typisch sind natürlich auch andere Mitbringsel wie Harris Tweed oder Tartanstoffe. Die Ausverkäufe in Fachgeschäften und oft auch bei den Herstellern und Kunstgewerbeläden bieten oft gute Qualität und verhältnismäßig günstige Preise.

Die üblichen Souvenirs sind überall zu finden, doch wenig bekannt ist vielleicht, dass Schmuck und Dekore auch aus Heide gefertigt werden können. Die kunstvoll verarbeiteten Wurzeln ergeben einen farbenprächtigen, meist in Silber gefassten Schmuck.

Ein echter Malt ist natürlich als Mitbringsel oder Andenken kaum zu übertreffen. Aber auch Edinburgh Crystal oder

Caithness Glass stehen hoch im Kurs – ebenso wie Lederwaren, Süßigkeiten, Holzschnitzereien, Kerzen etc. Für die Dia- oder Videovertonung zu Hause gibt es in vielen Geschäften und im Fachhandel die passende Musik.

Strom

Neben der zweipoligen Steckdose (nur für Rasierapparate in den Badezimmern!) gibt es in Großbritannien die bekannten Dreipolstecker. Die Stromspannung beträgt 220-240 Volt bei Wechselstrom. Adapter für die dreipoligen Steckdosen sind in Fachgeschäften und Touristikläden erhältlich. Es empfiehlt sich aber diese von zuhause mitzubringen.

Telefonieren

Für Gespräche nach Großbritannien gilt die internationale Vorwahl 0044 vor der Ortsvorwahl (ohne die erste Null). Für Gespräche von Großbritannien nach Deutschland wählt man die 0049, nach Österreich 0043 und in die Schweiz 0041 gilt. Danach folgt die jeweilige Ortskennzahl ebenfalls ohne die erste Null, dann die Teilnehmerrufnummer. Telefonkarten der British Telecom gibt es an Kiosken, Postämtern, Tankstellen und an den meisten Hotelrezeptionen zu kaufen.

Touristeninformation

In allen größeren und kleineren Ortschaften gibt es sogenannte Tourist Information Centres (TIC), in denen man alle wichtigen Informationen über die Gegend bekommt. Alle Sehenswürdigkeiten sind dort in zahlreichen Faltblättern und Broschüren aufgelistet und beschrieben. Ausserdem können die Mitarbeiter in den meisten Fällen auch bei der Suche nach Unterkünften weiterhelfen. Oft werden dort auch Bücher und Postkarten, sowie Landkarten und Souvenirs verkauft.

VisitScotland (STB)
Ocean Point One
94 Ocean Drive

Edinburgh EH6 6JH
Tel. 0131-472 2222
http://www.visitscotland.com
Das Touristeninformation in Edinburgh liegt sehr zentral direkt über dem Bahnhof und ist erreichbar unter Tel. 0131 473 3800 oder 0131 557 1700. Informationen zu Unterkünften kann man unter 0131 473 38 55 erfragen.

Trinkgeld

Ein Tip, wie Trinkgeld in der englischsprechenden Welt kurz genannt wird, ist überall üblich. Es gibt allerdings dafür keine festen Regeln ausser einer – Trinkgeld kann unbeabsichtigt auch beleidigen. Das vor allem, wenn Kleingeld als großmütiges Zeichen der Dankbarkeit entsorgt wird. Der wirklich dankbare Gast oder Reisende kann sich an den internationalen Richtlinien orientieren. So erhalten Portiers in Großbritannien pro Gepäckstück/Weg mindestens 80 Pence. In Restaurants ist ein Trinkgeld von 10% des Rechnungsbetrags üblich, wenn dieser nicht sowieso eine Bedienungspauschale enthält. Wer mehrere Tage im Hotel verbracht hat, ist gut beraten, für das Zimmermädchen pro Zimmer ca. fünf Pfund die Woche zu kalkulieren. Bei Taxifahrten und beim Friseur sollte der Betrag üblicherweise auf 50p bis ein Pfund aufgerundet werden. Für die Fahrer der Reisebusse und den Führer einer Pauschalreise gilt jeweils die mittlerweile internationale Regelung, pro Teilnehmer und Tag rund ein Pfund hinzuzurechnen.

Unterkunft

In Schottland hat der Besucher die Wahl zwischen dem Luxushotel im Schloss, Landhaus oder Guest House bis hin zum luxuriösen oder ganz einfachen Bed & Breakfast. Über Preise informieren die regionalen Broschüren der Tourist Boards und die Touristeninformationen. Die in der Broschüre aufgeführten Übernachtungsvorschläge stellen eine (getestete) Auswahl dar. Manchmal allerdings lohnt sich auch das Risiko, wenn irgendwo am Wegrand ein einfaches Schild für ein B&B entdeckt wird, das nicht das Logo der Tourismusorganisation zeigt. Mit großer Wahrscheinlichkeit ist diese Unterkunft gut, vielleicht sogar auch günstiger und die Vermieter sicherlich warmherzig und gastfreundlich. Allgemein ist das Abendessen im Hotel und in B&B meistens nur gegen Aufpreis erhältlich. Die Vermieter geben oft gerne Information über die besseren und ortsspezifischen Restaurants und Pubs.

Ein typisches schottisches Frühstück (*cooked breakfast*) setzt sich zusammen aus mindestens: Fruchtsaft, Cornflakes, Porridge o.ä., Spiegelei(ern) und Speck (*ham and eggs*) oder einer anderen Eierspeise, Toast, Butter Orangenmarmelade und/oder Konfitüre (*jam*) und Tee, Kaffee oder Kakao, während das sogenannte *continental breakfast* oft nur aus Toast und Marmelade besteht. Einige gute Häuser bieten teilweise überquellende Buffets mit traditionellen Kartoffelgerichten, warmen Speisen wie *black pudding, Haggis* oder *kippers* (gebratene Bücklinge), gebackenen Bohnen und Würstchen an.

Jugendherbergen und Hostels gibt es in den interessantesten und schönsten Gegenden fast überall. Ausführliche Angebote mit Lageplänen sind in jeder Touristinformationsstelle oder bei der **Scottish Youth Hostel Association** (SYHA) erhältlich.

SYHA
7 Glebe Crescent
Stirling FK8 2JA.
Tel. 01786 511 86
Online-Reservierungen können vorgenommen werden unter http://www.syha.org.uk. Die Seite wird sogar auf Deutsch angeboten.

Unterhaltung

Die traditionellen Hochlandspiele, *Ceilidhs* und schottischen Abende sind nicht die einzige Form der Unterhaltung. Schottland hat sein eigenes Ballett, seine eigene Oper und sein Royal Scottish National Orchestra, das schon von vielen bekannten Dirigenten geleitet worden ist.

Informationen zu Veranstaltungen erteilen das Scottish Tourist Board und die regionalen und örtlichen Touristinformationen. Dringend zu empfehlen ist es, Eintrittskarten für das Tattoo und auch für die verschiedenen Veranstaltungen des Edinburgh International Festivals so früh wie möglich zu bestellen. Dazu sind das Festival Office und das Tattoo Office schon ab Januar geöffnet. Vorausbestellungen sind nur mit Kreditkarte möglich. Vierzehntägig erscheint der der Veranstaltungsführer für Edinburgh und Glasgow unter dem Titel *The List* und ist an jedem Zeitungskiosk erhältlich.

Verkehr

In ganz Großbritannien wird links gefahren. Der Verkehr kommt von rechts – für Autofahrer gilt das besonders im Kreisverkehr – der Verkehr von rechts hat Vorfahrt! Darauf sollten besonders die Fußgänger achten.

Auf Autobahnen (*motorways*, mit blauer Beschilderung) ist die maximale Geschwindigkeit 70 mph/ (112 km/h), das gilt auch für die Schnellstraßen (*dual carriageways*, mit grüner Beschilderung). Auf zweispurigen Straßen sind max. 60 mph (96 km/h) erlaubt und geschlossene Ortschaften dürfen nur mit max. 30 mph/ (48 km/h) durchfahren werden, sofern nicht anders angegeben.

Parken auf doppelten gelben Linien ist verboten! Auf *einfachen* gelben Linien darf nur zum Be- und Entladen gehalten aber ausserhalb der angegebenen Zeiten kann dort geparkt werden. Einfahrt in Kreuzungsbereiche mit Rautenmustern ist auch bei grünem Licht, wenn der vorausfahrende Verkehr stockt, nicht gestattet.

Im Norden und Westen des Landes gibt es noch zahlreiche einspurige Straßen, die eine besonders vorsichtige Fahrweise erfordern. Ausweichbuchten müssen von dem Fahrzeug angefahren werden, das bei entgegenkommendem Verkehr einer dieser Buchten am nächsten ist. Gleiches gilt, wenn hinter einem langsameren Fahrzeug andere Verkehrsteilnehmer am Überholen gehindert werden. Die Ausweich-

buchten dürfen in keinem Fall als Parkplätze oder Halte-
buchten benutzt werden, auch wenn das Fotomotiv noch so
verlockend ist. Eine vorsichtige Fahrweise ist überall geboten, denn Schafe liegen oft dicht am Straßenrand oder sogar
mitten auf der Straße. Schafe und Rinder haben Vorfahrt!

Währung

Großbritannien ist eines der wenigen Länder in der EU, das
den Euro noch nicht eingeführt hat. Die britische Währungs-
einheit ist heute immer noch das Pfund (£) mit 100 Pence (p).

Die Bezeichnung Pfund (Pound Sterling) hat einen historischen Hintergrund. Einst wurde der bekannte Penny aus
Sterlingsilber geprägt. Sterling (Altenglisch: steorra = Stern,
normannische Münzprägemarke) ist eine Legierung aus
92.5% Silber und 7.5% Kupfer. Bis in die frühen 1970er Jahre galt: ein Pfund (Pfund) = 20 Shillings (s) = 240 Pence (d).
Ursprünglich waren also 240 Pence gleich schwer und genauso viel Wert wie ein Pfund Sterlingsilber. 1526 führte Henry
VIII. dann das sogenannte Troy Pound ein. Das alte System
wurde 1971 aufgehoben. Im Umlauf sind jetzt Banknoten im
Wert von £1 (nur in Schottland) £5, £10, £20, £50 und £100
sowie Münzen zu 1p, 2p, 5p, 10p, 50p und £1 und £2.

Die drei großen schottischen Banken erhielten mit dem
Unionsvertrag das Recht, eigene Banknoten zu drucken. Sie
üben es heute noch aus. Die Bestrebungen verschiedener politischer Parteien im neuen teilunabhängigen Schottland zie-
len allerdings darauf ab, dieses Recht nach Einführung des
Euro auch auf den schottischen Euronoten ausüben zu dürfen.

Websites – Internetseiten

Das Internet als Informationsmedium vor und auch nach
dem Urlaub bietet sich an für alle, die sich ein Bild von
Schottland machen möchten. In der Folge ist eine kleine Auswahl an kommentierten Adressen, die als Ausgangspunkt
zum Surfen dienen können. Leider sind die meisten von ihnen nur in englischer Sprache verfügbar.

http://www.scotland.org – zu Schottland allgemein
http://www.edinburghguide.com – speziell für Edinburgh
http://www.rampantscotland.com – umfangreich und auf Kultur spezialisiert

Seiten zu Spezialthemen:

http://www.holiday.scotland.net – Seite des Scottish Tourist Board, die mit ihrer Linksammlung nützliche Hinweise auf andere interessante Seiten bietet

http://www.scotland.gov.uk – aktuelle Informationen der schottischen Regierung zu relevanten tagespolitischen Themen

http://www.nms.ac.uk – die schottischen Nationalmuseen mit vielen Informationen über Zweigstellen, wechselnde Sonderausstellungen und vielen Bildern

http://www.geo.ed.ac.uk/home/Scotland/scotland.html – in Zusammenarbeit mit dem Institut für Geografie an der Universität Edinburgh. In mehreren Sprachen abfragbar, bietet viele Karten, statistische Informationen, Landeskunde

http://www.scotland.net – allgemeine Informationen über Schottland

http://www.rbge.org.uk – Seite des Botanischen Gartens in Edinburgh

http://www.schottland.co.uk – Seite des Autors mit vielen relevanten Links

Wetter

Es ist das Gesprächsthema Nummer Eins und ganze Unterhaltungen können darüber geführt werden. So wird gesagt, andere Länder in der Welt hätten vielleicht ihr Klima, aber Schottland hat das Wetter. Es wechselt oft, manchmal sehr schnell und das ganz besonders in höher liegenden Gebieten. Manchmal ist man überzeugt von dem, was Einheimische behaupten, nämlich, dass man in Schottland alle vier Jahreszeiten an einem Tag erleben kann. Die Sprichwörter wie: "Sun before seven brings rain before eleven" oder "Red sky in the morning is a shepherd's warning" haben nicht ohne Grund ihre Richtigkeit.

Durch Schottlands Lage im Norden und durch die Meeresnähe ist das Wetter oft unberechenbar. Doch haben einige Orte an der Ostküste (z. B. Edinburgh) mit rund 680 mm sogar eine ähnlich niedrige Niederschlagsmenge wie viele Regionen in Deutschland. Laut Statistik sind die Monate Mai und Juni in der Regel trockener als der Juli und der August. Das Klima an der Ostküste ist eher kühl und trocken, während das an der Westküste durch den Golfstrom dagegen tendenziell mild und feucht ist. Im Sommer wird Schottland an der Ostküste gelegentlich von Seenebel (*haar*) überrascht. Dieser Nebel tritt meist nur in den Vormittagsstunden auf und ist ein recht sicheres Zeichen für hohe Temperaturen und strahlenden Sonnenschein im Landesinneren. Es empfiehlt sich unbedingt, jederzeit für einen Wetterumschwung gewappnet zu sein (siehe Kleidung und Ausrüstung).

Wolle

Eines der feinsten Materialien ist Kaschmir. Ein Großteil des gezupften Rohmaterials wird von der Firma Todd and Duncan in Kinross verarbeitet. Lieferant dieser federleichten Wolle ist die Kaschmirziege, die allerdings nur in ganz geringem Umfang in Schottland gezüchtet wird. Noch immer wird der größte Teil dieses herrlichen Materials aus den Ländern des Himalajas und angrenzenden Gebieten importiert, weil es dort kälter ist und die Wollfaser dadurch eine andere Struktur hat. Umgekehrt ist die Wolle der hiesigen Schafe für die Verarbeitung zu Strickwaren größtenteils zu rauh. Strickwolle kommt heute aus anderen Teilen der Welt, z. B. aus Australien, denn durch das wärmere Klima dort ist die Wolle viel feiner. Obwohl heute natürlich auch in der Wollindustrie moderne Hochgeschwindigkeitsverfahren angewandt werden, hat sich in der Wollverarbeitung seit den Tagen der Industriellen Revolution wenig verändert. Die Wolle wird gewaschen, entfettet und getrocknet. Dieser Prozess wird mehrmals wiederholt. Nach der ersten Wäsche wird die Wolle gekämmt und geglättet. Dann wird die Wollfaser mit scharfen Bürsten geöffnet. Die Wollfäden werden gestreckt, um gesponnen werden zu können. Wolle zum Weben muss strapazierfähiger sein als Strickwolle. Die Wolle kann im Faserzustand, nach dem Spinnen oder nach dem Webprozess eingefärbt werden. Sie wird dazu in ein Farbbad getaucht und anschließend gewaschen, um überschüssige Farbe zu entfernen. Danach werden die verschiedenen Garnsorten unterschiedlich behandelt. Dem Strickgarn haftet nach dem Spinnvorgang und Färben immer noch das natürliche Wollfett an, aber es ist fertig zum Verarbeiten. Nach dem Weben wird der Stoff geprüft und eventuelle Fehler ausgebessert, ehe er gewalkt wird. Dieser Ausdruck stammt vom englischen 'walk' (gehen) und hat seinen Ursprung in der Tätigkeit der Verarbeitung. Früher wurde der nasse Stoff getreten und verfilzt. Dieser Prozess ist längst mechanisiert. In einer der letzten Stufen des Fertigungsvorgangs wird der Stoff gekämmt. Dabei wird bei Stoffen wie Kaschmir der Flor mechanisch gebürstet oder bei Mohair der Faden aufgerissen.

Zeit

Die Mitteleuropäische Zeit (MET) in Deutschland, Österreich, der Schweiz etc. liegt eine Stunde vor der Greenwich Mean Time (GMT), d.h. in ganz Großbritannien muss die Uhr um eine Stunde zurückgestellt werden. In Großbritannien gilt wie in Mitteleuropa die Sommerzeit.

Balliol, John, 54, 58, 59, 79, 275
Balmoral Castle, 182, 184, 185, 300
Balnakeil, 221, 229, 230
Balquhidder, 152
Balvenie, 188
Banchory, 182
Banff, 173, 188
Bank of Scotland, 293
Banken, 124, 293, 295, 314
Banks, Ian, 22
Bannockburn, 56, 58, 77, 82, 149
Baptisten, 31
Barra, 198, 259, 261
Barrie, James, 22
Barry, Sir Charles, 210
Basalt, 18, 108, 240, 247
Basking Shark, 15
Bass Rock, 123
Basstölpel, 13-4, 123
Baumann, Ludwig, 161
Baxters, 204
Bay City Rollers, 23
Beaker People, 269
Bealach na Bo, 238
Bede, 48
Beinn Eighe, 235, 236
Bellany, John, 21
Bell's, 171
Ben A'an, 149
Ben Hope, 24, 219, 229
Ben More, 176, 200, 232
Ben More Coigach, 232
Ben Nevis, 107, 173, 174, 196
Ben Venue, 149
Benbecula, 248, 261
Bernicia, 44, 48, 271
Berwick upon Tweed, 54, 123
Berwick, Vertrag von, 63
Betty Burke, 96, 248
Bettyhill, 225, 226, 228
Bevölkerung, 15, 31, 54, 76, 78, 80, 90, 92, 99, 105, 120, 129, 143, 157, 210, 220, 221, 222

Bier, 298, 299
Birmingham, Abkommen von, 275
Black House, 194, 261
Black Isle, 208
Black Watch, 87, 169
Blackface, 11, 118
Blackie, William, 161
Blair Atholl, 171
Blairgowrie, 187, 309
Blanket Bogs, 18
Blended Whisky, 191, 211
Boat of Garten, 14, 193
Bon Accord, 177
Bonar Bridge, 227
Bonawe, 198
Bonifazius, 45, 259
Bonington, Chris, 265
Bonnet, 36
Bonnie Dundee, 90, 285
Bonnie Prinz Charlie, 87, 88, 94, 96, 122, 129, 168, 197, 207, 229, 242, 243, 248, 252, 286
Book of Kells, 45
Border Collie, 119
Borders, 9, 35, 49, 77, 100, 105, 107, 108, 114, 115, 117, 118, 119, 120, 146, 213, 232
Bores of Duncansby, 215
Borstengras, 18
Boswell, James, 21, 149, 289
Bothwell Bridge, Schlacht bei, 74, 285
Bothwell, Graf von, 68, 118, 281
Böttcherei, 188
Bourbon, 191
Boyne, Schlacht an der, 84, 90, 285
Bracken, 18
Braemar, 93, 173, 183, 184, 186, 187, 300
Brahan Seer, 237

Zum weiterlesen – eine Auswahl aus unserem Verlagsprogramm

ON THE TRAIL OF

On the Trail of John Muir
Cherry Good
ISBN 0 946487 62 6 PBK £7.99

On the Trail of Mary Queen of Scots
J. Keith Cheetham
ISBN 0 946487 50 2 PBK £7.99

On the Trail of William Wallace
David R. Ross
ISBN 0 946487 47 2 PBK £7.99

On the Trail of Robert Burns
John Cairney
ISBN 0 946487 51 0 PBK £7.99

On the Trail of Bonnie Prince Charlie
David R. Ross
ISBN 0 946487 68 5 PBK £7.99

On the Trail of Queen Victoria in the Highlands
Ian R. Mitchell
ISBN 0 946487 79 0 PBK £7.99

On the Trail of Robert the Bruce
David R. Ross
ISBN 0 946487 52 9 PBK £7.99

On the Trail of Robert Service
GW Lockhart
ISBN 0 946487 24 3 PBK £7.99

LUATH GUIDES TO SCOTLAND

Mull and Iona: Highways and Byways
Peter Macnab
ISBN 1 84282 089 3 PBK £4.99

South West Scotland
Tom Atkinson
ISBN 1 905222 15 7 PBK £5.99

The West Highlands: The Lonely Lands
Tom Atkinson
ISBN 1 84282 088 5 PBK £5.99

The Northern Highlands: The Empty Lands
Tom Atkinson
ISBN 1 84282 087 7 PBK £5.99

The North West Highlands: Roads to the Isles
Tom Atkinson
ISBN 1 84282 086 9 PBK £5.99

HISTORY

Reportage Scotland: Scottish history in the voices of those who were there
Louise Yeoman
ISBN 1 84282 051 6 PBK £7.99

FOLKLORE

The Supernatural Highlands
Francis Thompson
ISBN 0 946487 31 6 PBK £8.99

Tall Tales from an Island [Mull]
Peter Macnab
ISBN 0 946487 07 3 PBK £8.99

BIOGRAPHY

Bare Feet and Tackety Boots
Archie Cameron
ISBN 0 946487 17 0 PBK £7.95

**Willie Park Junior: The man
who took golf to the world**
Walter Stephen
ISBN 1 905222 21 1 HBK
£25.00

FOOD AND DRINK

**Edinburgh and Leith Pub
Guide**
Stuart McHardy
ISBN 0 946487 80 4 PBK £4.99

**The Glasgow 100:
Restaurant Guide**
David Phillips
ISBN 1 84282 068 0 PBK £4.99

NATURAL WORLD

Listen to the Trees
Don MacCaskill
ISBN 0 946487 65 0 PBK £9.99

Red Sky at Night
John Barrington
ISBN 0 946487 60 X PBK £8.99

The Highland Geology Trail
John L. Roberts
ISBN 0 946487 36 7 PBK £4.99

**Wild Lives: Otters – On the
Swirl of the Tide**
Bridget MacCaskill
ISBN 0 946487 67 7 PBK £9.99

**Wild Lives: Foxes – The
Blood is Wild**
Bridget MacCaskill
ISBN 0 946487 71 5 PBK £9.99

Rum: Nature's Island
Magnus Magnusson
ISBN 0 946487 32 4 PBK £7.95

'Nothing But Heather!'
Gerry Cambridge
ISBN 0 946487 49 9 PBK £15.00

**Scotland, Land and People:
An Inhabited Solitude**
James McCarthy
ISBN 0 946487 57 X PBK £7.99

WALK WITH LUATH

**Mountain Days and Bothy
Nights**
Dave Brown & Ian Mitchell
ISBN 0 946487 15 4 PBK £7.50

The Joy of Hillwalking
Ralph Storer
ISBN 0 946487 28 6 PBK £7.50

**Scotland's Mountains Before
the Mountaineers**
Ian Mitchell
ISBN 0 946487 39 1 PBK £9.99

NEW SCOTLAND

**Some Assembly Required:
Behind the scenes at the
rebirth of the Scottish
Parliament**
Andy Wightman
ISBN 0 946487 84 7 PBK £7.99

**Scotland, Land and Power:
The Agenda for Land Reform**
Andy Wightman
ISBN 0 946487 70 7 PBK £5.00

Old Scotland New Scotland
Jeff Fallow
ISBN 0 946487 40 5 PBK £6.99

**Notes from the North:
Incorporating a brief history
of the Scots and the English**
Emma Wood
ISBN 0 946487 46 4 PBK £8.99

Luath Press Limited

committed to publishing well written books worth reading

LUATH PRESS takes its name from Robert Burns, whose little collie Luath (*Gael.*, swift or nimble) tripped up Jean Armour at a wedding and gave him the chance to speak to the woman who was to be his wife and the abiding love of his life. Burns called one of 'The Twa Dogs' Luath after Cuchullin's hunting dog in Ossian's *Fingal*. Luath Press was established in 1981 in the heart of Burns country, and is now based a few steps up the road from Burns' first lodgings on Edinburgh's Royal Mile. Luath offers you distinctive writing with a hint of unexpected pleasures.

ILLUSTRATION: IAN KELLAS

Most bookshops in the UK, the US, Canada, Australia, New Zealand and parts of Europe, either carry our books in stock or can order them for you. To order direct from us, please send a £sterling cheque, postal order, international money order or your credit card details (number, address of cardholder and expiry date) to us at the address below. Please add post and packing as follows: UK – £1.00 per delivery address; overseas surface mail – £2.50 per delivery address; overseas airmail – £3.50 for the first book to each delivery address, plus £1.00 for each additional book by airmail to the same address. If your order is a gift, we will happily enclose your card or message at no extra charge.

Luath Press Limited
543/2 Castlehill
The Royal Mile
Edinburgh EH1 2ND
Scotland

Telephone: 0131 225 4326 (24 hours)
Fax: 0131 225 4324
email: sales@luath.co.uk
Website: www.luath.co.uk